Miranda Cowley Heller

Der Papierpalast

Miranda Cowley Heller

Der Papierpalast

Roman

Aus dem amerikanischen Englisch
von Susanne Höbel

Ullstein

Für Lukas und Felix, meine beiden Lieben.

Und für meine Großmutter Muriel Maurer Cowley,
deren hell brennende Liebe nie schwankte.

Wir blicken nach vorn und zurück
Und trauern um das, was nicht ist:
Unser lautestes Lachen ist
Oftmals von Schmerz beschwert,
Unser süßestes Lied eins von tiefster Traurigkeit.

Percy Bysshe Shelley, *An eine Lerche*

Buch eins

Elle

1

Heute. 1. August, Back Woods.

6.30

Die Dinge kommen aus dem Nichts. Der Kopf ist leer. Dann, in einem Rahmen, eine Birne. Glatt, grün, ein gebogener Stiel, ein einzelnes Blatt. Sie liegt zwischen Limonen in einer weißen Steingutschale, die wiederum auf einem ramponierten Picknicktisch steht, auf einer Veranda mit Fliegengittern rundum, am Ufer eines kleinen Sees, tief im Wald und nah am Meer. Neben der Schale steht ein Kerzenhalter aus Messing, Wachstropfen kleben daran und der Staub des langen Winters, in dem der Kerzenhalter im Regal gestanden hat. Teller mit Nudelresten, eine offene Serviette, eine Flasche mit Rotweinsatz, ein grobes Brotbrett, darauf Brotstücke, gerissen, nicht geschnitten. Ein Gedichtband, der Buchdeckel angeschimmelt, liegt aufgeschlagen auf dem Tisch. Ich betrachte das Stillleben des gestrigen Essens und höre in meinem Kopf *An eine Lerche*, die in den blauen Himmel aufsteigt – schmerzlich, erhebend. *»Dann würde die Welt zuhören, so wie ich jetzt zuhöre.«* Er hat es so schön gelesen. »Für Anna.« Wir saßen still da, gebannt, mit unseren Erinnerungen an sie. Ich könnte ihn, immer nur ihn, eine Ewigkeit lang ansehen, es würde mich glücklich machen. Ich könnte ihm mit geschlossenen Augen zuhören, seinen Atem spüren, dem Klang seiner Worte lauschen, die über mich hinwegschweben, immer und immer wieder. Nichts anderes will ich.

11

Das Morgenlicht ist gedämpft, wo es durch die Fliegengitter dringt, heller über den Bäumen und dem reinen Blau des Sees, bis zu den dunklen Schatten der Tupelobäume am anderen Seeufer, wo das Sonnenlicht so früh am Tage hinreicht. Mein Blick fällt auf den Rest Espresso in einem der Tässchen, und ich bin versucht, ihn auszutrinken. Die Luft ist frisch. Ich friere in dem abgetragenen zartlila Bademantel, der meiner Mutter gehört und den ich im Sommer trage, wenn wir in unserem Sommerquartier sind. Der Geruch nach ihr vermischt sich mit dem vom Schrank, in dem der Bademantel monatelang gehangen hat, und dem von Mäusedreck. In Back Woods ist dies meine Lieblingsstunde. Morgens am See, noch bevor die anderen wach werden. Das Sonnenlicht so klar und scharf, das Wasser atemberaubend kalt, die Nachtschwalben endlich still.

Auf dem kleinen Holzdeck vor dem Fliegengitter hat sich zwischen den Brettern Sand angesammelt. Es müsste mal gefegt werden. Ein Besen lehnt an der Fliegentür und drückt eine kleine Beule in den Maschendraht, aber ich lasse ihn stehen und gehe auf dem schmalen Trampelpfad zu unserer Badestelle. Hinter mir kreischt die Fliegengittertür in den Angeln.

Ich lasse den Bademantel von den Schultern gleiten und stehe nackt am Wasserrand. Auf der anderen Seite des Sees, jenseits von Kiefern und Zwergeichen, brüllt das Meer. Es hört sich an, als brächte es einen Sturm aus dem Inneren des Ozeans, aber hier, am Seeufer, ist die Luft süß und still. Ich stehe, warte, lausche … das Zirpen und Summen winziger Insekten, ein zarter Wind, der sich sanft in den Blättern regt. Dann wate ich ins Wasser, bis es mir zu den Knien reicht, und stürze mich kopfüber ins eiskalte Nass. Ich schwimme zur Mitte, vorbei an den Seerosen, und eine Mischung aus Hochstimmung und Freiheitsgefühl treibt mich voran, zusammen mit dem Adrenalinrausch namenloser Panik. Dazu der Schatten einer Angst, dass eine Schnappschildkröte aus der Tiefe heraufkommen und mir in meine schweren Brüste beißen könnte. Vielleicht zieht der Geruch von Sex sie an, wenn ich die Beine öffne und schließe. Unvermittelt überkommt mich der Wunsch, umzukehren in die Sicherheit des seichten Wassers, wo ich den sandigen Grund sehen kann. Ich wünschte, ich wäre mutiger. Aber ich mag auch die Angst, das Stocken des Atems, mein wild klopfendes Herz, als ich aus dem Wasser steige.

Ich wringe das Wasser so gründlich wie möglich aus meinem langen Haar, nehme ein fadenscheiniges Handtuch von der Leine, die meine Mutter zwischen zwei kümmerlichen Kiefern gespannt hat, und strecke mich auf dem warmen Sand aus. Eine leuchtend blaue Libelle landet auf einer Brustwarze, verweilt einen Moment, fliegt weiter. Eine Ameise krabbelt über die Saharadünen, die mein Körper auf ihrem Pfad geformt hat.

Gestern Abend habe ich mit ihm gefickt, endlich. Nach all den Jahren, in denen ich mir das ausgemalt hatte und nie sicher sein konnte, ob er mich noch wollte. Dann war der Augenblick da, und ich wusste, jetzt passiert es: der viele Wein, Jonas' Stimme, als er das Gedicht las, Peter, mein Mann, im Grappadunst, ausgestreckt auf dem Sofa, unsere drei Kinder schlafend in ihrer Hütte, meine Mutter mit gelben Gummihandschuhen am Spülbecken beim Abwasch, die sich nicht um ihre Gäste kümmerte. Unsere Blicke versenkten sich eine Sekunde zu lang ineinander. Ich stand vom Tisch auf, wo ein angeregtes Gespräch im Gang war, zog in der Speisekammer meinen Slip aus und stopfte ihn hinter den Brotkasten. Dann ging ich durch die Hintertür hinaus in die Nacht. Ich stand im Dunkeln, ich hörte das Klappern von Tellern, Gläsern und Besteck im Spülwasser und wartete. Hoffte. Und dann war er da, drückte mich an die Mauer und griff mir unters Kleid.

»Ich liebe dich«, flüsterte er. Ich hielt den Atem an, als er in mich eindrang. Und ich dachte: Jetzt gibt es kein Zurück. Kein Bedauern mehr, dass ich es nicht getan habe. Nur das Bedauern für das, was ich getan habe. Ich liebe ihn und hasse mich. Ich liebe mich und hasse ihn. Das Ende einer langen Geschichte.

1966. Dezember, New York.

Ich schreie. Ich schreie und schreie, bis meine Mutter endlich begreift, dass es etwas Ernstes ist. Sie rennt los, zum Arzt, und als sie angsterfüllt mit ihrem drei Monate alten Baby die Park Avenue entlanghastet, kommt sie sich vor wie Miss Clavel, die Krankenschwester aus dem Kinderbuch *Madeline* von Ludwig Bemelmans. Mein Vater, den Aktenkoffer in der Hand, läuft aus dem Fred-F.-French-Gebäude an der Madison Avenue herbei. In seinem Kopf geht alles durcheinander, er fürchtet sich vor seiner eigenen Unfähigkeit, jetzt und bei allem anderen, was er tut. Es sei keine Zeit zu verlieren, sagt der Arzt, wenn sie zögerten, werde das Baby sterben, und er entreißt mich meiner Mutter. Auf dem Operationstisch schneidet er meinen Bauch auf wie eine Wassermelone. Eine Geschwulst hat sich um meine Gedärme geschlungen, toxischer Kot vergiftet meinen kleinen Körper. Immer wieder passiert es, dass sich der Kot anstaut, und man muss damit klarkommen – wie, werde ich erst viele Jahre später lernen.

Bei der Operation, in seiner Hast und dem Bemühen, das Tödliche aus mir herauszuschneiden, durchtrennt der Arzt einen Eileiter. Auch das sagt man mir erst Jahre danach. Als ich es erfahre, weint meine Mutter zum zweiten Mal um mich. »Es tut mir so leid«, sagt sie. »Ich hätte darauf dringen sollen, dass er besser aufpasst« – als hätte es in ihrer Macht gestanden, mein Schicksal zu beeinflussen, und sie hätte es versäumt.

Später liege ich im Krankenhaus in einem Kinderbett, die Arme festgebunden, und schreie weiter; ich bin lebendig und schreie aus Empörung über die Ungerechtigkeit. Meine Mutter darf mich nicht stillen. Ihre Milch versiegt. Fast eine Woche vergeht, bevor sie meine Arme losbinden. »Als du zur Welt kamst, warst du ein so zufriedenes Baby«, sagt mein Vater. »Danach«, sagt meine Mutter, »hast du immerzu geweint.«

7.30

Ich drehe mich auf den Bauch und lege den Kopf auf die Unterarme. Ich mag den salzig-süßen Geruch meiner Haut, wenn ich in der Sonne gelegen habe: nussgolden und würzig, fast wie geräuchert. Von den Schlafhütten her höre ich ein leises Türklappen. Jemand ist wach. Füße gehen über trockenes Gras. Die Außendusche wird angedreht. Klopfend und krachend treten die Rohre in Aktion. Mit einem Seufzer richte ich mich auf, ziehe mir den Bademantel über und gehe zum Haus zurück.

Unser Sommerquartier besteht aus einem Haupthaus und vier Einzimmerhütten, die an dem mit Kiefernnadeln bedeckten Pfad zum See liegen. Es sind kleine Holzhütten mit Spitzdächern, damit im Winter der Schnee runterrutschen kann, einem Oberlicht und hohen Fenstern in beiden Giebeln. Sie sind altmodisch, ländlich, ohne Schnörkel. So wie Hütten in Neuengland sein sollten. Zwischen dem Pfad und dem See wächst ein Windschutz aus blühenden Zimterlen, Lorbeersträuchern und wilden Blaubeerbüschen, der uns zudem vor den neugierigen Blicken der Fischer und der tüchtigen Schwimmer schützt, die es von der Badestelle am gegenüberliegenden Ufer zu unserer Seite schaffen. An Land gehen dürfen sie nicht, aber manchmal verweilen sie wassertretend kurz vorm Ufer. Dass sie unsere Privatsphäre stören, kümmert sie nicht.

Ein anderer Pfad führt hinter den Hütten zu dem alten Badehaus. Abblätternde Farbe, ein rostiges Emaillebecken voller Flecken von den Motten, die bei Dunkelheit vom Deckenlicht angezogen werden, eine alte Badewanne mit Klauenfüßen, die aus der Zeit stammt, als mein Großvater die Anlage baute, eine Außendusche, deren Heiß- und Kaltwasserleitungen an einem Tupelobaum aufgehängt sind und von der das Duschwasser in den sandigen Untergrund abfließt.

Das Haupthaus besteht aus einem einzigen großen Raum, Wohnzimmer und Küche in einem, davon abgehend eine Speisekammer, und ist aus Hohlziegeln und Teerpappe gebaut. Innen gibt es breite Holzdielen, dicke Deckenbalken, einen riesigen gemauerten Kamin. An Regentagen machen wir alle Türen und Fenster zu und sitzen drinnen, wo wir dem Knistern des Feuers zuhören und uns zwingen, Monopoly zu spielen. Aber eigentlich leben wir – lesen, essen, diskutieren und werden zusammen älter – auf der von Fliegengittern geschützten Veranda, die so breit wie das Haus ist und einen Blick auf den See hat. Unser Sommerhaus ist nicht winterfest. Es hätte auch gar keinen Sinn. Ende September, wenn das Wetter sich wendet und alle Sommerhäuser für den Winter verschlossen werden, ist es in Back Woods ein bisschen einsam – zwar immer noch schön in dem harscheren Winterlicht, aber ziemlich düster und still. Sobald das Laub zu fallen beginnt, will niemand mehr hier sein. Aber wenn der Sommer beginnt und es im Wald grünt und wenn der Kanadareiher zurückkommt, sich sein Nest baut und in dem klaren See umherstelzt, gibt es in der ganzen Welt keinen besseren Ort als diesen.

Als ich auf die Veranda trete, überkommt mich eine Welle der Sehnsucht, die wie Quecksilber durch meine Brust strömt, fast wie Heimweh. Eigentlich sollte ich den Tisch abräumen, bevor die anderen zum Frühstück kommen, aber ich will mir noch einmal den Abend zuvor vergegenwärtigen, will ihn noch einmal erleben, Krume für Krume, Teller um Teller, ihn mir ins Gehirn einritzen. Ich fahre mit dem Finger über einen Weinfleck auf der weißen Leinentischdecke, ich hebe Jonas' Glas an die Lippen und versuche, ihn zu schmecken. Ich schließe die Augen und spüre wieder den sanften Druck seines Schenkels an meinem unter dem Tisch. Ohne mir sicher zu sein, ob er mich wollte. Und frage mich mit angehaltenem Atem: War es Zufall oder Absicht?

Im Zimmer ist alles so wie immer: Über dem Herd hängen Töpfe und Pfannenheber an Haken an der Wand, in einem Einmachglas stehen Holzlöffel, eine verblasste Liste mit Telefonnummern ist mit einer Reißzwecke am Regal befestigt, zwei Regiestühle stehen vor dem offenen Kamin. Alles ist so wie immer, aber als ich von der Küchenzeile in die Speisekammer gehe, habe ich das Gefühl, ein anderes Zimmer zu betreten, als wäre die Luft selbst gerade aus tiefem Schlaf erwacht. Ich gehe von der Speisekammer durch die Tür nach draußen und starre die Mauer an. Nichts ist zu sehen. Keine Spuren, keine Hinweise. Aber hier haben wir gestanden, haben uns für alle Zeiten ineinander eingegraben. Haben uns aneinander gerieben, stumm, verzweifelt. Plötzlich fällt mir mein Slip wieder ein, den ich hinter dem Brotkasten versteckt habe, und gerade als ich ihn mir unter dem Bademantel anziehe, kommt meine Mutter herein.

»Du bist früh auf, Elle. Gibt es Kaffee?« Ein Vorwurf.

»Ich wollte gerade welchen machen.«

»Nicht zu stark. Ich mag das Espressopulver nicht, das ihr benutzt. Ich weiß, ihr mögt es lieber«, sagt sie in einem künstlichen Ton, der Nachsicht vortäuscht und mich wahnsinnig macht.

»Ist gut.« Heute Morgen habe ich keine Lust zum Streiten.

Meine Mutter macht es sich auf dem Verandasofa bequem. Es ist nichts weiter als eine harte Pferdehaarmatratze mit einem alten grauen Bezug, aber trotzdem der Lieblingsplatz aller. Von hier kann man über den See gucken, Kaffee trinken, ein Buch lesen und sich dabei in den uralten Kissen zurücklehnen, deren Bezüge voller Rostflecken sind. Wer hätte gedacht, dass auch Baumwolle mit der Zeit rostig wird?

Typisch, dass sie sofort den besten Platz besetzt.

Ihr Haar, strohblond und inzwischen von Grau durchzogen, ist zu einem unordentlichen Knoten zusammengesteckt. Ihr Nachthemd mit dem Vichykaro-Muster ist verschlissen. Dennoch wirkt sie imposant – eine Galionsfigur am Bug eines Schoners im Neuengland des achtzehnten Jahrhunderts, schön, streng, mit Lorbeerkranz und Perlen geschmückt, die Richtung weisend.

»Sobald ich meinen Kaffee getrunken habe, räume ich den Tisch ab«, sage ich.

»Wenn du abräumst, mache ich den Rest des Abwaschs. Mmhm«, sagt sie, als ich ihr eine Tasse gebe. »Danke. Wie war das Wasser?«

»Genau richtig. Kalt.«

Diese Lektion hat meine Mutter mir beigebracht: Es gibt zwei Dinge im Leben, die man nie bereut – ein Kind und Schwimmen im kalten Wasser. Auch im Juni, an kalten Tagen, wenn ich am kabbeligen Atlantik stehe und mich über die Robben ärgere, die ihre hässlichen, entstellten Köpfe recken und Haie an unsere Küste locken, höre ich ihre Stimme in meinem Kopf.

»Ich hoffe, du hast das Handtuch auf die Leine gehängt. Ich will heute nicht wieder einen Berg nasser Handtücher auf dem Boden finden. Sag das auch den Kindern.«

»Meins habe ich aufgehängt.«

»Wenn du es ihnen nicht deutlich sagst, dann tue ich das.«

»In Ordnung.«

»Und sag ihnen, sie sollen ihre Hütte ausfegen. Es ist so schmutzig darin. Aber nicht, dass du es für sie machst, Elle. Die Kinder sind so verwöhnt. Sie sind alt genug, um …«

Ich nehme eine Abfalltüte in die eine Hand, meine Kaffeetasse in die andere und gehe die Stufen runter. Ihre Ansprache überlasse ich dem Wind.

Ihr schlimmster Rat: *Immer an Botticelli denken.* Sei wie die Venus, die auf einer Muschelschale aus den Fluten steigt, mit züchtig geschlossenem Mund und noch in ihrer Nacktheit keusch. Das war der Rat, den meine Mutter mir gab, als ich mit Peter zusammenzog. Sie hatte ihn auf eine alte Postkarte geschrieben, die sie Jahre zuvor in einem Andenkenladen bei den Uffizien gekauft hatte.

Liebe Eleanor, ich mag Deinen Peter sehr. Gib Dir bitte Mühe, nicht dauernd so schwierig zu sein. Halte schön den Mund und wirke geheimnisvoll. Immer an Botticelli denken. Alles Liebe, Mummy.

Ich werfe die Tüte in die Abfalltonne, schlage den Deckel zu und ziehe die Gummispinne stramm darüber, damit die Waschbären nicht rankommen. Es sind schlaue Tiere, mit geschickten langen Fingern. Kleine, menschenartige Bären, schlauer und niederträchtiger, als sie aussehen. Seit Jahren stehen wir mit ihnen auf Kriegsfuß.

»Hast du das Gummi wieder festgemacht, Elle?«, fragt meine Mutter.

»Ja, sicher.« Ich lächle gefügig und stelle die Teller zusammen.

1969. New York City.

Gleich kommt mein Vater. Ich verstecke mich hinter der Bar, die zwischen dem Wohnzimmer und dem Eingang als Raumteiler dient. Die Bar hat quadratische Fächer. In einem stehen die Flaschen mit alkoholischen Getränken, in einem anderen das Stereogerät, in dem dritten ist die Schallplattensammlung meines Vaters untergebracht; auch ein paar große Kunstbildbände, die Martinigläser und der silberne Shaker stehen hier. Das Abteil mit den alkoholischen Getränken ist von beiden Seiten offen. Ich gucke durch die Flaschen hindurch und bin fasziniert von den topasfarbenen Getränken – Scotch, Bourbon, Rum. Ich bin drei Jahre alt und hocke neben den kostbaren Schallplatten meines Vaters. Ich streiche mit dem Finger über die Kanten der Hüllen, das Geräusch gefällt mir. Ich atme den Geruch nach alter Pappe ein und warte darauf, dass es an der Tür klingelt. Endlich kommt mein Vater herein, und ich habe nicht die Geduld, in meinem Versteck zu warten. Viele Wochen habe ich gewartet. Ich renne zur Wohnungstür und werfe mich in seine warme Umarmung.

Die Scheidung ist fast durch, aber vorher müssen meine Eltern noch über die Grenze nach Juarez fahren. Dort wird das Ende verkündet. Anna, meine ältere Schwester, und ich sitzen derweil geduldig in einem Hotelfoyer auf dem Rand eines achteckigen Springbrunnens aus mexikanischen Kacheln und sehen fasziniert den Goldfischen zu, die um eine Insel dunkler tropischer Pflanzen schwimmen. Viele Jahre später erzählt meine Mutter mir, dass sie an dem Morgen, die Scheidungspapiere in der Hand, meinen Vater angerufen und gesagt habe: »Ich habe es mir anders überlegt. Lass es uns abblasen.« Und obwohl die Scheidung allein von ihr ausgegangen war und sie ihm damit das Herz gebrochen hatte, sagte er: »Nein. Jetzt sind wir so weit gekommen, jetzt können wir es genauso gut zu Ende bringen, Wallace.« *Genauso gut* – vier kleine Silben, die alles veränderten. In dem Moment jedoch, als ich auf dem Springbrunnen saß und aus lauter Langeweile mit den Fersen gegen die Kacheln schlug und als ich die Goldfische mit Krümeln von meinem englischen Muffin fütterte, wusste ich nicht, dass ein Schwert am seidenen Faden über meinem Kopf hing. Dass es um Haaresbreite anders ausgegangen wäre.

Aber Mexiko steht noch bevor. Denn jetzt ist mein Vater gespielt fröhlich und noch in meine Mutter verliebt.

»Eleanor!« Er hebt mich hoch. »Wie geht es meinem Häschen?«

Ich lache und klammere mich mit so etwas wie Verzweiflung an ihm fest, und als ich mein Gesicht an seins presse, behindern meine blonden Locken seinen Blick.

»Daddy!« Anna kommt wie ein kleiner Bulle hereingestürmt, wütend, dass ich eher da war, und schubst mich aus seiner Umarmung. Sie ist zwei Jahre älter und hat damit auch ältere Rechte. Ihm scheint das nicht aufzufallen. Er kennt nur sein eigenes Bedürfnis nach Liebe. Ich dränge mich wieder in seine Arme.

Die Stimme meiner Mutter ertönt aus einem der Zimmer unserer düsteren Altbauwohnung. Eiswürfel klirren. »Arthur? Willst du einen Drink? Ich brate Koteletts.«

»Nur zu gerne«, ruft er zurück, als hätte sich zwischen ihnen nichts verändert. Aber in seinem Blick liegt Traurigkeit.

8.15

»Der Abend gestern war gelungen, fand ich«, sagt meine Mutter, in der Hand einen zerlesenen Roman von Dumas.

»Auf jeden Fall.«

»Jonas sah gut aus.«

Ich halte den Stapel Teller fest.

»Jonas sieht immer gut aus, Mum.« Dichtes schwarzes Haar, das man mit beiden Händen verwuscheln möchte, blassgrüne Augen, die Haut von frischer Luft getönt, ein wildes Geschöpf, der schönste Mann der Welt.

Meine Mutter gähnt. Ein verräterisches Zeichen – jedes Mal, bevor sie etwas Unangenehmes sagt, gähnt sie.

»Ihn mag ich, aber seine Mutter kann ich nicht ausstehen. So was von selbstgerecht.«

»Das stimmt.«

»Als wäre sie die einzige Person auf der Welt, die was von Recycling verstünde. Und Gina. Bis heute begreife ich nicht, wie er auf die Idee gekommen ist, sie zu heiraten.«

»Sie ist jung, sie ist eine Schönheit. Sie sind beide Künstler.«

»Sie *war* jung«, sagt meine Mutter. »Und wie sie mit ihrem Dekolleté angibt. Und sich in Positur wirft, als wäre sie wer weiß wer. Offenbar hat sie noch nie davon gehört, dass Bescheidenheit eine Zier ist.«

»Stimmt, es ist merkwürdig«, sage ich und stelle die Teller in die Küche. »Ihr Selbstbewusstsein. Sie muss von ihren Eltern sehr gefördert worden sein.«

»Also, ich finde das sehr unattraktiv«, sagt Mum. »Haben wir Orangensaft?«

Ich nehme ein sauberes Glas von der Spüle und gehe zum Kühlschrank.

»Ich vermute«, rufe ich ihr zu, »Jonas hat sich genau deswegen in sie verliebt. Sie muss ihm sehr exotisch vorgekommen sein nach all den neurotischen Frauen, mit denen er aufgewachsen ist. Wie ein Pfau mitten im Wald.«

»Sie ist aus Delaware«, sagt meine Mutter, als erklärte das alles. »Ich meine, wer kommt schon aus Delaware?«

»Genau«, sage ich und gebe ihr das Glas mit dem Saft. »Das macht sie exotisch.« Aber in Wahrheit denke ich jedes Mal, wenn ich sie sehe: *Sie* hat er gewählt? *So* eine wollte er haben? Ich sehe Gina vor mir: die Wespentaille, die dunklen Haarwurzeln in der blond gefärbten Frisur. Offenbar ist stonewashed wieder modern.

Meine Mutter gähnt wieder. »Besonders helle ist sie auch nicht, das musst du zugeben.«

»War gestern Abend eigentlich jemand hier, den du mochtest?«

»Ich bin einfach nur ehrlich.«

»Das ist nicht nötig. Gina gehört zur Familie.«

»Nur, weil dir keine Wahl bleibt. Sie ist mit deinem besten Freund verheiratet. Seit ihr euch kennt, seid ihr wie Feuer und Wasser.«

»Das ist überhaupt nicht wahr. Ich habe Gina von Anfang an gemocht. Wir haben vielleicht nicht besonders viele Gemeinsamkeiten, aber ich respektiere sie. Und Jonas liebt sie.«

»Wenn du meinst«, sagt meine Mutter mit einem selbstgefälligen Lächeln.

»Ach, lass es.« Vielleicht muss ich sie doch noch umbringen.

»Hast du ihr nicht mal ein Glas Rotwein ins Gesicht gegossen?«

»Nein, Mum. Das habe ich nicht. Ich bin einmal, auf einer Party, gestolpert und habe ihr versehentlich meinen Wein übers Kleid gekippt.«

»Du hast den ganzen Abend mit Jonas geredet. Worüber bloß?«

»Was weiß ich. Alles Mögliche.«

»Er war so in dich verknallt, als ihr Teenager wart. Wahrscheinlich hast du ihm das Herz gebrochen, als du Peter geheiratet hast.«

»Das ist doch lächerlich. Jonas war damals praktisch noch ein Kind.«

»Oh, ich glaube, die Sache ging tiefer. Der arme Junge.«

Sie sagt es beiläufig und nimmt wieder ihr Buch in die Hand. Zum Glück sieht sie mich nicht an, denn ich weiß, dass mein Gesicht in dem Moment Bände spricht.

Mein Blick wandert zum See hinaus, dessen Oberfläche vollkommen still ist. Ein Fisch schießt in die Luft und taucht wieder ins Wasser, und ich sehe, wie die dabei entstehenden konzentrischen Kreise nach außen hin allmählich schwächer werden, bis sich die Oberfläche wieder glättet, als wäre nichts geschehen.

2

Nachdem ich den Tisch abgeräumt und das schmutzige Geschirr beim Spülbecken gestapelt habe, warte ich darauf, dass
meine Mutter dies als Signal versteht, schwimmen zu gehen,
damit ich zehn Minuten allein sein kann. Ich muss meine
Gedanken ordnen. Ich brauche Klarheit. Bald wird Peter aufwachen. Die Kinder werden aufstehen, und ich brauche dringend Zeit für mich. Aber sie hält mir ihre Kaffeetasse entgegen.

»Sei ein Engel, bitte, ja? Nur eine halbe Tasse.«

Das Nachthemd ist ihr über die Oberschenkel nach oben
gerutscht, sodass ich von meinem Platz aus alles sehen kann.
Meine Mutter ist der Meinung, es sei der Gesundheit abträg-
lich, wenn man nachts einen Slip trägt. »Nachts muss man sich
auslüften«, erklärte sie uns, als wir klein waren. Anna und ich
haben das natürlich nicht befolgt. Schon die Vorstellung war
uns peinlich, sie erschien uns schmutzig. Und der Gedanke,
dass sie eine Vagina hatte und, schlimmer noch, dass nachts
alles offen lag, schreckte uns ab.

»Er sollte sie verlassen«, sagt Mum.

»Wer? Wen?«

»Gina. Sie ist so langweilig. Ich wäre beinah eingeschlafen
bei ihrem Gelaber. Sie stellt Kunst her. Wirklich? Warum soll
uns das interessieren?« Sie gähnt, dann sagt sie: »Sie haben keine Kinder. Eigentlich ist es gar keine richtige Ehe. Er sollte sich
von ihr trennen, solange er noch kann.«

»Das ist doch lächerlich. Natürlich sind sie richtig verhei-

25

ratet«, sage ich empört. Aber beim Sprechen denke ich: Kann sie meine Gedanken lesen?

»Ich weiß nicht, warum du dich so angegriffen fühlst, Elle. Er ist ja nicht *dein* Mann.«

»Es ist einfach idiotisch, so etwas zu sagen.« Ich mache die Kühlschranktür auf, gieße Milch in meinen Kaffee und knalle die Tür wieder zu. »Keine Kinder zu haben heißt doch nicht, dass es keine Ehe ist. Was redest du da?«

»Ich habe ein Recht auf meine Meinung«, sagt sie. Mit ihrer gelassenen Stimme will sie mich nur provozieren.

»Viele Ehepaare sind kinderlos.«

»Mmhmm.«

»Himmel. Deine Schwägerin hatte eine doppelte Mastektomie. Heißt das, dass sie jetzt keine Frau mehr ist?«

Meine Mutter sieht mich ausdruckslos an. »Hast du den Verstand verloren?« Sie stemmt sich vom Sofa hoch. »Ich gehe schwimmen. Du solltest dich noch mal hinlegen und den Tag von vorne beginnen.«

Am liebsten würde ich ihr eine runterhauen, aber ich sage: »Sie hätten gern Kinder gehabt.«

»Weiß der Himmel, warum.« Sie lässt die Fliegengittertür hinter sich zufallen.

1970. Oktober, New York.

Meine Mutter hat uns nach nebenan in die Wohnung ihres Geliebten geschickt, wo wir mit seinen Kindern spielen und seine Frau auf uns aufpasst. Meine Mutter und er versuchen zu entscheiden, ob er seine Frau verlassen soll. Ich bin inzwischen etwas älter, nicht alt genug, um das alles zu verstehen, aber doch so alt, dass ich es merkwürdig finde, von seiner Wohnung durch den Innenhof in unsere zu gucken und zu sehen, wie Mr Dancy meine Mutter im Arm hält.

Der zweijährige Sohn der Dancys sitzt in seinem Hochstuhl in der schlauchartigen Küche und spielt mit Tupperware-Behältern. Mrs Dancy betrachtet eine schwangere Kellerassel, die auf der Türschwelle zwischen Küche und Esszimmer auf den Rücken gerollt ist. Winzig kleine Asseln kullern aus ihr heraus und krabbeln in die Ritzen im Parkettfußboden. Anna kommt mit Blythe, der Tochter der Dancys, aus einem der Schlafzimmer hinten in der Wohnung. Sie weint. Blythe hat ihr mit einer Spielschere alle Ponyfransen abgeschnitten. Annas Stirn ist jetzt von einem unregelmäßigen Kranz brauner Haare umgeben. Bei Blythes selbstzufriedenem, triumphierendem Lächeln muss ich an Brote mit Mayonnaise denken. Ihre Mutter nimmt nichts davon wahr. Sie starrt auf die Kellerassel, und eine Träne rollt ihr über die Wange.

8.50

Ich setze mich aufs Sofa und mache es mir an der warmen Stelle bequem, die meine Mutter hinterlassen hat. Schon um diese frühe Stunde kann ich ein paar Gestalten an dem kleinen Strand auf der anderen Seite des Sees ausmachen. Meistens sind es Leute, die Ferienhäuser gemietet haben. Sie wagen sich in den Wald und freuen sich darüber, ein verstecktes Idyll gefunden zu haben. Revierverletzer, denke ich verärgert.

Als wir jünger waren, kannten sich alle Bewohner in Back Woods untereinander. Die Cocktailparty wanderte von einem Haus zum anderen: barfüßige Frauen in Strandkleidern, gut aussehende Männer in weißen, bis über die Fußgelenke hochgerollten Segelhosen, Gin Tonics, Cracker, Cheddar, überall Mücken und *Cutters*: endlich ein Insektenspray, das wirkte.

Auf den Sandstraßen durch die Wälder tanzten Schattenflecken, wo die Sonne durch Zwergkiefern und Schierling schien. Wenn wir zum Strand gingen, erhob sich unter unseren Schritten feiner rötlicher Kalkstaub und verbreitete Sommergeruch: trocken, gebacken, ewig, süß. Auf dem langen Streifen in der Mitte der Straße wuchsen Strandhafer und Giftsumach. Wir wussten, was wir meiden mussten. Kam ein Auto, fuhr es langsamer und nahm uns auf dem Trittbrett oder der Kühlerhaube mit. Dass wir runterfallen und überfahren werden konnten, kam niemandem in den Sinn. Niemand hatte Angst, dass Kinder von der starken Unterströmung ins Meer hinausgezogen werden konnten. Wir rannten frei herum und schwammen in den Toteisseen, die es überall in Back Woods gibt. Wir nannten sie »Teiche«, aber eigentlich waren es Seen, manche tief und breit, andere flach und klar bis zum Grund. Sie hatten sich am Ende der Eiszeit gebildet, als die Gletscher abschmolzen und in riesige Blöcke von tauendem Eis zerbrachen, deren Gewicht die Erdoberfläche eindrückte und tiefe Kuhlen hinterließ, die sich mit klarstem Wasser füllten. In unserem Teil von Back Woods gibt es neun von diesen Seen. Wir schwammen in jedem einzelnen und gingen über die Grundstücke anderer Leute, um zu den kleinen Sandstränden zu gelangen. Wir balancierten auf umgestürzten Baumstämmen über das Wasser. Wir machten Paketsprünge in den See. Niemand störte sich an uns. Alle hielten sich an die alten Wegerechte: schmale, schattige Pfade, die zu den Hintereingängen der alten Cape-Häuser führten, die in der Zeit gebaut worden waren, als auch die ersten Fahrwege angelegt wurden. Sie standen auf den von Schnee und Seeluft und heißen Sommern verschonten Lichtungen. Und in den Bächen wuchs Wasserkresse – in dem Bach von jemand anderem die Wasserkresse von jemand anderem.

An der Bucht war das Cape ländlicher, zivilisierter. Preiselbeerbüsche, Strandpflaumen und Lorbeer wuchsen auf den niedrigen Hügeln. Aber hier, auf der dem Meer zugewandten

Seite, war es wild. Heftige Brecher rollten an Land, und von den hohen Dünen konnte man zum Meer hinunterrennen und sich, bevor man unten ankam, in den heißen Sand werfen. Anders als jetzt schimpften die Mütter damals nicht, dass die Kinder die Erosion vorantrieben, wenn sie auf den Dünen spielten. Als könnten kleine Kinderfüße mehr Schaden anrichten als raue Winterstürme, die das Land in großen, gierigen Bissen wegfraßen.

Abends saßen Erwachsene und Kinder um Lagerfeuer, guckten dem über dem Meer aufsteigenden Mond zu, tranken und flirteten, aßen sandig knirschende Hamburger mit Ketchup und eingelegten Gurken, die auf grob gezimmerten Tischen serviert wurden. Unsere Eltern tranken Gin aus Marmeladengläsern und verzogen sich in den hohen Strandhafer, um ihre Geliebten zu küssen.

Doch mit der Zeit schlossen sich die Türen. Schilder mit der Aufschrift »Privat« wurden aufgestellt. Die Kinder der ersten Feriensiedler – Künstler, Architekten, Intellektuelle – stritten sich um die besten Plätze am Cape. Es gab Diskussionen darüber, wie viel Lärm zumutbar war und wer das größere Recht hatte, all das hier zu lieben. Neid und Missgunst entstanden. Inzwischen stehen sogar an den Stränden Verbotsschilder: Große Bereiche sind abgesperrt, um die Nistplätze der Meeresvögel zu schützen. Regenpfeifer sind die einzigen Wesen, die noch frei herumspazieren dürfen. Trotzdem ist es mein Wald, mein See. Seit fünfzig Jahren komme ich hierher – jeden Sommer, mein Leben lang. Und hier haben Jonas und ich uns kennengelernt.

Vom Sofa auf der Veranda aus sehe ich meine Mutter den See durchschwimmen, eine Strecke von einer Meile. Mit regelmäßigen Schwimmzügen von fast mechanischer Perfektion durchpflügt sie das Wasser. Meine Mutter hebt beim Schwimmen nie den Kopf. Man könnte denken, sie habe einen siebten

Sinn für die Richtung, wie ein Wal auf eingeübten Wegen. Schon oft habe ich mich gefragt, ob ihre Sinne auch anderes empfangen, nicht nur Walgesänge. »Er sollte sie verlassen«, hatte sie gesagt. Ist das mein Wunsch? Gina und Jonas sind unsere ältesten Freunde, als Erwachsene haben wir fast jeden Sommer zusammen verbracht, haben mit ihnen Austern aus der Schale geschlürft und den Vollmond über dem Meer aufgehen sehen, haben Gina klagen gehört, dass ihre Menstruationsbeschwerden dadurch noch schlimmer wurden, haben gehofft, dass die Fischer Jagd auf Robben machen würden, haben den Truthahn zu Thanksgiving zu lange im Ofen gelassen und über Woody Allen gestritten. Gina ist außerdem Maddys Patentante. Was würde passieren, wenn Jonas Gina verließe? Würde ich das wollen? Aber ich habe schon damit angefangen, ich habe gestern Abend mit ihm gefickt. Und bei der Erinnerung daran möchte ich es wieder tun. Der Quecksilberpfeil des Verlangens schießt durch mich hindurch.

»Hallo, Weib.« Peter küsst mich auf den Nacken.

»Hallo, du.« Ich schrecke auf und versuche, so zu sein wie immer.

»Offenbar warst du tief in Gedanken«, sagt er.

»Da ist noch Kaffee.«

»Ausgezeichnet.« Er greift in die Hemdtasche und holt eine Zigarette heraus. Zündet sie an. Setzt sich neben mich aufs Sofa. Ich liebe den Anblick seiner langen Beine und wie sie aus den verschossenen Shorts heraustaken. Jungenhaft. »Unfassbar, dass du mir gestern Abend erlaubt hast, auf dem Sofa einzuschlafen.«

»Du warst hundemüde.«

»Das lag bestimmt am Jetlag.«

»Mit Sicherheit. Das ist natürlich völlig klar. Die eine Stunde Unterschied zwischen hier und Memphis hat dich völlig umgehauen«, sage ich und verdrehe dabei die Augen.

»Aber so ist es. Ich konnte nichts dagegen tun. Der Wecker zeigte neun Uhr, aber ich schwöre, es fühlte sich an wie acht.«

»Witzig.«

»Ich habe zu viel getrunken.«

»Die reine Untertreibung.«

»Habe ich mich dumm benommen?«

»Außer, dass du dich geweigert hast, das Shelley-Gedicht für Anna zu lesen, und dass du eine Diskussion über die Quäker angezettelt hast?«

»Na gut, alle sind sich mehr oder weniger einig, dass Quäker im Grunde Faschisten sind«, sagt er. »Mit ihrer Neigung zu Gewalt.«

»Du bist ein Dummkopf.« Ich gebe ihm einen Kuss auf seine angenehm kratzige Wange. »Du musst dich rasieren.«

Er schiebt sich die Brille auf der Nase hoch und fährt sich mit der Hand durch das dunkelblonde lockige Haar, das an den Schläfen grau wird, und versucht es zu ordnen. Mein Mann sieht gut aus. Er ist nicht schön, aber attraktiv, wie ein Filmstar von früher. Hochgewachsen. Elegant. Englische Eleganz. Ein Mann, der im Anzug verführerisch aussieht. Langmütig, aber furchterregend, wenn verärgert. Eine Art Atticus Finch. Geheimnisse sind bei ihm sicher. Er bekommt alles mit. Jetzt sieht er mich an, als könnte er an mir den Sex riechen.

»Wo sind die Kinder?« Peter nimmt eine der großen weißen Muscheln auf der Fensterbank, dreht sie um und benutzt sie als Aschenbecher.

»Sie dürfen heute ausschlafen. Mutter kann es nicht leiden, wenn du das machst.« Ich nehme ihm die Muschel ab, trage sie in die Küche und spüle sie ab, nachdem ich den Zigarettenstummel in den Abfall geworfen habe. Meine Mutter ist am anderen Ufer angekommen.

»Meine Güte, kann die Frau schwimmen«, sagt Peter.

Nur Anna war schneller als meine Mutter. Anna ist nicht

über den See geschwommen, sie ist geflogen. Hat alle weit hinter sich gelassen. Ich beobachte einen Fischadler, der von einem kleineren schwarzen Vogel verfolgt wird. Der Wind streicht sanft durch die Seerosen auf dem See. Sie seufzen, atmen aus.

9.15

Peter ist in der Küche und macht Rührei. Ich kann die gebratenen Zwiebeln draußen riechen. Auf der Küchentheke liegen dicke Scheiben Frühstücksspeck auf mehreren Lagen Küchenpapier, die das Fett aufsaugen. Gegen einen Kater gibt es nichts Besseres als gebratenen Speck mit Rührei. Oder: nichts Besseres als gebratenen Speck. Nahrung der Götter. So wie Rucola, ungefiltertes Olivenöl und Pataks Brinjal Pickles. Alles Dinge, die ich auf eine einsame Insel mitnehmen würde. Und Nudeln. Ich habe mir oft ausgemalt, wie ich auf einer einsamen Insel überleben würde. Wie ich mich von Fischen ernähren und hoch in den Ästen ein Baumhaus bauen würde, wo ich vor wilden Tieren in Sicherheit wäre, wie ich immer fitter würde. In meiner Vorstellung sind Shakespeares gesammelte Werke auch auf der Insel angelandet, und da ich nichts anderes zu tun habe, lese ich den ganzen Tag und studiere jede Zeile ganz genau. Unter den Umständen bin ich endlich gezwungen, meine besten Eigenschaften zu entwickeln, mein vermutetes Potenzial. In anderen Tagträumen stelle ich mir das Leben im Gefängnis oder in der Armee vor, wo mir alle Entscheidungen abgenommen werden, jede Sekunde des Tages von anderen bestimmt wird und ich Angst habe zu versagen. Selbstbildung, hundert Liegestütze, trockene Haferkekse und klares Wasser. Solche Träume hatte ich als Kind. Jonas kam erst später hinzu.

Ich gehe in die Küche und strecke die Hand nach einem Speckstreifen aus. Peter schlägt sie fort.

»Finger weg!« Er verrührt gehobelten Käse in die verquirlten Eier, mahlt Pfeffer hinein.

»Wieso nimmst du den Stieltopf?« Ich finde es furchtbar, wie Engländer Rührei machen. Eigentlich ist es ganz einfach: Man nimmt eine beschichtete Pfanne und jede Menge Butter. Bei der englischen Methode wird die Eiersuppe idiotisch langsam gekocht, und der Topf ist anschließend nicht mehr sauber zu kriegen, und man muss ihn zwei Tage einweichen. »Grrr.« Ich gebe ihm mit dem Pfannenheber einen Klaps.

Peters Hemd ist voller Fettspritzer. »Verzieh dich. Ich mache hier das Rührei.« Er geht zum Brotkasten, nimmt eine Packung Schnittbrot heraus und sagt: »Kannst du das bitte toasten?«

Ich spüre, wie ich erröte und Hitze in mir aufsteigt, weil ich an meinen Slip hinter dem Brotkasten denken muss, eine Handvoll schwarzer Spitze, an meine Nacktheit unter dem Rock und an das Gefühl, wie er mit dem Finger über meinen Oberschenkel gestrichen hat.

»Hallo? Erde an Elle!«

Im Toaster meiner Mutter kann man immer nur zwei Scheiben auf einmal toasten. Auf der Innenseite wird das Brot schwarz, auf der Außenseite bekommt es keine Farbe. Ich schalte den Grill am Herd an und lege die Scheiben auf ein Backblech. Ich nehme eine Packung Butter, bin mir aber nicht sicher, ob ich das Brot jetzt oder erst später mit Butter bestreichen soll.

»Wie lange dauert es noch ungefähr?«

»Acht Minuten«, sagte Peter. »Zwölf höchstens. Weck schon mal die Kinder.«

»Wir sollten auf Mum warten.«

»Dann wird das Rührei trocken.«

Ich blicke zum See hinaus. »Sie ist schon halb zurück.«

»Schwimmen oder Rührei – ihre Entscheidung.«

»Gut. Deine Sache, wie du sie beschwichtigst.« Wenn meine Mutter sich übergangen fühlt, lässt sie das jeden in ihrer Umgebung spüren. Aber Peter nimmt keine Notiz von ihren Zicken. Er lacht dann einfach und sagt, sie solle sich nicht so anstellen, und das lässt sie sich, warum auch immer, gefallen.

1952. New York City.

Meine Mutter war acht Jahre alt, als ihre Mutter, Nanette Saltonstall, zum zweiten Mal heiratete. Nanette gehörte der feinen New Yorker Gesellschaft an, sie war egoistisch, schön, berühmt für ihren sinnlichen Mund und ihre spitze Zunge. In ihrer Kindheit war die Familie meiner Großmutter Nanette reich, und Nanette wurde von ihrem Vater, einem Bankier, verwöhnt. Der Bankenzusammenbruch änderte das. Die Familie zog von dem luxuriösen Stadthaus an der 5th Avenue in eine dunkle, schlauchartige Wohnung in Yorkville, wo mein Urgroßvater John Saltonstall sich nur einen einzigen Luxus erlaubte: seinen täglichen Wodka-Martini um sechs Uhr, mit einem langen Silberlöffel in einem Kristallglas gerührt. Die Schönheit der ältesten Tochter war das einzige Kapital, das der Familie blieb. Nanette würde einen reichen Mann heiraten und damit die Familie retten, das war der Plan. Aber Nanette schrieb sich bei einer Modeschule in Paris ein und verliebte sich dort in meinen Großvater, Amory Cushing, einen Großbürger Bostons und mittellosen Bildhauer, dessen einziges Vermögen ein altes, verwinkeltes Haus auf Cape Cod war, in den Wäldern von Massachusetts am Ufer eines Toteissees. Amory Cushing hatte das Haus und den See von einem entfernten Onkel geerbt.

In der kurzen Zeit, die meine Großmutter Nanette und mein Großvater Amory verliebt waren, baute er dort das Sommerquartier mit den Hütten. Er wählte dazu einen langen schmalen Küstenstreifen, der in gewisser Entfernung von seinem eigenen Haus lag, das wegen eines scharfen Knicks im Verlauf der Küste kaum einsehbar war. Er hatte sich vorgestellt, dass er die Hütten im Sommer vermieten und mit dem Einkommen den Lebensunterhalt für seine elegante junge Frau und die zwei kleinen Kinder bestreiten würde. Von außen sehen die Hütten stabil aus, wasserdichte Salzschachteln, die endlose strenge Winter, nordöstliche Winde und Generationen quirliger Familien überlebt haben. Aber weil meinem Großvater die Mittel ausgingen, kleidete er die Innenräume mit Platten aus, die billig und zweckmäßig waren und aus gepresster Pappe bestanden. Daher der Name »Papierpalast«. Allerdings hatte er weder damit gerechnet, dass meine Großmutter ihn, bevor er mit dem Bauen fertig war, verlassen würde, noch damit, dass Mäuse das Material ausgesprochen schmackhaft finden würden. Sie knabberten Löcher in die Platten und verfütterten das mit Speichel versetzte Papier an ihre Mäusebabys, die sie in den Schubladen der Kommoden zur Welt gebracht hatten, wie Müslibrei zum Frühstück. Wer immer die Anlage für den Sommer öffnet, muss als Erstes die Mäusenester, die er in den Hütten findet, im Wald entsorgen. Man kann es den Mäusen nicht verdenken – die Winter am Cape sind streng, schon die Siedler aus der Generation der Pilgerväter hatten diese Erfahrung gemacht. Aber Mäusepisse hat einen warmen Gestank, und das ängstliche Quieken, wenn wir die Mäuse aus den Schubladen ins Gebüsch kippten, war mir zuwider.

Nachdem meine Großmutter Nanette von meinem Großvater geschieden war, machte sie ein paar Vergnügungsreisen durch Europa, sonnte sich oben ohne im spanischen Cadaqués und trank mit verheirateten Männern gekühlten Sherry, während meine Mutter und ihr kleiner Bruder Austin in Hotelfoyers warteten. Als ihr das Geld ausging, beschloss sie, nach

New York zurückzukehren und das zu tun, was ihre Eltern sich von Anfang an gewünscht hatten, nämlich einen Bankier zu heiraten. Jim. Er war kein schlechter Mensch und in Andover im Internat und in Princeton an der Universität gewesen. Und er vergötterte sie. Er kaufte ihr eine Wohnung mit Blick über den Central Park und eine langhaarige siamesische Katze. Mum und ihr Bruder wurden auf eine elegante Privatschule in Manhattan geschickt, wo Jungen schon in der ersten Klasse Jackett und Krawatte tragen mussten und Mum Französisch lernte – und wie man Eisbomben machte.

In der Woche vor ihrem neunten Geburtstag gab meine Mutter zum ersten Mal einen Blowjob. Vorher musste sie zugucken, wie ihr sechsjähriger Bruder Austin mit zitternder Hand den Penis seines Stiefvaters hielt, bis er steif war. Jim sagte den Kindern, das sei alles ganz natürlich, und bestimmt wollten sie, dass er glücklich sei, oder? Das Schlimmste, sagte meine Mutter, als sie mir endlich die Geschichte erzählte, sei die klebrige weiße Samenflüssigkeit gewesen, alles andere hätte sie vielleicht ertragen. Aber auch dass sein Penis warm war und leicht nach Urin roch, ekelte sie. Jim drohte den Kindern mit Gewalt, sollten sie ihrer Mutter davon erzählen. Sie erzählten es ihr trotzdem, aber ihre Mutter bezichtigte sie der Lüge. Nanette sah keinen Ausweg für sich, sie hatte kein eigenes Geld. Als sie ihren Mann dabei überraschte, wie er in der Mädchenkammer hinter der Küche das Kindermädchen fickte, warf sie ihm vor, vulgär zu sein, und machte die Tür wieder zu.

Einmal, es war ein Samstag, kam Nanette früher als geplant von einem Lunch in ihrem Club zurück. Ihre Freundin Maud hatte Kopfweh, und Nanette wollte nicht allein in die Frick-Ausstellung gehen. Die Wohnung war leer, nur die Katze begrüßte sie an der Tür und schmiegte sich an ihre Fußgelenke. Nanette legte ihren Pelzmantel auf die Bank im Flur, zog sich die hochhackigen Schuhe aus und ging den Flur entlang zu ihrem Schlafzimmer. Dort saß Jim in einem Sessel, die Hosen um die Fußknöchel. Und meine Mutter kniete vor ihm. Meine Großmutter ging quer durch das Zimmer und schlug meiner Mutter hart ins Gesicht.

Ich war siebzehn, als meine Mutter mir das erzählte. An dem Tag war ich wütend, weil sie Anna Geld gegeben hatte, um im Kaufhaus Gimbel Lipgloss zu kaufen, während ich zu Hause bleiben und beim Abwasch helfen musste. »Meine Güte, Elle«, sagte sie zu mir, »du musst abwaschen … du bekommst keinen Lippenstift … ich musste meinem Stiefvater Blowjobs geben, und Austin brauchte nur seinen Schwanz zu reiben. Was soll ich sagen? Das Leben ist nicht gerecht.«

9.30

Das Seltsame daran ist, denke ich auf dem Pfad zur Schlafhütte der Kinder, dass meine Mutter ihren Respekt vor Frauen verlor, nicht aber den vor Männern. Das perverse Verhalten ihres Stiefvaters war eine knallharte Tatsache, aber es war der willensschwache Verrat ihrer Mutter, der sie wütend machte. In der Welt meiner Mutter gebührt Männern Respekt. Sie ist von der gläsernen Decke überzeugt. Peter kann nichts falsch machen. »Willst du Peter glücklich machen, wenn er von der Arbeit kommt«, riet Mum mir vor Jahren, »zieh dir eine frische Bluse an, steck das Diaphragma rein und lächele.«

Immer an Botticelli denken.

3

1971. Mai, New York.

Mr Dancy starrt gebannt in das viereckige Waschbecken im Dienstboten-Badezimmer hinter der dunklen Küche unserer Wohnung. Mrs Dancy ist ausgezogen. Mr Dancy kommt oft zu Besuch. Er hat die Hemdsärmel aufgerollt und zeigt seine muskulösen Arme. Auf den Wasserhähnen aus Emaille, die er gerade zudreht, stehen Buchstaben, H und C. Das Messing des Abflusses glänzt im Wasser. Im Becken schwimmt ein winziger Alligator. Mr Dancy hat ihn in Chinatown als Haustier für seine Kinder gekauft. Man hat ihm gesagt, diese Spezies werde höchstens einen halben Meter lang. Jetzt ist ihm klar geworden, dass er einem Betrug aufgesessen ist. Der Alligator ist einfach ein junges Tier. In Kürze wird er zu seiner vollen Größe heranwachsen und gefährlich werden. Selbst in dem kleinen Becken ist ein bedrohliches Blitzen in seinen Augen zu sehen. Ich halte ein hölzernes Essstäbchen ins Wasser und beobachte, wie der Alligator wütend und vergeblich danach schnappt.

»Gib mir mal das Stäbchen«, sagt Anna und beugt sich gefährlich weit über das Becken. »Gib her!« Das Ende ihres langen dunklen Zopfes schwimmt auf der Wasseroberfläche wie ein Köder.

Ich gebe ihr das Stäbchen, und sie sticht auf das Tier ein. Mr Dancy sieht zu und streicht sich über den braunen Schnurrbart. Dann hebt er das Tier am genoppten Schwanz aus dem Wasser und hält es über die Toilettenschüssel. Es zappelt in der

Luft und schnappt nach Mr Dancys Handgelenk. Fasziniert sehe ich zu, wie er es in die Toilette fallen lässt und die Kette zieht.

»Wir hätten ihn nicht behalten können«, sagt er. »Er wäre zu einem Monster geworden.«

»Carl«, ruft meine Mutter aus den Tiefen der Wohnung. »Möchtest du einen Drink? Das Essen ist gleich fertig.«

1971. Juni, New York.

Anna und ich verbringen zum ersten Mal eine Woche in der neuen Wohnung unseres Vaters. Die Wohnung liegt in einem alten Haus am Astor Place, das keinen Aufzug hat, und so, wie er darüber spricht, klingt sie exotisch, als warteten darin viele Abenteuer auf uns. Es ist heiß und drückend, und da es keine Klimaanlage gibt, weil die elektrischen Leitungen dazu nicht ausreichen, hat er uns einen Ventilator gekauft. Und er hat uns versprochen, dass er jeder von uns, sobald er sein nächstes Gehalt bekommt, eine Ländertrachtenpuppe schenkt. Ich wünsche mir Holland. Er verspricht uns viele wunderbare Dinge, aber mit der Zeit lernen wir, nicht darauf zu warten.

»Ab jetzt sind wir zu dritt, meine beiden Mädchen und ich.« Wir hüpfen auf den Stockbetten herum, tanzen zur Musik der Monkeys und essen Blaubeerjoghurt. Wenn man das Obst unten in dem Töpfchen verrührt, wird der Joghurt dunkellila, erklärt er uns und schaltet die Nachrichten an.

Am Montagmorgen zieht sich unser Vater sorgfältig an – blauer Nadelstreifenanzug von Brooks Brothers, spitze braune Schuhe, die er mit einem weichen Ledertuch auf Hochglanz poliert. Er riecht nach Irish Spring und Rasierschaum. Er mustert sich im Flurspiegel, zieht mit einem kleinen Schildpattkamm den Scheitel gerade, rückt die Krawatte zurecht, sodass sie genau zwischen den Kragenecken sitzt, zieht die Manschetten aus den Ärmeln hervor, richtet die goldenen Manschettenknöpfe aus. Als junger Mann sei er außerordentlich attraktiv gewesen, erzählt uns unsere Mutter. »Im Fußballteam von Yale wurde er die Ballschönheit genannt. Bei dem blöden Sport hat er sich die Knie kaputt gemacht.«

Als wir die knarrende Treppe nach unten gehen, halte ich mich am Zipfel seines Anzugjacketts fest. Mein Haar ist ein wilder Lockenschopf, niemand hat mich daran erinnert, es zu bürsten. Ich habe Schmetterlinge im Bauch. Heute ist unser erster Tag im Triumph Day Camp. Anna und ich fahren allein mit dem Bus dorthin. Wir haben schon unsere Camp-Uniform an: dunkelblaue Shorts und weiße T-Shirts, vorne mit der Aufschrift *TRIUMPH*. Auf dem Rücken steht *All Girls are Champions.*

»Es gibt nur ganz wenige Mädchen in der Welt, die das Glück haben, solche T-Shirts zu tragen«, sagt unser Vater. Auf dem Weg zur Bushaltestelle gehen wir bei Horn and Hardart rein, wo er uns Sandwiches kauft, Nuss-und-Dattel-Brot bestrichen mit Philadelphia-Käse. Ich will nicht, dass er böse auf mich ist, aber mir laufen Tränen über die Wangen. Ich mag Philadelphia-Käse nicht, sage ich, als er mich fragt. Er sagt, das Sandwich werde mir bestimmt schmecken, und gibt mir die Tüte. Er ist verärgert, und das macht mich traurig. Als er uns in den Bus hilft, flehe ich ihn an, bei ihm bleiben zu dürfen. Er könne nicht an zwei Orten gleichzeitig sein, sagt er. Er müsse Geld verdienen, Buchkritiken schreiben. Bei Time-Life warteten sie auf ihn. Aber wenn der Bus zurückkomme, werde er uns abholen. Es wird dir bestimmt gefallen, sagt er.

Als der Bus sich in den Verkehr auf der 6th Avenue einfädelt, sehe ich, wie mein Vater immer kleiner wird. Ich reiße eine Ecke von der Papiertüte mit dem Lunch ab und zerkaue sie zu einer Kugel. Was soll ich machen, wenn ich aufs Klo muss? Ich will ein Schwimmabzeichen, aber ich darf nicht ins tiefe Wasser, wo es mir über den Kopf geht. Anna spricht mit dem Mädchen auf der anderen Seite des Ganges und beachtet mich nicht. Sie hat ihr Sandwich halb aufgegessen, bevor wir in Westchester ankommen.

Das Triumph Day Camp liegt an einem See. Auf dem Weg kommen wir an einem Baseballfeld, einer Wiese voller Zielscheiben und einem riesigen Indianerzelt vorbei. Der Bus hält am Ende einer langen Reihe anderer gelber Busse. Auf dem Parkplatz laufen lauter kleine Mädchen herum. Sie alle tragen ein Triumph-T-Shirt.

Unsere Betreuerinnen stellen sich uns vor: June und Pia. Auch sie tragen Triumph-T-Shirts, nur dass ihre rot sind.

»Willkommen, Altersgruppe fünf bis sieben! Für die Neuen unter euch: Wenn ihr uns braucht, haltet nach den roten T-Shirts Ausschau«, sagt June. »Hände hoch, wer letztes Jahr schon bei Triumph war.«

Die meisten Mädchen in meiner Gruppe heben die Hand.

»Dann seid ihr Champions! Als Erstes gehen wir zu euren Schließfächern, da könnt ihr eure Lunch-Pakete einschließen. Wir sind in Little Arrow.« Sie stellt uns in einer Reihe auf und geht zu einem großen braunen Haus voran. Pia bleibt am Ende unserer Schlange. »Ich passe auf, dass niemand verloren geht. Die erste Regel: Entfernt euch niemals von eurer Gruppe. Solltet ihr aber doch einmal von eurer Gruppe getrennt werden, bleibt, wo ihr seid. Setzt euch einfach hin und wartet. Eine von uns kommt dann und holt euch«, erklärt Pia.

An jedem der Schließfächer klebt ein Stück Kreppband, auf dem mit schwarzem Filzstift unsere Namen und Geburtstage stehen. *Eleanor Bishop, 17. September 1966.* Ich beiße mir in den Finger und zwinge mich, nicht vor den anderen Mädchen in Tränen auszubrechen. Jetzt wissen alle, dass ich noch nicht fünf bin. Das Mädchen mit dem Schließfach neben mir heißt Barbara Duffy und hat eine Beatles-Lunchdose.

»Nehmt eure Rucksäcke«, ruft June. »Wir machen eine Klopause und ziehen uns dann die Badeanzüge an. Wer von euch kann Wassertreten? – Das hier ist das Atelier«, erklärt sie, als wir an einem Raum vorbeikommen, aus dem der Geruch von Tonpapier und Leim dringt.

Im Umkleideraum gibt es lauter mit Vorhängen abgetrennte Kabinen. Ich gehe in eine davon und ziehe den Vorhang zu. Ich habe mich bis zur Unterhose ausgezogen, als mir auffällt, dass mein Vater vergessen hat, meinen Badeanzug einzupacken. Als ich mich wieder angezogen habe, sind die anderen schon zum See gegangen. Ich setze mich auf eine der Holzbänke.

June und Pia merken erst in der Pause, als sie nach dem ersten Baden die Mädchen zählen, dass ich fehle. Im Umkleideraum höre ich, wie sie immer wieder meinen Namen rufen. Dann ertönt ein Pfeifton, schrill und panisch. »Alle aus dem Wasser«, höre ich einen der Lebensretter rufen, »sofort!«

Ich bleibe still sitzen und warte, dass mich jemand holen kommt.

9.30

Die Stufen zu den Schlafhütten, drei alte Kiefernbretter, deren Stützstreben schon immer durchzurosten drohen, wippen unter meinen Schritten. Ich klopfe an die Tür der Kinderschlafhütte. Die Tür hat einen Metallrahmen mit Fliegengittern und Scheiben, die nach oben und unten verschiebbar sind und mit einem befriedigenden Klicken einrasten. Meine drei Kinder schlafen friedlich in ihren Betten, auf dem gelb gestrichenen Fußboden liegen Handtücher und Badeklamotten verstreut. Meine Mutter hat recht. Die Kinder sind kleine Dreckschweine.

»He! Frühstück!« Ich hämmere an die Tür. »Aufstehen!«

Jack, der Älteste, hebt den Kopf, sieht mich mit vernichtendem Blick an und zieht sich die kratzige Wolldecke über den Kopf. Solange meine Mutter in seiner Hütte die Holzameisen bekämpft, muss er mit seinen jüngeren Geschwistern eine Hütte teilen. Siebzehn ist ein scheußliches Alter.

Die beiden Jüngeren strecken die Köpfe aus ihren Höhlen und blinzeln verschlafen ins Morgenlicht.

»Noch fünf Minuten«, sagt Maddy. »Ich hab gar keinen Hunger.«

Madeline ist zehn. Eine Schönheit wie meine Mutter. Aber anders als die meisten Frauen in unserer Familie ist sie zartgliedrig und hat eine englische Rosenhaut, Peters graue Augen und Annas dichtes dunkles Haar. Jedes Mal, wenn ich sie ansehe, staune ich, dass dieses Wesen aus mir herausgekommen ist.

Finn klettert aus dem Bett, er trägt nur eine süße kleine Unterhose. Oh, wie ich ihn liebe. Auf seinen Wangen haben sich die Falten des Kissens eingedrückt. Er ist erst neun, fast noch ein kleiner Junge. Aber auch er wird mich bald mit äußerster Verachtung behandeln. Als Jack zur Welt kam, habe ich das winzige Baby in meinen Armen angesehen, seine Vollkommenheit bewundert, beobachtet, wie es an meiner Brust saugte, und ich habe ihm die Augenlider geküsst und gedacht: »Ich liebe dich unendlich, aber der Tag wird kommen, an dem auch du mich hassen wirst, egal, was ich tue. Wenigstens eine Zeit lang.« Das ist eine Tatsache des Lebens.

»Also gut, meine Süßen. Ihr könnt kommen oder auch nicht, aber euer Vater macht Rührei, und ihr wisst, was das bedeutet.«

»Chaos in der Küche und einen Riesenscheißabwasch«, murmelt Jack.

»Ganz richtig«, sage ich. Ich renne die Stufen wieder hinunter. »Und sprich nicht so unflätig«, rufe ich noch über die

Schulter zurück und laufe auf dem mit Kiefernnadeln bestreuten Pfad zum Haus.

Ich warte, bis die Tür unserer Schlafhütte hinter mir zuschlägt, dann stoße ich den Atem aus, den ich angehalten habe, seit Peter mich auf der Veranda aus dem Konzept gebracht hat. Dass alles in diesem Zimmer so normal ist, scheint mir unbegreiflich: Unsere Sachen auf den uralten Metallbügeln, die an einem zur Kleiderstange umfunktionierten Holzstiel hängen. Die Eichenkommode, deren unterste Schublade bei Regen klemmt. Das Bett, in dem Peter und ich seit Jahren schlafen, zusammengerollt wie Farnwedel oder ineinander verschränkt in Schweiß und Sex und Küssen, sein süßsaurer Geruch. Er hat das Bett nicht gemacht.

Ich hänge den Bademantel an einen rostigen Nagel, der als Haken dient. Der lange Spiegel daneben ist voller blinder Flecken und trägt die Spuren von einem halben Jahrhundert Feuchtigkeit und Frost. Seit jeher bin ich dankbar für das unscharfe Bild, das er mir zeigt. In der fleckigen Silberfläche kann ich mich mit meinen Unvollkommenheiten betrachten: die kleine Narbenwulst am Kinn von der Nacht, als bei uns eingebrochen wurde; die lange, hauchzarte Narbe quer über meinem Bauch, die auch nach fünfzig Jahren noch sichtbar ist. Die viel kürzere Narbe darunter.

Jack haben wir ganz schnell bekommen. Ein Flitterwochenbaby. Aber dann passierte erst mal nichts. Was wir auch versuchten – die verschiedensten Positionen, Beine nach oben, Beine nach unten, lässig oder angespannt, ich oben, ich unten – nichts klappte. Anfangs dachte ich, es hätte mit Jack zu tun. Vielleicht war bei seiner Geburt etwas kaputtgegangen. Oder vielleicht liebte ich ihn zu sehr und wollte ihn mit niemandem teilen. Schließlich machte der Arzt oberhalb des Schambeins einen kleinen Schnitt und führte eine Miniaturkamera ein.

»Also, junge Frau«, sagte er, als ich aus der Narkose erwachte. »Da hat ja jemand ein ganz schönes Durcheinander angerichtet, als Sie ein Baby waren. Sieht aus wie Nudelsalat, das ganze Narbengewebe. Und offenbar hat der Chirurg auch noch Ihren linken Eileiter durchtrennt. Aber es gibt auch Gutes zu berichten«, sagte er, als ich zu weinen begann. »In dem gesunden Eileiter war ein Knick, weil das Narbengewebe im Weg war, und dahinter hatten sich lauter Eier angesammelt. Die habe ich freigelegt.«

Ein Jahr später kam Maddy auf die Welt. Und elf Monate später Finn.

»Herzlichen Glückwunsch«, sagte der Arzt zu mir und Peter, als er die zweite Schwangerschaft feststellte. »Sie bekommen Irische Zwillinge.«

»Irische Zwillinge?«, sagte Peter. »Das gibt es doch gar nicht.«

»Und ob es das gibt«, sagte der Doktor.

»Also, wenn Sie recht haben«, sagte Peter, »dann knöpfe ich mir den betrunkenen Iren vor, der meine Frau geschwängert hat, und werfe ihn von der höchsten Klippe in Kilkenny ins Meer.«

»Kilkenny liegt nicht am Meer«, sagte der Arzt. »Ich war da vor ein paar Jahren mal bei einem Golfturnier.«

Ich stelle mich nackt vor den klarsten Teil des Spiegels und suche nach einem äußerlichen Merkmal, das von der inneren Wahrheit kündet, dem Panikgefühl in mir, der Gier, dem Bedauern, dem atemlose Verlangen nach mehr. Aber ich sehe nur die Lüge.

»Frühstück!«, ruft Peter vom Haus her. »Hopp, hopp.«

Ich ziehe mir den Badeanzug an, schlinge einen Sarong darüber und renne zum Haus. Auf dem Weg klopfe ich noch einmal an die Tür der Kinderhütte. Als ich schon fast beim Haus bin, zwinge ich mich, langsamer zu werden, meine Schritte zu mäßigen. Es ist nicht meine Art, auf Befehl zu spurten, und das weiß Peter. Also drücke ich mich durch die Büsche und grabe am Seeufer meine Zehen in den feuchten Sand. Im Wasser sehe ich meine Mutter, hinter ihr eine weiße Linie, die durch ihren Beinschlag entsteht. Sie hat das Ufer fast erreicht. Das Wasser wird blauer. Bald wird auch das Braungrün im Flachen nahe dem Ufer den Himmel spiegeln. In diesen Stunden sind die Elritzen und Barsche mit ihren weichen Mäulern für uns unsichtbar, wenn sie über ihren sandigen kreisförmigen Nestern schwimmen. Was unter der Wasseroberfläche liegt, bleibt unseren Blicken verborgen.

1972. Juni, Back Woods.

Ich bin im Nachthemd und renne durch den Wald auf dem Pfad, der von unserem Sommerquartier zum Haus von Granddaddy Armory führt. Der Pfad geht erst hügelaufwärts, dann hinunter zum Ufer. Mein Vater hat ihn zwischen den beiden Grundstücken angelegt, als er und meine Mutter frisch verliebt waren. Granddaddy Armory nennt ihn den »Intellektuellenpfad«, weil er sich, sagt mein Granddaddy, hierhin und dorthin schlängelt, ohne zu einem Ziel zu gelangen. Wo der Pfad sich dem Haus meines Großvaters nähert, führt er steil den Hügel hinunter. Ich renne, so schnell ich kann, passe aber auf, dass ich mir nicht die nackten Zehen an den Stümpfen der von meinem Vater gerodeten Büsche stoße. Außer dem Pfad sind diese Stümpfe das Einzige, was hier von meinem Vater geblieben ist.

Ich hüpfe auf Zehenspitzen am Fenster meines Großvaters vorbei, damit ich ihn nicht störe, und renne dann zum Ende seines Stegs. Dort setze ich mich hin und lasse die Füße im

Wasser baumeln. Ich kratze mir den juckenden Bauch und bleibe so still wie möglich sitzen. Gleich kommen sie, aber ich darf mich nicht bewegen. Winzigste Luftbläschen bilden sich auf meinen Füßen. Still sitzen bleiben. Nicht bewegen. Deine Füße sind die Köder. Dann – ein Pfeil schießt aus dem Schatten. Ihr Mut überwindet die Furcht, und endlich spüre ich ein schwaches Saugen. Die Mondfische küssen meine Füße, saugen klein Hautfetzen ab und das, was unter meinen Sohlen vom Waldboden haften geblieben ist. Ich liebe die Mondfische. Sie haben die Farbe von Seewasser mit Punkten auf dem Rücken und weiche, geschürzte Mäuler. Jeden Morgen bringe ich ihnen meine Füße zum Frühstück.

Als ich zurückkomme, liegen meine Mutter und Mr Dancy noch im Bett. Ihre Schlafhütte hat ein großes Fenster mit Blick über den See. Sie ist größer als die anderen drei Hütten. Ohne anzuklopfen, renne ich rein und hüpfe mit meinen nassen, sandigen Füßen auf ihrem Bett auf und ab. Jedes Mal, wenn ich auf der Matratze lande, fliegt mein Nachthemd in die Luft.

»Raus«, knurrt Mr Dancy verschlafen. »Wallace, Herr im Himmel.«

Durch das Fenster sehe ich Anna und Peggy, Annas beste Sommerfreundin. Sie sind im Wasser und spritzen sich gegenseitig nass. Peggy hat Orangenhaar und Sommersprossen.

»Was hast du da?« Meine Mutter zeigt auf meinen Bauch. »Halt mal still!«

Ich höre auf zu springen, ziehe mein Nachthemd hoch und erlaube ihr, meinen Bauch zu untersuchen. Er ist mit roten Flecken übersät.

»Ach du liebe Zeit«, sagt sie. »Windpocken. Wie ist das denn passiert? Ich muss mir Anna ansehen.«

»Das juckt«, sage ich und hüpfe vom Bett.

»Bleib hier«, befiehlt meine Mutter. »Ich hole die Kamillensalbe.«

»Ich will aber schwimmen gehen.«

»Bleib hier im Zimmer. Das fehlte noch, dass du Peggy ansteckst.«

Ich renne an ihr vorbei zur Tür.

Mr Dancy packt mich am Arm. »Du hast gehört, was deine Mutter gesagt hat.«

Ich versuche mich zu befreien, aber sein Griff wird noch fester.

»Carl, hör auf. Du tust ihr weh.«

»Sie muss gehorchen lernen.«

»Bitte«, sagt Mum. »Sie ist fünf.«

»Du brauchst mir nicht zu sagen, was ich zu tun habe.«

»Natürlich nicht«, sagt Mum besänftigend.

Er wirft die Decke zurück und zieht sich an. »Wenn ich verwöhnte Gören um mich haben will, kann ich auch zu meinen eigenen Kindern gehen.«

»Was hast du vor?« Die Stimme meiner Mutter klingt gepresst, schrill.

»Wir sehen uns, wenn du wieder in der Stadt bist. Ich werde hier noch verrückt.«

»Bitte, Carl.«

Die Tür schlägt hinter ihm zu.

»Du bleibst hier«, sagt Mum. »Rühr dich nicht vom Fleck, sonst kannst du was erleben.« Sie rennt raus, weil sie Mr Dancy festhalten will.

Ich sitze auf dem Bett und sehe durchs Fenster Anna zu, die sich eine Taucherbrille aufsetzt und taucht. Dann hockt sie sich an den Rand, füllt die Taucherbrille mit Wasser, kippt das Wasser aus und spuckt in die Brille. Jetzt setzt sie sich mit dem Rücken zum See. Peggy watet ins tiefere Wasser. Mit jedem Schritt verschwinden ein paar mehr Zentimeter von ihr. Ein Motor wird angelassen. Ich höre meine Mutter rufen, und ihre Stimme wird schwächer, weil sie die Einfahrt hochläuft, hinter

Mr Dancys Auto her. Ich sehe, wie Peggys roter Pferdeschwanz verschwindet. Jetzt ist nur noch ihr Kopf über dem Wasser, schwebend, vom Körper losgelöst. Dann nur der Oberkopf, wie der Rücken einer Schildkröte. Und jetzt ist von Peggy nichts mehr übrig, außer einer Spur von Bläschen. Ich denke an die Mondfische mit ihren weichen Küssen. Die Bläschen hören auf. Ich warte, dass Peggy wieder aus dem Wasser kommt. Ich schlage gegen das Fenster und hoffe, dass Anna mich hört. Ich weiß, dass sie mich hören kann, aber sie sieht nicht zu mir hin. Ich schlage heftiger gegen die Scheibe. Anna streckt mir die Zunge raus und zieht sich die gelben Schwimmflossen an.

4

Im Aschenbecher, der neben Peter steht, liegen schon jetzt fünf Zigarettenstummel. Eine Camel Light hängt in seinem Mundwinkel. Er trinkt seinen Kaffee, ohne sie herauszunehmen. Raucht freihändig. Eine Art Zaubertrick. Als er einen Schluck Kaffee nimmt, zieht eine dünne Rauchschwade über seine Unterlippe. Er nimmt ein orangefarbenes BIC-Feuerzeug aus der Hemdtasche, dann blättert er die Zeitungsseite um und greift blind nach einem Stück Schinkenspeck. Wäre es möglich, im Schlaf zu rauchen, würde er es tun. Als wir uns kennenlernten, lag ich ihm ständig in den Ohren. Ich wollte, dass er aufhörte. Ebenso gut hätte man ein Huhn auffordern können zu fliegen. Ich möchte ihn doch nur vor einem frühen Tod bewahren, aber letztlich kann er das nur selbst tun.

Die Kinder haben sich auf dem Sofa eingerichtet, ihre Blicke sind auf die Displays geheftet, alle Steckdosen sind mit Ladegeräten belegt, die schmutzigen Frühstücksteller stehen noch auf dem Tisch, und das Buch meiner Mutter ist auf den Fußboden gefallen. Ich sehe durchs Fenster, wie meine Mutter aus dem See steigt und das Wasser von sich abschüttelt, silbrige Tropfen fliegen durch die Luft. Sie löst ihr langes Haar aus dem Knoten, drückt das Wasser heraus, dreht es wieder zusammen und steckt es mit der Spange fest. Sie nimmt das alte hellgrüne Handtuch, das sie zuvor über einen Ast gehängt hat, und schlingt es sich um. Ich beiße von meinem Toast ab. Sie ist dreiundsiebzig und immer noch schön.

An dem Morgen, als Peggy ertrank, stand ich fast an derselben Stelle wie jetzt und sah zu, wie sie sich im Wasser auflöste. Plötzlich war meine Mutter da, immer noch im Nachthemd, schrie Anna an und machte einen Kopfsprung in den See. Als sie wieder hochkam, zog sie Peggy am Haar heraus. Peggy war ganz blau im Gesicht. Meine Mutter zerrte sie am Pferdeschwanz ans Ufer, schlug ihr auf die Brust und küsste ihr Luft in den Mund, bis Peggy hustete und keuchte und Wasser ausspie und wieder lebendig wurde. In ihrer Jugend war Mum Rettungsschwimmerin gewesen, daher kannte sie das Geheimnis: Manche Ertrunkene können von den Toten zurückkommen. Ich sah zu, wie meine Mutter Gott spielte. Während Mr Dancy für immer aus unserem Leben fuhr. Während Anna Peggy mit einem Stock an den Füßen kitzelte und sie so zu wecken versuchte.

Jetzt sehe ich, wie meine Mutter ihr Gesicht der warmen Brise zuwendet. Auf ihren Armen sind Altersflecken. In ihren Kniekehlen und auf den Rückseiten der Oberschenkel breitet sich ein dichtes Geflecht von geplatzten Äderchen aus. Sie sieht sich mit leerem Blick um, zuckt die Achseln, als wollte sie sagen: »Ach ja!«, und nimmt ihre Brille aus dem Heck des Kanus, wo sie sie vorm Schwimmen abgelegt hat. All das habe ich schon Hunderte von Malen beobachtet, aber heute Morgen wirkt sie verändert. Älter. Und das macht mich traurig. Meine Mutter hat etwas Ewiges. Sie ist eine Nervensäge, aber sie ist würdevoll. Sie erinnert mich an Margaret Dumont aus den Marx-Brothers-Filmen. Sie hat keine Allüren, sie ist von Natur aus hochmütig. Wir hätten mit dem Frühstück auf sie warten sollen.

»Gibst du mir eine Scheibe Toast, oder haben die Heuschrecken den auch weggeputzt?«, sagt Mum, als sie die Stufen zur Veranda hochsteigt und sich einen Stuhl heranzieht.

Peter sieht sie über den Rand seiner Zeitung an. »Wasser war gut, Wallace?«

»Nicht besonders. Die Wasserschläuche sind wieder da. Die Fischer sind schuld. Sie bringen sie auf den Unterseiten ihrer Boote mit, wer weiß, woher.«

»Trotzdem siehst du strahlend aus.«

»Unsinn«, sagt Mum. »Mit Schmeicheleien erreichst du bei mir gar nichts. Und Schinkenspeck kommt davon auch nicht auf den Tisch.«

»Dann gehe ich und brate dir welchen.«

»Dein Gatte ist ja ungewöhnlich guter Laune heute Morgen«, sagt Mum zu mir.

»Da hast du recht«, sagt Peter.

»Du bist zweifellos der einzige Mensch in der Welt, der von einer Reise nach Memphis in besonders heiterer Stimmung zurückkommt.«

»Wie ich dich bewundere, Wallace«, lacht Peter.

Ich stehe auf. »Ich brate den Schinkenspeck. Und mache frisches Rührei, das hier ist kalt.«

»Nein, lass mal«, sagt Mum. »Sonst wird der Abwasch noch größer. Ihr habt bestimmt alle Töpfe benutzt.«

»Rührei oder weich gekochtes Ei?« Sie geht mir schon wieder auf die Nerven. »Jack, räum bitte die Teller ab und hol deiner Großmutter die Orangenmarmelade.«

»Maddy, hol die Orangenmarmelade für Wallace«, sagt Jack zu seiner Schwester, ohne auch nur den Blick zu heben. Meine Mutter hat von Anfang an darauf bestanden, dass die Kinder sie beim Vornamen anreden. »Ich bin noch nicht so weit, dass ich die Rolle der Großmutter übernehmen möchte«, sagte sie, als Jack noch nicht sprechen konnte. »Und ich hoffe, du planst mich nicht als Babysitter ein.«

Maddy beachtet Jack nicht.

»Kinder? Hallo?« Ich stemme doch tatsächlich eine Hand in die Hüfte.

»Hol du sie doch«, sagt Jack zu mir. »Du stehst schon.«

Einen Moment halte ich den Atem an und versuche, nicht aufzubrausen. Ich bin unter Wasser und sehe die Fische durch trübes Grün. Ich bin Peggy. Ich suche die Stille im Schilf.

Peter zündet sich wieder eine Zigarette an. »Jack, tu, was deine Mutter sagt. Hör auf, dich wie ein Idiot zu benehmen.«

»Genau«, sagt Mum mit eisigem Blick zu Jack. »Du benimmst dich wie der letzte Flegel. Das schickt sich nicht.«

1956. Guatemala.

Nachdem meine Großmutter von ihrem dritten Mann verlassen worden war, wanderte sie nach Mittelamerika aus. Den abscheulichen Jim hatte sie verlassen, aber sie brauchte einen Mann, der für sie sorgte. Vince Corcoran war ihre Chance – ein Millionär in einer Zeit, als das noch etwas zählte. Vince hatte sein Vermögen im Import-Export-Geschäft mit Obst und Kaffee gemacht. Er war kein attraktiver Mann, aber ein wirklich guter Mensch – er hatte ein großes Herz, war freundlich zu den Kindern und sehr in deren Mutter verliebt. Sie heiratete ihn wegen seines Geldes. Sie fand seinen Atem eklig, und dass ihm beim Geschlechtsverkehr große Schweißtropfen von der Stirn auf ihr Gesicht fielen, widerte sie an. Es beschämte sie, dass sie so tief gesunken war und einen Bananenexporteur geheiratet hatte, aber immerhin wohnte sie in einer Stadtvilla am Gramercy Park in New York und fuhr einen weinroten Rolls-Royce. Nachdem Vince das alles in ihrem Tagebuch gelesen hatte, ließ er sich von ihr scheiden. So wurde es zumindest erzählt. In der Abfindung bekam Großmutter Nanette nur das Auto, eine kleine monatliche Zuwendung und eine riesige Villa in Guatemala, die sie noch nie gesehen hatte und die Vince Jahre zuvor von einem Kollegen beim Poker gewonnen hatte.

Also gab Nanette, alleinstehend, kaum dreiunddreißig Jahre alt und dreimal geschieden, ihr privilegiertes New Yorker Gesellschaftsleben auf, verkaufte ihre Pelze, packte ihre Sachen in ein paar Lederkoffer, verfrachtete Wallace und Austin, damals zwölf und zehn, in den Rolls-Royce und fuhr mit ihnen bis nach Antigua, einer hübschen kleinen spanischen Kolonialstadt im Schatten mehrerer Vulkane.

Casa Naranjal war ein zerfallener Besitz, auf dem es vor Leguanen nur so wimmelte. Auf dem Land gab es Orangen- und Limonenhaine sowie Avocado-Plantagen. Im Frühling explodierten die Jacaranda-Bäume lavendelblau. Bananenbüschel hingen schwer unter zitternden grünen Blättern. In der Regenzeit schwoll der Fluss an und trat über seine Ufer. Der Besitz war mit einer hohen Mauer vor den neugierigen Blicken der Dorfbewohner geschützt. Don Ezequiel, ein zahnloser alter Mann, bewachte die massiven Holztore. An den meisten Tagen saß er im Schatten seiner Lehmhütte und aß mit der Messerklinge einen Brei aus schwarzen Bohnen. Am liebsten saß meine Mutter neben ihm auf dem harten Lehmboden und sah ihm zu.

Mit dem Besitz hatte Granny Nanette auch eine kleine Dienerschaft, einen privaten Koch und drei Pferde geerbt. Die Pferde spazierten frei über die Anlage. Ein gut aussehender dunkelhaariger, stets in Weiß gekleideter Gärtner pflückte morgens Mangostanfrüchte fürs Frühstück, verscheuchte Gürteltiere vom Rasen und holte große Würmer aus dem Schwimmbecken, das einen schwarzen Boden hatte. Meine Großmutter verbrachte die Tage eingeschlossen in ihrem Schlafzimmer. Die fremde Welt, die ihre Rettung war, in der sie sich aber mit niemandem außer ihren beiden Kindern verständigen konnte, ängstigte sie. Ihr Schlafzimmer lag in einem achteckigen Turm, der von lila blühender Bougainvillea überwachsen war. Darunter war ein riesiger Salon mit hohen Decken und mächtigen Türen, die sich zur Landschaft hin öffneten. Die Kinder sahen ihre Mutter den ganzen Tag über nicht und hörten nur ihre Schritte, wenn sie auf dem Terrakottafußboden über ihnen hin und her ging.

Ein Säulengang verband das Wohnzimmer mit der Küche, wo der Koch den Teig für Tortillas zubereitete und grüne Tomaten zu einer *salsa verde* zerstampfte. Zwischen den Säulen hingen vergoldete Vogelkäfige mit farbenprächtigen Papageien und Nymphensittichen. Wallace und Austin saßen allein am langen Esstisch und fütterten die Vögel mit Stückchen ihrer Frittata, während die Vögel auf Spanisch plapperten. Mum behauptet, so habe sie Spanisch gelernt. Ihre ersten Wörter waren *huevos revueltos*.

Drei Monate lang gingen die Kinder nicht zur Schule. Granny Nanette wusste nicht, wie sie sie dort anmelden sollte. (Das erzählt mir meine Mutter immer dann, wenn ich mich über die Schulbildung meiner Kinder besorgt zeige. »Sei nicht so gewöhnlich, Elle«, sagt sie. »Das passt nicht zu dir. Rechenschieber sind für die Armseligen.« Eine Haltung, die sich aus der Tatsache erklärt, dass sie kaum, wie ich ihr dann vorhalte, Kopfrechnen kann.)

Austin hatte Angst, das Grundstück zu verlassen, und so durchstreifte Mum die Gegend allein mit einer alten Leica, die ihr Vater ihr geschenkt hatte, und machte Fotos von weißen Bullen auf leeren Wiesen, von wilden Pferden, die sich in ausgetrockneten Flussbetten versammelten und deren Brustkörbe vor Hunger angeschwollen waren, von Skorpionen im Schutz eines Holzstapels, von ihrem Bruder, der am Schwimmbecken ein Glas Limonade trank. Ihr Lieblingsort war der Friedhof außerhalb des Dorfes. Ihr gefielen die Madonnen in Käfigen, die Grabsteine aus rosa Stein mit Stuckverzierungen, die wie Kathedralen in einem Puppendorf aussahen, die Papierblumen vor den bemalten Grüften – türkis, rotorange, zitronengelb –

je nachdem, was die Lieblingsfarbe des Verstorbenen gewesen war.

Nachmittags ritt meine Mutter auf ihrem Lieblingspferd durchs Tal und über einen steilen Hügel nach Antigua. Dort band sie das Pferd an einen Pfosten und wanderte durch die mit Kopfstein gepflasterten Straßen, sie erforschte die Ruinen der alten Kirchen und Klöster, die vor langer Zeit durch Erdbeben zerstört worden waren. Sie liebte die Amulette, die die alten Frauen auf dem Dorfplatz verkauften und die man an Armbänder hängen konnte – winzige amputierte Beine und Arme, Augen, zwei Lungenflügel, ein Vogel, ein Herz. Anschließend ging sie in die Kathedrale, zündete Weihrauch an und betete, einfach so.

Als sie eines Abends auf dem Weg zurück auf einem steilen Pfad zwischen Felsen hinunterritt, trat ein Mann aus dem Schatten und hinderte sie am Weiterkommen. Er nahm die Zügel des Pferdes und befahl ihr abzusteigen. Er legte eine Hand auf seine Machete und griff sich mit der anderen in den Schritt. Sie saß auf dem Pferd, stumm wie eine Kuh. Dann dachte sie: Das reicht. Sie trat dem Pferd heftig in die Seiten und pflügte den Mann nieder. Sie sagt, sie könne bis heute das Krachen seiner Knochen und das Malmen der Pferdehufe in seinem Bauch hören. Am Abend erzählte sie ihrer Mutter bei einem Teller Truthahnsuppe, was sie getan hatte.

»Hoffentlich hast du ihn getötet«, sagte Granny Nanette, als sie ein Stück Frittata in ihre Suppe tauchte. »Trotzdem, Wallace, meine Liebe«, fügte sie hinzu, »so ein Benehmen schickt sich nicht für ein Mädchen.«

10.25

Der Schock, von seiner Großmutter als Flegel bezeichnet zu werden, hat Jack vom Sofa hochgescheucht. Ich sollte das auch mal versuchen, aber wir würden uns nur furchtbar in die Haare kriegen, und am Ende würde ich in Tränen ausbrechen, während Jack in jugendlichem Triumph abziehen würde. Ich habe nicht den würdevollen Hochmut meiner Mutter.

Mein Mobiltelefon summt. Peter greift danach.

»SMS von Jonas.« Er öffnet die Nachricht.

Scheiße, Scheiße noch mal. Mein Herz setzt einen Moment lang aus.

»Sie wollen, dass wir uns bei Higgins Hollow treffen. Sie schlagen elf Uhr vor. Sie bringen Sandwiches mit.«

Danke, lieber Gott.

»Ich habe das blöde Gefühl, dass ich mit Gina so etwas in die Richtung vereinbart habe, bevor ich abgedriftet bin«, sagt Peter.

»Wollen wir wirklich den Tag am Strand verbringen? Ich würde lieber faul in der Hängematte liegen.«

»Ich möchte sie nicht brüskieren. Gina ist schnell eingeschnappt.«

»Ihr ist es bestimmt egal. Wir haben doch alle einen Kater.«

Selbst in meinen Ohren klingt das unaufrichtig.

Peter trinkt den letzten Schluck von seinem Kaffee. »Ich kann das immer noch nicht begreifen. Jonas ist ein fantastischer Künstler. Erfolgreich. Er sieht aus wie ein Filmstar. Er hätte jemanden wie Sophia Loren heiraten können. Ich vermute, er hat Gina geheiratet, um seine Mutter zu kränken.«

»Wenigstens wäre das ein guter Grund«, bemerkt meine Mutter.

Peter lacht. Er mag es, wenn meine Mutter zickig ist. »Na, was ist, meine Täubchen? Habt ihr Lust auf Strand?«

»Wann ist Ebbe?«, fragt Maddy.

Peter dreht die Lokalzeitung um, zur Gezeitentabelle auf der Rückseite. »1 Uhr 23.«

»Können wir die Boogie-Bretter mitnehmen?«, fragt Finn.

»Dürfen wir«, korrigiert meine Mutter ihn.

Ich werfe ihr einen Blick zu, den sie ignoriert.

»Ich komme nicht mit«, sagt Jack. »Sam und ich treffen uns beim Jachtklub.«

»Und wie willst du dahin kommen?«, frage ich ihn.

»In deinem Auto.«

»Kommt nicht infrage. Nimm das Fahrrad.«

»Das kann nicht dein Ernst sein. Das sind bestimmt fünfzehn Meilen.«

»Letztes Mal hast du vergessen zu tanken, und das Benzin war alle. Ich habe es gerade noch mit den letzten Tropfen zur Tankstelle geschafft.«

»Wir sind verabredet. Er wartet da auf mich.«

»Schick ihm eine SMS. Sag ihm, ihr müsst es anders machen.«

»Mom.«

»Das Gespräch ist beendet.« In meiner Hand summt das Mobiltelefon. »Strand geht klar?«, fragt Jonas. Ich spüre ihn am anderen Ende, Telefon in der Hand, spüre seine Berührung. Seine Finger, die mir eine geheime Botschaft zusenden. »Ich muss Jonas antworten, Pete. Welche Zeit soll ich sagen?«

»Sag halb zwölf.«

Jack geht ins Zimmer und nimmt meine Handtasche. Ich beobachte ihn, wie er darin kramt und dann die Autoschlüssel herausholt.

»Was genau machst du da?«, frage ich.

»Ich tanke es auf dem Rückweg voll. Versprochen.«

»Gib mir die Schlüssel.« Ich strecke meine Hand aus. »Entweder kommst du mit uns zum Strand, oder du fährst mit dem Rad zum Jachtklub. Basta.«

»Was hast du bloß? Wieso machst du es absichtlich schwierig für mich?« Jack schmeißt die Autoschlüssel auf den Fußboden, rennt raus und schlägt die Tür hinter sich zu. »Wie hältst du es nur aus, mit dieser Zicke verheiratet zu sein?«, ruft er noch über seine Schulter und rennt zur Schlafhütte.

»Da ist was dran«, ruft Peter ihm lachend hinterher.

»Soll das dein Ernst sein, Pete?«

»Ach, sieh das nicht so eng. Er ist in dem Alter. Da muss man frech zu seiner Mutter sein. Gehört alles zum Ablösungsprozess.«

Ich bin auf hundertachtzig. Nichts macht mich wütender, als wenn jemand sagt, ich soll das nicht so eng sehen. »Frech? Er hat mich Zicke genannt. Und wenn du lachst, ermunterst du ihn noch.«

»Ich bin also schuld?« Peter zieht die Augenbrauen hoch.

»Natürlich nicht«, sage ich empört. »Aber du gibst ihm Deckung.«

Peter steht auf. »Ich fahre in die Stadt, Zigaretten holen.«

»Wir sind mitten in einem Gespräch.«

»Brauchen wir sonst noch was?«

»Was soll das jetzt, Pete.«

Maddy und Finn sind völlig verstummt, wie kleine Tiere, die an einem Wasserloch dem Komodowaran zusehen, der sich geschmeidig einem weißen Büffel nähert. Sie sind es nicht gewohnt, ihren Vater verärgert zu sehen. Peter verliert nur selten die Beherrschung. Lieber lässt er die Dinge schulterzuckend an sich abgleiten. Aber jetzt sieht er mich aus schmalen Augen an, die Miene eiskalt, als könnte er das Vibrieren der Moleküle um mich herum spüren, aber auf einer anderen Wellenlänge. Als hätte er mich ertappt, wüsste aber nicht, wobei.

»Kannst du einen Liter halbfette Milch mitbringen«, ruft Mum aus der Küche. Sie tut so, als wärmte sie den Kaffee auf, hört aber zu. Ihre Stimme in meinem Kopf sagt: *Immer an Botticelli denken.* Mein Verstand sagt mir, dass sie recht hat. Ich muss nachgeben. Gestern Abend habe ich mit meinem ältesten Freund im Gebüsch gefickt. Peter hat einfach nur gelacht, als unser pubertärer Sohn eine freche Bemerkung über mich gemacht hat, was jeden Tag vorkommt. Aber Peters Stimme hat einen warnenden Ton, und deshalb kann ich nicht nachgeben.

»Tu nicht so, als ginge es hier um dich, Pete.«

»Um mich? Möchtest du wirklich, dass wir das genauer erörtern, Eleanor?«

Mein Frühstück steigt mir säuerlich in den Hals. Ich spüre Panik aufkommen. Ich sehe zu Maddy und Finn auf dem Sofa hinüber, sehe ihre verstörten Gesichter. Ihre Reinheit. Ihre Beklommenheit. Was habe ich gestern Abend getan? Es war ein schrecklicher Fehler, den ich niemals wiedergutmachen kann.

»Es tut mir leid«, sage ich und halte den Atem an, ich warte auf das, was dann kommt.

Er steht mit undurchdringlicher Miene da.

5

1972. August, Connecticut.

Im Spätsommer ist es in den ländlichen Gegenden von Connecticut drückend und schwül. Schon um acht Uhr morgens ist die Luft hier, fern vom Meer, feucht von dem erdrückenden Grün rundherum. Nach dem Lunch verstecke ich mich am liebsten in den kühlen Schatten des Maisfelds meines Großvaters, ich renne zwischen den Maispflanzen auf und ab, die Hülsen streifen mich träge, oder ich lege mich auf den braunen Streifen Erde, wo ich verborgen und sicher bin, lausche dem leisen Rascheln und beobachte die Soldatenameisen, die schwere Lasten über die Rillen tragen. Am späten Nachmittag kommen Mückenschwärme aus dem Nichts und schwirren in Wolken um uns herum, sodass wir Schutz suchend ins Haus laufen müssen, bis sie sich wieder in den Schatten des Pflaumenbaums zurückziehen.

Auf der Farm unserer Großeltern warten wir jeden Abend darauf, dass die Luft sich abkühlt und wir einen Abendspaziergang machen können. In der Tageshitze dehnt sich die Teerdecke der Straße aus und wirft Blasen. Aber später, wenn der Teer zwar noch weich, aber nicht klebrig ist, kann man auf der Straße gut laufen. Es ist ein bisschen so, als ginge man auf Marshmallows. Ein süßer Lavageruch umgibt uns. Granddaddy William, der Vater meines Vaters, hat seinen Stock aus Walnussholz dabei, Pfeife und Tabak stecken in seiner Hosentasche. Zusammen gehen wir am Maisfeld vorbei, an dem alten Friedhof gegenüber dem Farmhaus, an der kleinen weißen Kirche mit den dunklen Fenstern und an dem schindelverkleideten Haus des Pfarrers, wo die Spitzenvorhänge zugezogen sind und Leselampen brennen. Wir steigen den Hügel hinauf und hören in den schattigen Kuhlen die Schafsglocken von der benachbarten Farm.

Anna und ich haben Würfelzucker in den Taschen und rennen voraus zu der Wiese, wo das scheckige Pferd der Straights uns die Würfel aus den Händen frisst. Es steht bis zum Bauch in Brennnesseln am Rande der Wiese und wartet auf uns. Die warmen Nüstern in die Luft gereckt, hat es uns am Geruch erkannt. Anna krault es zwischen den Augen, und es schnaubt und stampft mit dem Huf auf. Wenn wir nach Hause kommen, hat uns Granny Myrtle schon Cider und selbst gebackene Kekse hingestellt. Sie sagt, sie wünschte, wir könnten immer bei ihr wohnen, Scheidung sei für Kinder nie gut. »Ich habe eure Mutter immer bewundert«, sagt sie. »Wallace ist eine sehr attraktive Frau.«

Bei der Kirche gibt es einen kleinen Spielplatz mit Schaukeln und Klettergeräten, aber Anna und ich spielen lieber auf dem Friedhof mit den großen Bäumen und dem kurz geschnittenen Rasen. Zwischen den Grabsteinen kann man bestens Verstecken spielen. Am liebsten sitzen wir aber am Grab des Selbstmörders. Es liegt abseits, auf dem Hügel. Menschen, die sich das Leben nehmen, dürfen nicht bei den anderen Toten begraben werden, weil sie gesündigt haben, hat Granny Myrtle uns erklärt. Auf dem Grab des Selbstmörders steht ein hoher Grabstein, größer als ich und von zwei Zypressen flankiert. Seine Witwe habe sie gepflanzt, sagt Granny. »Am Anfang waren es nur kleine Büsche. Aber das ist lange her. Euer Großvater hat ihr geholfen, die Löcher zu graben. Später ist sie nach New Haven gezogen.« Als Anna fragt, wie der Mann sich umgebracht hat, sagt sie: »Euer Großvater hat ihn losgeschnitten.«

Auf der Rückseite des Grabsteins ist ein breiter Marmorsims. Der sei für Blumen gedacht, sagt Granny, aber soweit sie wisse, habe nie jemand das Grab besucht. An sehr heißen Tagen sitzen Anna und ich gern in der schattigen Kühle des Grabsteins auf diesem Sims, verborgen vor Blicken von der Straße. Wir basteln jetzt Anziehpuppen. Wir zeichnen sie auf Papier und schneiden sie aus. Anna malt die Gesichter und die Frisuren: Pferdeschwänze, Afros, Zöpfe wie Pippi Langstrumpf, Ponyfrisuren. Wir schneiden Anziehsachen aus, mit Aufhängern, die wir um die Puppen falten: gestreifte, auf den Hüften sitzende Schlaghosen, Küchenschürzen, Lederjacken, weiße Schaftstiefel, Maxiröcke, Halstücher, Bikinis. »Jede Puppe muss ihre eigenen Sachen haben«, sagt Anna und schneidet sorgfältig eine winzige Handtasche aus.

Auf unserem Platz am Grab können wir hören, wie ein Auto in die Kieseinfahrt gegenüber fährt.

»Er ist da!«, ruft Anna.

Unser Vater kommt für eine ganze Woche. Wir haben ihn lange nicht gesehen, weil er wegen seiner Arbeit viel unterwegs war. Er vermisst seine Häschen, sagt er, wenn Granny uns am Telefon mit ihm sprechen lässt. Möglicherweise würden wir ihn nicht wiedererkennen, sagt er, er habe sich einen Schnurrbart wachsen lassen. Er will mit uns zur Kirmes in Danbury und zum Schwimmen im Candlewood Lake gehen. Er bringt eine Überraschung mit.

Wir packen unsere Anziehpuppen zusammen, rennen den Hügel runter und rufen »Daddy, Daddy«. Wir sind ganz aufgeregt wegen der Überraschung. Er steigt auf der Fahrerseite aus dem Auto. Dann geht die Beifahrertür auf.

Nach unserem Streit fährt Peter mit aufheulendem Motor los, und Finn und Maddy vertiefen sich wieder in ihre Bücher und Geräte, wie Meeresvögel, nachdem sie von einer hohen Welle aufgescheucht wurden.

»Habt ihr noch Platz, meine Süßen?« Ohne aufzusehen, rücken sie zur Seite. »Noch ein winziges bisschen.«

»Mom!« Maddy ärgert sich über die erneute Störung.

Ich lehne mich zwischen ihnen zurück und bin dankbar für ihren vertrauten Geruch, den Rühreiatem, die kleine Pause. Jack ist in der Schlafhütte, schmollend, störrisch, und weigert sich herauszukommen. Typisch Jack. Er war schon dickköpfig, als er noch bei mir im Mutterleib war. Wie viel Lebertran ich auch trank, er weigerte sich, sein warmes, feuchtes Nest zu verlassen. Erst mit zwei Wochen Verspätung und nach einer qualvollen, schier nicht enden wollenden Geburt bequemte er sich zu erscheinen. Während der Geburt war ich zwischendurch fest davon überzeugt, dass ich sterben würde. Am nächsten Morgen war ich überzeugt, dass das Baby in mir tot sei, obwohl ich an siebzehn Monitore angeschlossen war, die alle Jacks stabilen Herzschlag aufzeichneten. Ich hatte Angst, das Wesen zu verlieren, das ich am allermeisten in der Welt liebte, bevor ich die Möglichkeit hatte, es zu lieben. Doch dann war er da, rot und schreiend, mit langen Froschfüßen, zerknautscht und faltig, fischäugig, blinzelnd. Ein Wasserwesen. Vorzeitlich. Er wurde gesäubert und in etwas Blaues gewickelt. Mir überreicht. Etwas Weiches weich verpackt in meinen Armen, in mir und zugleich außerhalb.

Dann nahmen mir die Krankenschwestern Jack fort, damit ich mich ausruhen konnte, und ich schickte Peter nach Hause. Wir waren beide so viele Stunden wach gewesen. Alles war verschwommen, als ich wieder zu mir kam. Ich hörte Jacks leises Schniefen, seine kleinen Traumgeräusche gleich neben meinem Kopf. Die Krankenschwestern hatten ihn wieder hereingebracht, während ich schlief. Ich hob ihn aus der Krippe und legte ihn mir an die Brust, ohne zu wissen, wie ich das anstellen musste. Ich kam mir vor wie eine Betrügerin, die sich als Mutter aufspielt. Bei unseren Bemühungen, eine Verbindung zu schaffen, weinte ich. Glück und Traurigkeit. Innen und außen.

Es klopfte an der Tür. Die Schwester, dachte ich erleichtert. Aber es war Jonas, der hereinkam, Jonas, den ich seit vier Jahren nicht gesehen hatte, mit dem ich kein Wort mehr gewechselt hatte. Der wütend und verletzt aus meinem Leben verschwunden war, als ich Peter heiratete. Der inzwischen mit Gina verheiratet war. Jonas, mein ältester Freund, der jetzt mit einem riesigen Blumenstrauß, weißen Pfingstrosen in braunem Papier, in der Tür stand und mir zusah, wie ich mit dem Baby im Arm weinte.

Er trat an mein Bett und nahm mir Jack aus dem Arm, ohne mich um Erlaubnis zu bitten. Er wusste, dass er das durfte. Er schlug die blaue Babydecke zurück und küsste Jack auf die Nase. »Sind es meine Augen, oder sieht sie ein bisschen wie ein Junge aus?« Das Grinsen dasselbe wie früher.

»Hör auf«, sagte ich lächelnd. »Ich kann nicht lachen. Es tut weh.«

»Ist es dein Perineum?«, fragte er besorgt.

»Oh mein Gott.« Ich lachte unter Tränen. Glück und Verlust.

Ich stelle mir Jack vor, wie er ausgestreckt auf dem Bett liegt, die Hände hinter dem Kopf verschränkt, und mit den Ohrenstöpseln die Welt ausblendet und erwägt, ob er mir verzeihen soll. Und ob ich ihm verzeihen werde. »Zweimal ja«, möchte ich ihm den Pfad hinunter zurufen. Nichts ist unverzeihlich zwischen Menschen, die sich lieben. Aber während ich das denke, weiß ich, dass es so nicht stimmt.

Eine Fliege hat sich in die Veranda verflogen, prallt summend gegen die Fliegengitter und brummt. Hin und wieder bleibt sie sitzen, dann hört man auf der Veranda nur das Umblättern von Buchseiten und das Platzen von Finns Kaugummiblasen. An dem kleinen öffentlichen Strand auf der anderen Seite des Sees markieren Leute mit Baumwolltüchern ihre Plätze und breiten darauf ihre Picknicks aus. Ich hätte mich nicht von Peter zu dem Treffen mit Jonas und Gina am Strand überreden lassen sollen. Allein die Vorstellung: Jonas im grellen Tageslicht, Ginas widerliche Thunfisch-Sandwiches, das Sezieren des Abends gestern. Aber ich brauche nicht mitzugehen. Es war Peters Idee. Er kann allein mit den Kindern gehen. Es wird niemandem etwas ausmachen. Niemandem außer mir. Denn die anderen werden in Jonas' Gesellschaft sein und ich nicht. Sie können ihr Handtuch auf dem heißen Sand neben seinem ausbreiten. Und der Gedanke, dass ich ihn nicht sehen werde, erfüllt mich mit dem schmerzlich scharfen Verlangen, ihn zu berühren, unter Wasser seine Hand zu streifen. Es ist ein Hunger. Eine Sucht. Er ist wie eine Sirene. Eine Sirene mit Penis, denke ich und muss unvermittelt lachen.

»Was ist so witzig?«, fragt Maddy.

»Nichts.« Ich nehme mich zusammen. »Gar nichts ist witzig.«

»Das finde ich ulkig, Mom«, sagt sie und nimmt wieder ihr Buch, »wenn man ohne Grund lacht. Wie so ein gespenstischer Clown.« Sie kratzt sich einen Mückenstich am Fußgelenk.

»Je mehr du kratzt, desto mehr juckt es«, sage ich. »Ihr solltet euch anziehen. Daddy kommt gleich zurück.« Die Kinder sind noch in ihren Schlafanzügen. Auf Finns Ärmel ist ein Tropfen Wachs getrocknet, von gestern Abend, als die Kinder zum Haus gekommen waren, um den betrunkenen Erwachsenen Gute Nacht zu sagen.

»Wir haben gehört, wie ihr gesungen habt«, sagte Finn und sah uns, als er durch die Fliegengittertür kam, mit einem verschmitzten Ausdruck an, als wollte er sagen: »Ich weiß, dass ich im Bett sein soll, aber hier bin ich.«

»Was wollt ihr denn hier? Ihr sollt seit Stunden im Bett liegen und schlafen.«

»Ihr seid so laut«, sagte Maddy. »Jack schläft. Er hat zu viel getrunken.«

»Na, dann komm«, sagte ich zu Finn und zog ihn zu mir auf den Schoß. »Aber nur fünf Minuten.«

Er beugte sich vor und brach einen Wachsstalaktiten vom Kerzenständer. Ein paar Wachstropfen landeten auf seinem Schlafanzugärmel. »Darf ich die Kerzen auspusten?«

»Nein, darfst du nicht.«

»Bringst du uns wieder in die Hütte? Ich habe draußen im Gebüsch was gehört. Vielleicht ist es ein Wolf.«

»Hier gibt es keine Wölfe, Blödmann«, sagte Maddy. »Ich hole mir ein Glas Milch.«

Finn rutschte von meinem Schoß und legte sich auf dem Sofa neben Peter, der sein Gespräch mit Gina nicht unterbrach und Finn den Rücken streichelte, als wäre er eine Katze. Mir gegenüber waren Annas Patenonkel Dixon und meine Stiefgroßmutter Pamela mit Jonas' Mutter in eine Diskussion über die Nistgewohnheiten der Küstenvögel verstrickt.

»Der Strand gehört uns«, sagte Pamela. »Welches Recht hat der Parkservice, ihn abzusperren?«

»Ich bin ganz deiner Meinung. Das schießt doch wirklich den Vogel ab«, sagte Dixon und lachte, zu laut, fand ich, über sein Wortspiel.

»Der Strand gehört der Natur«, sagte Jonas' Mutter. »Ist es euch wirklich wichtiger, wo ihr euer Handtuch hinlegen könnt, als dass eine Vogelart aussterben könnte?«

»Kann mir mal jemand die Fliegengittertür aufmachen?«,

fragte Maddy, als sie mit zwei Gläsern Milch aus der Speisekammer kam.

Peter stand auf, schwankte einen Moment, machte die Tür auf und fuhr Maddy durch die Haare.

»Daddy! Gleich schwappt es über«, sagte Maddy, lachte und vergoss ein bisschen Milch. Finn ließ sich auf allen vieren auf dem Boden nieder und schleckte die Pfütze auf. »Ich bin eine Katze«, sagte er.

»Eklig.« Maddy warf mir einen Kuss zu. »Nacht, Mama. Hab dich lieb. Nacht alle.«

»Nacht, mein Zuckerpfläumchen«, sagte Peter und legte sich wieder hin. »Und keinen Pieps mehr.«

Ich sah zu, wie Jonas Wachs von dem Kerzenhalter abbrach, so wie vorher Finn, und es gedankenverloren mit den Fingern formte. Erst eine Kugel, dann einen Schwan, eine Schildkröte, einen Würfel, ein Herz – als wollte er seine Gedanken in Wachs ausdrücken. Ich musste daran denken, dass Jonas, als ich ihn kennenlernte, ungefähr so alt war wie Finn jetzt. Ein süßer kleiner Junge. Es scheint mir unvorstellbar, dass mein kleiner, wuschelköpfiger Junge einmal zu einem Wirbelwind im Leben eines anderen Menschen werden könnte. Jonas hob den Blick und sah, dass ich ihn beobachtete.

»Du verwöhnst die Kinder«, sagte meine Mutter, nachdem beide auf dem Pfad in die Dunkelheit verschwunden waren. »Zu meiner Zeit galt noch, dass Kinder gesehen und nicht gehört werden sollten.«

»Wenn diese Regel doch auch auf dich zuträfe, Wallace«, sagte Peter vom Sofa aus.

»Dein Mann ist furchtbar«, sagte Mum zufrieden. »Ich weiß nicht, wie du es so viele Jahre mit ihm ausgehalten hast.«

»Liebe ist blind, Gott sei Dank. Oder zumindest ist meine Frau blind«, sagte Peter lachend. »Darin liegt das Geheimnis meines Glücks.«

»Zu meiner Zeit haben wir uns scheiden lassen und neu geheiratet«, sagte Mum. »Viel einfacher. Auch erfrischend. Ein bisschen, als würde man sich eine neue Garderobe zulegen.«

»Na«, sagte ich. »So habe ich das nicht in Erinnerung. Und wenn Anna hier wäre, würde sie mir zustimmen, da bin ich mir sicher.«

»Ich bitte dich«, sagte Mum. »Aus dir ist doch was geworden. Wer weiß, was gewesen wäre, wenn dein Vater und ich verheiratet geblieben wären. Vielleicht wärst du jetzt eine zufriedene, dümmliche Durchschnittsfrau. Oder Hotelmanagerin. Scheidung tut Kindern gut.« Sie stand auf und stellte die restlichen Dessertteller zusammen. »Unglückliche Menschen sind immer interessanter als glückliche.«

Ich spürte den vertrauten Widerspruchsgeist in mir aufkommen, aber in dem Moment lehnte sich Jonas über den Tisch und sagte: »Lass sie. Wenn sie betrunken ist, sagt sie Dinge, die sie nicht so meint. Das weißt du doch.«

Ich nickte, goss mir von dem Grappa ein und gab ihm die Flasche. Unsere Finger berührten sich.

»Ein Toast.« Er hielt das Glas in die Höhe.

»Worauf trinken wir?«, fragte ich und stieß mit ihm an.

»Die blinde Liebe.« Sein Blick hielt meinen.

Ich wartete ein paar Minuten, bevor ich mich erhob.

Mum stand mit dem Rücken zu mir am Spülbecken. »Ich könnte ein bisschen Hilfe beim Abwasch gebrauchen, Eleanor. Das heiße Wasser wird wieder mal nicht richtig heiß.«

»Gleich. Ich will nur schnell zur Toilette.«

»Pinkel ins Gebüsch. Das mache ich immer.«

Ich ging nach draußen, wartete im Dunkeln und wusste nicht, ob ich ihn richtig gedeutet hatte. Wenn ich mich jetzt geirrt hatte und wie ein bedauernswertes Mädchen von sechzehn stehen gelassen wurde? Die Tür ging auf, Schritte waren auf dem sandigen Pfad zu hören. Jonas blieb stehen, versuchte sich im Dunkeln zu orientieren und fand mich. Ein Windstoß kam von See herauf, Frösche quakten.

»Wartest du hier auf mich, Elle?«

»Psst.« Ich legte ihm die Finger auf den Mund. Das Murmeln von Stimmen. Musik von der Stereoanlage.

»Dreh dich um«, flüsterte er und hob meinen Rock hoch. »Stütz dich an der Wand ab.«

»Willst du mich verhaften?«

»Ja«, sagte er.

»Beeil dich.«

»Mom!« Mir wird am Hemd gezupft. »Mom! Du hörst gar nicht zu«, sagt Maddy. »Können wir schnorcheln gehen?«

»Wir haben gestern ein Fischnest gefunden«, sagt Finn. »Vielleicht sind da Eier drin.«

»Sag! Können wir?«, fragt Maddy. »Mom!«

Ich schüttle mich, versuche mich zu fangen. »Die Taucherbrillen und Schwimmflossen sind in der ersten Hütte«, sage ich schließlich. Ich fühle mich schmutzig, verdorben, ich habe den verzweifelten Wunsch, mein Innerstes gründlich zu reinigen. Ich bin zutiefst unglücklich, denn die Strahlung hat meinen persönlichen Schutzpanzer schon durchdrungen, und es ist nicht sicher, ob ich das überlebe.

1973. März, Briarcliff, New York.

Ein wunderschöner Morgen im Frühling. Der Hochzeitstag meines Vaters. Ich trage ein Kleid mit Spitze, dazu Lackschuhe und weiße Kniestrümpfe. Ich bin sechs. Mein Vater heiratet seine Freundin Joanne. Joanne ist eine Bestsellerautorin, »ein echter Fang«, sagt unser Vater und: »Was könnte attraktiver sein als eine starke Frau.« Ihr Haar riecht nach Herbal-Essence-Shampoo.

»Euer Vater mag gern herumkommandiert werden«, sagt Joanne lachend. Die beiden küssen sich direkt vor uns.

Joanne ist erst fünfundzwanzig. »Wir könnten beinah Schwestern sein«, sagt sie zu Anna, die neun ist. Joanne ist hübsch und kompakt gebaut und trägt einen Mantel aus Schaffell. Es macht mich traurig, dass das Schaf jetzt ohne sein Fell leben muss, und sage ihr das. Mein Vater und Joanne sind aus New York heraus in die Vororte gezogen. Mein Vater pendelt jeden Tag zur Arbeit in die Stadt, aber wir sehen ihn da nur selten.

Joanne fährt einen neuen roten Mustang. Meine Mutter findet rot ordinär, sage ich zu Joanne, als ich das Auto das erste Mal sehe. Du hättest blau nehmen sollen. Sie lacht gekünstelt. Blau ist geschmackvoll. »Du weißt nicht mal, was das bedeutet«, sagt Anna und kneift mich in den Arm.

Joanne mag Anna, aber sie und ich »stimmen nicht so gut überein«, sagt Joanne zu Anna, die es mir weitersagt. Manchmal kommt Joanne in die Stadt und verbringt einen Mädchen-Nachmittag mit Anna: FAO-Schwarz-Spieleparadies, Lunch bei Schrafft, Schlittschuh laufen am Wollman Rink im Central Park. Sie kauft Anna eine Marimekko-Handtasche in Dunkelrosa und Orange mit blinkenden Silberknöpfen, die wie Münzen aussehen. Sie mag Annas dichtes kastanienbraunes Haar und bringt ihr bei, dass sie es jeden Tag zehn Minuten lang bürsten muss, damit es glänzt.

Jeden Abend um Punkt sechs Uhr macht Joanne sich einen Gin Tonic, während mein Vater das Essen kocht und eine Flasche Wein aufmacht, damit er atmen kann. Er kocht gern mit Schalotten, und ich darf auf einem hohen Hocker in der Küche sitzen und ihm beim Möhrenschälen helfen. Zum Kochen benutzt er einen großen gusseisernen Topf, den er mit Öl auswischt, statt ihn mit Wasser und Spülmittel zu waschen. Er

71

sagt, Spülmittel mache den Topf kaputt. Er sagt, das Öl gebe dem Topf Schutz, und ich frage: Schutz wovor?

Joanne ärgert sich sehr darüber, dass mein Vater Unterhalt und Schulgeld bezahlen muss. Wenn sie uns sonntagabends zum Bahnhof fährt, gibt sie uns ein gefaltetes Blatt mit einer Liste von Dingen, die sie von der »Bezahlung«, die meine Mutter bekommt, abgezogen hat: *8 Scheiben Brot, vier Esslöffel Erdnussbutter, sechs Joghurts, zwei Portionen Hühnerpastete, zwei Portionen Swanson Salisbury Steak …*

Ich sehe, wie mein Vater den Mittelgang entlangkommt. Neben mir auf der Kirchenbank sitzt Granny Myrtle, kerzengerade, den Pillbox-Hut schräg auf dem Kopf, die Lippen fest geschlossen. Sie mag Joanne auch nicht. Das letzte Mal, als mein Vater und Joanne uns bei unseren Großeltern ablieferten, waren unsere Koffer voll mit schmutziger Wäsche. »Die Frau ist eine Schlampe«, sagte meine Großmutter. »Und faul obendrein. Euer Vater hat sein Studium in Yale zwar *summa cum laude* abgeschlossen, aber unterhalb der Gürtellinie setzt sein Verstand aus. Was sieht er nur in ihr? Ich werde euch nach Vogelmilben absuchen müssen.«

Ich senke meinen Blick auf die weiße Spitze in meinem Schoß und knibble an dem Schorf an meinem Knie. Ich habe lauter verschorfte Wunden an den Beinen, weil ich mehrmals vom Klettergerüst des Spielplatzes gefallen bin. Granny nimmt meine Hand und drückt sie beruhigend. Ich mag es, wenn sich ihr silberner Ehering an meinem Knöchel reibt. Sie legt unsere beiden Hände in meinem Schoß zusammen. Ich fahre mit dem Finger über die blauen Adern auf ihrem Handrücken. Ich habe sie sehr lieb.

Anna trägt Dunkelblau. Sie ist ein bisschen pummelig geworden, und Joanne fand, dass ihr Dunkelblau gut stehen würde. Ich tippe ungeduldig mit dem Fuß auf den Boden.

Anna tritt mir gegen das Schienbein. Ich soll nicht zappeln, hat man mir gesagt. Ein roter Lichtstrahl fällt auf den Altar. Er dringt durch das hohe Buntglasfenster hinten in der Kirche. Es ist das Blut Christi, das aus seiner Lendenwunde tropft. Mein Vater ist jetzt auf meiner Höhe und geht weiter auf den Priester zu. Ich stürze auf den Gang hinaus und werfe mich ihm vor die Füße. Ich umfasse sein Hosenbein und klammere mich daran fest. Er versucht mich abzuschütteln, wobei er den Gästen zulächelt, aber ich lasse ihn nicht los. Ich bin eine Furie aus weißer Spitze, Rotz und Tränen. Er bewegt sich langsam weiter und bemüht sich, das Kind an seinem Fußgelenk nicht zu beachten. Ich bin ein Schiffshalter, der sich an einem großen Fisch festsaugt.

Mein Vater und ich sind beim Altar angekommen. Der Organist beginnt mit dem Hochzeitsmarsch. Die Gemeinde erhebt sich zögernd. Jetzt schreitet Joanne zum Altar, eine große Tüllwolke verhüllt ihren Zorn. Sie trägt ein Minikleid aus Satin, und daraus staken ihre dicken Beine hervor, die wie Würste aussehen und unten in engen Schuhen stecken. Sie steigt über mich hinweg, nimmt die Hand meines Vaters und nickt dem Pfarrer zu. Während mein Vater und Joanne das Ehegelübde nachsprechen, liege ich um seine Füße gerollt auf dem Boden. Warum hat sie keinen Slip an?, denke ich und höre, wie sie sich das Jawort geben.

1973. November, Tarrytown, New York.

Eins der »Wochenenden«, an dem wir bei unserem Vater sind. Eigentlich sollten wir jedes zweite Wochenende bei ihm verbringen, aber wir haben ihn seit über einen Monat nicht gesehen. Sie hatten jede Menge Verabredungen, Joanne hat so viele

Freunde, die ihren neuen Alten kennenlernen wollten, erklärt er uns. »Wer ist der Alte?«, frage ich ihn. »Kennen wir den?«

Das Haus ist braun. Seile, an denen früher eine Schaukel befestigt war, hängen von einem kahlen Baum herunter. Dahinter geht es über ein paar Steine zu einem kleinen, trüben Teich. Schwimmen könne man darin nicht, sagt unser Vater, aber im Winter, wenn er zufriert, könnten wir da Schlittschuh laufen. Das Wohnzimmer ist lang und schmal mit einem großen Fenster am Ende, durch das man einen Blick auf den »See« hat, wie Joanne sagt. »Häuser am Wasser sind eine Seltenheit«, sagt sie. »Wir haben sofort zugeschlagen, als wir dieses gesehen haben.« Das einzige Zimmer im Haus, das nicht mit Langhaarteppich ausgelegt ist, ist die Küche.

Samstagnachmittag. Anna und ich sitzen auf dem Küchenfußboden und spielen ein Würfelspiel. Der Regen prasselt an die Fensterscheiben, die Welt versinkt in Trübsinn. Ich habe fast gewonnen, als Joanne mit ihrer Haarbürste in der Hand hereinkommt. Sie zupft ein paar Haare heraus und zeigt sie mir.

»Du hast meine Haarbürste benutzt, Eleanor. Dabei habe ich dir deutlich gesagt, dass du das nicht sollst.«

»Ich habe sie nicht benutzt«, sage ich, obwohl ich sie doch benutzt habe.

»An eurer tollen neuen Schule hat es Läuse gegeben, und jetzt muss ich die Bürste auskochen.« Sie ist außer sich. »Wenn diese Bürste kaputtgeht, schicke ich die Rechnung an eure Mutter. Das sind Naturborsten.«

»Ich war das nicht!«

»Es sind blonde Haare. Und ich dulde es nicht, dass in diesem Haus gelogen wird.« Sie bückt sich und nimmt die Würfel vom Boden.

»Gib sie uns zurück!«, schreie ich.

Mein Vater kommt aus der Garage. »He, ihr zwei. Kein Streiten, kein Beißen.«

»Sprich nicht mit mir, als wäre ich ein Kind, Arthur«, sagt Joanne.

»Sie hat uns die Würfel einfach weggenommen und gibt sie nicht wieder her«, sage ich.

»Elle hat, ohne zu fragen, Joannes Bürste benutzt«, sagt Anna.

»Das ist nicht wahr!«, sage ich.

»Es ist nur eine Haarbürste«, sagt Dad. »Bestimmt nimmt Joanne es dir nicht so krumm. Hab ich euch erzählt, dass eure Großmutter in ihrer Schule beim Würfeln die Beste war?« Er macht die Tiefkühltruhe auf und guckt hinein. »Wie findet ihr Hühnerpastete zum Abendessen? Jo und ich gehen heute Abend aus.«

»Ich will nicht, dass ihr ausgeht«, sage ich. »Ihr geht immer aus.«

»Wir sind nur nebenan. Und wir haben ein sehr nettes Mädchen gefunden, das auf euch aufpasst.«

»Dürfen wir fernsehen?«, fragt Anna.

»Was ihr wollt.«

»Ich will nicht hier sein«, sage ich. »Das Haus ist hässlich. Ich will nach Hause.«

»Sei still«, sagt Anna. »Mach nicht immer alles kaputt.«

Ich renne weinend aus der Küche.

Hinter mir höre ich Joanne mit wütenden Tränen in der Stimme sagen: »Ich mach das nicht länger mit, Arthur. Davon, dass ich die Mutterrolle übernehmen muss, war nie die Rede.«

Ich werfe mich aufs Bett und vergrabe mein Gesicht ins Kissen. »Ich hasse sie, hasse sie, hasse sie«, sage ich rhythmisch, als wäre es ein Gebet. Als mein Vater hereinkommt und mich trösten will, drehe ich ihm den Rücken zu und rolle mich wie eine Kellerassel zusammen.

Er nimmt mich auf den Schoß und streichelt mir über die

Haare, bis mein Schluchzen nachlässt. »Ich bleibe heute Abend hier, mein Häschen. Jetzt beruhige dich, alles wird wieder gut.«

»Sie ist gemein«, sage ich durch meine Tränen.

»Sie meint es nicht so. Es ist für euch beide schwierig. Joanne ist ein guter Mensch. Mach es ihr bitte nicht so schwer. Meinetwegen.«

Ich schmiege mich fester an ihn und nicke, aber ich weiß, dass ich es nicht ehrlich meine.

»So ist es brav.«

»Was soll das denn, Arthur?«, sagt Joanne, als unser Vater ihr sagt, dass er bei uns zu Hause bleiben will. »Die Verabredung mit den Streeps haben wir vor Wochen gemacht.«

»Du kommst schon klar, die Streeps sind sowieso mehr deine Freunde. Und Sheila hat bestimmt ganz köstlich gekocht. Ich habe die Kinder seit Wochen nicht gesehen.«

»Es ist Samstagabend. Da gehe ich nicht alleine aus.«

»Umso besser. Dann bleibst du mit mir und den Kindern zu Hause. Wir gucken einen Film und machen Popcorn.«

»Die Babysitterin ist auf dem Weg. Wir können ihr jetzt nicht absagen.« Sie dreht ihm den Rücken zu, guckt in den Spiegel im Flur und hängt sich die goldenen Ohrringe an. Sie streicht sich über die Augenbrauen und kneift sich in die Wangen.

»Wir bezahlen sie für die Fahrt. Sie wird uns das nicht übel nehmen.«

Ich betrachte Joanne im Spiegel und sehe gebannt zu, wie ihre Nasenlöcher sich blähen und wieder kleiner werden. Ihr Mund ist eine wütende Wunde. Als sie meinen Blick bemerkt, lächle ich im Bewusstsein meines Sieges.

Aber am Ende ist sie die Siegerin. An den folgenden Wochenenden, wenn unser Vater uns am Bahnhof abholt, bringt er uns zu Joannes Eltern, die eine halbe Stunde entfernt wohnen. Immer gibt es einen Grund: Joanne hat ihre Tage und fühlt sich nicht wohl; sie haben Ameisen, deswegen wird das Haus ausgesprüht; sie sind zu einer Wochenendparty in Roxbury eingeladen, und Joanne ist der Meinung, Anna und ich würden uns dort langweilen, aber das nächste Wochenende verbringen wir mit ihm, das verspricht er. Wenn er uns vom Auto aus zum Abschied winkt, sieht er immer ganz traurig aus, und ich weiß, dass es meine Schuld ist.

Joannes Vater, Dwight Burke, ist ein berühmter Dichter. Er hat eine schöne kratzige Stimme und trägt beim Frühstück einen dreiteiligen Anzug. Wenn er anschließend nach oben in sein Studierzimmer geht, hat er ein Glas Bourbon dabei. Seine Frau Nancy ist dick und warm. Sie hat einen Rosenkranz in der Schürzentasche und fragt mich, ob ich an Gott glaube. Sie backt Brot in runden, weichen Laiben und sagt »Luncheon« statt Lunch. Ihr Haar ist immer gut frisiert. Eltern wie sie kenne ich nur aus Büchern. Altmodisch und freundlich. Ich verstehe nicht, wie sie eine so schreckliche Tochter haben können.

Joannes jüngerer Bruder Frank wohnt noch bei seinen Eltern. Er ist fünfzehn. Er war eine Überraschung. »Ein Segen«, sagt Nancy, als Anna fragt, warum Frank so viel jünger ist als Joanne. »Sie meint ein Fehler«, sagt Frank. Er ist blond und hat einen militärischen Haarschnitt und Akne. Wenn er sich bückt, kann man seine Poritze sehen.

Die Burkes leben in einem dreistöckigen weißen Backsteinhaus mit Rittersporn und Buchsbaum im Garten und Blick auf den Hudson. Im Haus gibt es mehrere schokoladenbraune Labradore mit Namen wie Cora und Blue, und es riecht immer nach Hefe. Sonntagmorgens gehen wir in die Kirche.

Anna und ich schlafen in einem Zimmer auf halber Etage hinter der Küche. Ein verstecktes Treppenhaus führt von der Besenkammer in unser Zimmer. Nancy nennt es »das Mädchenzimmer«. Niemand sonst benutzt diesen Teil des Hauses.

Das Fenster hat Rhombenscheiben, durch die man auf einen steilen steinigen Abhang blickt, aus dessen tiefem Inneren kaltes Wasser läuft.

Anna und ich haben uns wieder vertragen. Manchmal spielen wir im Garten »Ochs am Berg«, oder wir sitzen auf den Holzstufen und basteln Anziehpuppen, oder wir liegen auf den Betten und lesen unsere Bücher. Niemand belästigt uns. Niemand schreit uns an. Wenn es Zeit fürs Luncheon ist, läutet Nancy mit einer Kuhglocke, und wir rennen runter ins Esszimmer, wo immer ein Feuer brennt, selbst im Frühsommer. Nancy mag es, wenn wir bei ihnen zu Besuch sind. Sie überschüttet uns mit Umarmungen und Küssen und räumt die Sachen aus unserem Wochenendkoffer in die Kommode aus Nussholz. Frank hat hinten im Haus ein Zimmer mit Sportgeräten, und dort züchtet er Mäuse, Hamster und Rennratten in Terrarien. Die Tiere teilen das Zimmer mit Waldo, der Boa constrictor, die in einem größeren Terrarium lebt. Nach dem Abendessen zwingt Frank uns zuzugucken, wie er die Schlange mit winzigen Mäusen füttert, die noch ganz rosa sind. Ich flehe ihn an, mich aus dem Zimmer zu lassen, aber er versperrt mir die Tür. Es riecht nach Sägespänen und Angst.

»Spielt ihr auch schön da oben?«, ruft Nancy von der Küche, wo sie den Abwasch macht.

»Wir füttern Waldo«, ruft Frank zurück. »Hier, nimm die.« Er gibt Anna eine zappelnde rosa Maus.

»Nein, nicht.« Sie will ihm die Maus zurückgeben, aber er steckt die Hände in die Taschen.

»Wenn ihr Waldo nichts zu fressen gebt, hat er heute Nacht Hunger, und vielleicht versucht er dann zu entkommen. Wisst ihr eigentlich, dass auch eine junge Boa constrictor einen Menschen in wenigen Sekunden erdrosseln kann?«

Anna macht den Deckel an dem Glaskasten mit der Schlange auf, schließt die Augen und lässt das Mäusejunge los. Ich sehe, wie es in die weichen Sägespäne fällt. Fünf lange Sekunden lang blickt die Maus um sich, froh, lebendig zu sein. Dann gleitet Waldo nach vorn und schnappt zu. Die Maus ist verschwunden. Nur eine Schwellung in Waldos Hals, so groß wie eine Murmel, ist noch von ihr zu sehen. Wir beobachten, wie die Schwellung mit rhythmischen Bewegungen zum Magen befördert wird – eine geschmeidige Würgebewegung.

Frank liebt die Schlange, aber die Hamster liebt er noch mehr. Er züchtet sie und verkauft sie und verdient Geld damit. Nichts ist ihm wertvoller als seine Hamster. An einem Wochenende entkommt Goldie, sein Lieblingshamster. Frank ist außer sich. Er rennt durchs Haus, sucht unter den Sofas, hinter den Büchern im Regal, er ruft nach seinem Hamster. Er ist überzeugt, dass einer der Labradore ihn gefressen hat, und tritt den ältesten Hund, Mabel, gegen das Bein. Mabel winselt und humpelt davon.

»Ist bei euch da oben alles in Ordnung?«, ruft Nancy aus der Küche, wo sie einen Eintopf mit Rindfleisch kocht.

Frank beschuldigt mich und sagt, ich hätte den Hamster an Waldo verfüttert. »Ich weiß, dass du mich hässlich findest«, sagt er. »Ich habe gehört, wie du das gesagt hast.« Er drückt mich an die Treppenhauswand. Sein Atem riecht nach Käsecrackern und Milch. Ich bin ihm so nah, dass ich winzige orangefarbene Krümel in seinen Mundwinkeln sehen kann, und ich schwöre, dass ich es nicht getan habe.

Als Nancy an dem Abend die Bettdecke um Anna feststecken will, fällt Goldie tot aus dem Bett. Der Hamster ist zwischen Wand und Bett totgequetscht worden. Nancy holt die Kehrichtschaufel, befördert Goldie darauf und wirft ihn aus dem Fenster in die Hortensien.

Frank steht in der Tür und guckt zu. Aus seiner Kehle kommt ein gepresstes Gurgeln. Sein Gesicht ist zerknautscht, seine Aknepickel sind geschwollen. Ich starre ihn gebannt an, überzeugt, dass er keine Luft mehr bekommt, und frage mich, ob er gleich stirbt. Aber stattdessen kommt ein gequetschter Schluchzer aus ihm heraus. Anna und ich sehen uns entsetzt an, dann fangen wir an zu lachen. Frank rennt schamrot weg. Ich höre seine Schritte auf den Holzstufen, dann das Schlagen der Tür. Nancy guckt aus dem Fenster und hat uns den Rücken zugewandt.

Als wir das nächste Mal zum Wochenende am Bahnhof ankommen, sagt unser Vater, wir würden die Tage bei ihm und Joanne verbringen. Dwight und Nancy hielten es für das Beste.

6

In der Familie meiner Mutter ist Scheidung einfach nur ein Wort. Ausdruck einer Haltung wie »Mir reicht's« oder »Schiefgegangen«. Ihre Eltern haben dreimal geheiratet. Mein Großvater Amory, Erbauer des Papierpalasts, lebte bis zu seinem Tode in dem Haus am See, wo er in Wanderstiefeln Holz hackte, fischen ging, Kanu fuhr und das sich wandelnde Ökosystem des Sees beobachtete. Er machte sich Notizen zum Wachstum der Seerosen und zu den Gewohnheiten der Kanadareiher, er zählte die Zierschildkröten, die sich auf den grauen, modrigen Baumstümpfen im flachen Wasser sonnten. Ehefrauen kamen und gingen, aber der See gehörte ihm. Er hatte ihn gefunden, als er im Alter von achtzehn Jahren mit seinem Jagdgewehr durch den Wald zog, auf das frische Wasser mit sandigem Grund stieß und davon trank. Bei seinem Tod hinterließ Großvater Amory seiner dritten Frau das Haus. Pamela war die Einzige, die den See und die von ihm ausgehende Macht würdigte und seine Seele, gewissermaßen seine Religion, verstand. Den Papierpalast vererbte er Mum. Ihr Bruder Austin, der in Antigua geblieben war, wollte mit alldem nichts zu tun haben, aber Mum hing daran.

An der Wand in meinem Büro in der New York University hängt ein Schwarz-Weiß-Foto von meiner Mutter als jungem Mädchen in Guatemala. Das Büro ist ein echtes Sammelsurium: Die Regale sind gestopft voll mit Büchern, auf dem Schreibtisch stapeln sich die Arbeiten der Studenten, lauter

Aufsätze in vergleichender Literaturwissenschaft, die gelesen werden müssen, dazwischen steht eine traurige, verkümmerte Avocadopflanze, die ich behalten muss, weil Maddy sie mir zum Geburtstag geschenkt hat, als sie sechs war. Nur die weißen Wände sind frei, abgesehen von dem einen Foto. Es zeigt meine Mutter auf ihrem Palomino-Pferd. Sie hat lange Zöpfe und trägt eine bestickte Bauernbluse und Jeans, die über die Fußknöchel aufgerollt sind, dazu mexikanische Ledersandalen. Sie ist fünfzehn Jahre alt. Hinter ihr geht ein Junge in Weiß, der auf der staubigen Straße eine hölzerne Schubkarre schiebt; Felder erstrecken sich zu den Lavahügeln am Fuße des zerklüfteten Vulkans. Mit einer Hand hält meine Mutter sich an dem blanken Knauf des Sattels fest, in der anderen hat sie einen Maiskolben. Sie lächelt in die Kamera, entspannt und glücklich – ihr Blick drückt eine Freiheit und Unbeschwertheit aus, die ich nie an ihr gesehen habe. Ihre Zähne leuchten ebenmäßig und weiß.

Sie hat mir erzählt, dass der gut aussehende Gärtner das Foto gemacht hat und der Junge hinter ihr sein Sohn ist und dass der Junge Sekunden später mit seiner Schubkarre versehentlich an den Hinterlauf des Pferdes stieß, worauf das Pferd scheute, quer über das Feld davonschoss und sie abwarf. Sie brach sich dabei einen Arm und zwei Rippen. Danach hat sie nie wieder ein Pferd bestiegen. Im Herbst darauf verließ meine Mutter Guatemala und kam nach New England, wo sie auf ein teures Internat ging, Tennis in weißem Dress spielte und jeden Morgen an der Andacht teilnahm. Mit Guatemala hatte sie abgeschlossen.

Ich liebe das Foto sehr. Es erinnert mich an Michelangelos David: der Moment, unsterblich gemacht in Stein. Das Foto unmittelbar vor dem Sturz, kurz bevor sich alles verändert. Und wie zufällig die Ereignisse sind, die bestimmen, ob wir uns in diese oder jene Richtung wenden oder einfach auf der staubigen Straße sitzen bleiben und bewegungslos verharren.

Der Junge, die Schubkarre, das Pferd, der Sturz, die Entscheidung meiner Mutter, Guatemala zu verlassen und nach Back Woods zurückzukehren: All das hat mir den See geschenkt.

Von der Veranda aus sehe ich Maddy und Finn im flachen Wasser spielen. Maddy zeigt auf etwas bei den Seerosen. Finn macht einen Schritt zurück, aber Maddy nimmt ihn mütterlich an die Hand. »Hier gibt es nichts Schlimmes, Wassernattern sind harmlos«, sagt sie zu ihm. Sie beobachten den kleinen schwarzen Kopf, der sich in Schlangenlinien über den See bewegt. »Guck mal! Elritzen«, sagt Finn, und zusammen tauchen sie unter. Die gelben Spitzen ihrer Schnorchel ziehen in Achten übers Wasser.

»Hat jemand meine dunkle Brille gesehen?« Meine Mutter kommt auf die Veranda. »Ich weiß, dass ich sie auf dem Bücherregal liegen gelassen habe. Jemand muss sie weggenommen haben.«

»Hier ist sie doch. Mitten auf dem Tisch«, sage ich. »Wo du sie hingelegt hast.«

»Ich gehe nach nebenan. Ich habe Pamela versprochen, ihr Milch und Eier zu bringen.«

»Du hättest Peter bitten sollen, Sachen für sie mitzubringen.«

»Auf keinen Fall. Jeder mit ein bisschen Verstand weiß, dass man deinen Mann um jeden Preis meiden muss, sobald ihm Rauch aus beiden Ohren kommt. Du hingegen, Eleanor, kennst da gar nichts, du kommst dann noch mit einem Streichholz und setzt alles in Brand. Ich mache mich jetzt mit der Milch und den Eiern rar. Wenn ihr beide, du und dein Mann, aufgehört habt, euch vor euren Kindern wie Idioten zu benehmen, komme ich zurück. Du solltest dich nicht so anstellen, meine Teure. Er ist ein guter Mann. Vernünftig. Du hast Glück mit ihm.«

»Ich weiß.«

»Und nimm was gegen den Kater«, sagt Mum. »Du bist ganz grün im Gesicht. Im Eisfach liegt Ingwer.«

Meine Mutter ist seit jeher ein bisschen in Peter verliebt. Kein Wunder, er ist ein wunderbarer Mensch. Ein mächtiger Nussbaum. Sanft, aber nie schwach. Mächtig wie ein Fluss. Er hat feste Ansichten, ist rücksichtsvoll und regt unser Denken an. Sein englischer Akzent ist sexy. Er bringt uns zum Lachen. Er verehrt mich. Er liebt seine Kinder. Und ich liebe ihn, mit einer Liebe, so tief und so stark wie Baumwurzeln. Es gibt Momente, da könnte ich ihn in der Luft zerreißen, aber das gehört bei einer Ehe wahrscheinlich dazu. Toilettenpapier kann den dritten Weltkrieg auslösen.

Meine Mutter, in der einen Hand den Eierkorb, in der anderen die Milchflasche, verschwindet am Ende von unserem Strand zwischen den Bäumen. Drei Minuten später, als sie beim Grundstück meines Großvaters ankommt, höre ich sie »Juhu!« rufen. Mein Großvater ist seit vielen Jahren tot, aber es wird immer sein Haus sein. Man hört das Schlagen der Fliegengittertür, ein Lachen, Pamela, die sagt: »Oh, hallo!« Pamela ist zehn Jahre älter als meine Mutter, und die beiden sind gute Freundinnen. »Im Grunde ist sie die Einzige in dieser Gegend, die ich noch ausstehen kann«, sagt Mum. »Obwohl es angenehm wäre, wenn sie einmal keine lila Klamotten anhätte. Und wenn man sieht, wie sie kocht, könnte man denken, sie hätte die Fleischvergiftung erfunden. Neulich habe ich ein Stück Butter in ihrem Kühlschrank gefunden, das ich für Blauschimmelkäse gehalten habe. Es heißt, Daddy sei an Altersschwäche gestorben, aber ich könnte mir vorstellen, dass sie ihn versehentlich vergiftet hat.«

Ich höre Kies und Sand unter Autoreifen knirschen und mache mich auf das gefasst, was kommt. Die große Abrechnung? Nichts? Irgendwas dazwischen? Ich bin machtlos. Weiß nicht, womit ich rechnen muss. Ich höre Peter auf dem Pfad zum Haus, und mein Magen krampft sich zusammen. Ich wende der Tür den Rücken zu, nehme auf dem Sofa eine möglichst unverfängliche Haltung ein und greife nach meinem Buch, bemüht, mich undurchschaubar zu machen. Es ist wie beim Judo. Aber er geht an der Veranda vorbei zu den Schlafhütten.

»Jack, mach auf!« Er klopft an die Tür. »Komm raus. Sofort.«

Ich drehe mich um und versuche, auf die Entfernung Peters Gesicht zu deuten. Jack kommt heraus, und die beiden setzen sich auf die Stufen. Ich kann nicht verstehen, was sie sagen, aber ich sehe, dass Peter engagiert gestikuliert. Jack hört mit dumpfem Ausdruck zu, dann bricht er in schallendes Gelächter aus. Ich bin immens erleichtert, mein Körper entspannt sich. Mein Mann und mein hoch aufgeschossener Sohn stehen auf und kommen in meine Richtung. Beide lächeln.

»Hast du dich wieder abgeregt, Missus?«, fragt Peter. Er holt seine Zigaretten aus der Hosentasche und klopft seine Hemdtasche nach dem Feuerzeug ab. »Ich bringe dir deinen zerknirschten Sohn. Er sieht ein, dass er sich wie ein Esel benommen hat, und verspricht, nie wieder so mit seiner Mutter zu sprechen. Entschuldige dich bei deiner Mutter.« Peter wuschelt Jack durch die Haare.

»Es tut mir leid, Mom.«

»Und …«, hilft Peter nach.

»Und ich werde nie wieder so mit dir sprechen«, fügt Jack hinzu.

Peter greift meine Hände und zieht mich vom Sofa hoch. »Jetzt hör auf, ein langes Gesicht zu machen. Du siehst ja, dein Sohn hat dich lieb. Jetzt aber – auf zum Strand.« Er geht zur Tür und ruft Maddy und Finn zu: »He! Aus dem Wasser! In fünf Minuten fahren wir.«

Die Kinder bespritzen sich gegenseitig mit Wasser und beachten ihn nicht.

»Darf ich jetzt das Auto nehmen?«, fragt Jack.

»Nicht im Traum.«

»Kannst du mich wenigstens bei Sams Haus absetzen?«

Nur zwei Sekunden, und Jack ist wieder zum Teenager mit Ansprüchen mutiert, die ihm ungerechterweise verwehrt werden. Es sollte mich irritieren. Aber in diesem Moment, da mein Herz auf Wackelkurs ist, hat seine Vorhersehbarkeit lebensrettende Qualitäten. Ich halte ihm die Wange hin.

»Ein Kuss, du Nervensäge.«

Widerstrebend gibt er mir einen Kuss, aber ich weiß, dass er mich lieb hat.

Peter guckt auf die Uhr. »Mist. Wir sind wahnsinnig spät dran. Such deine Schäfchen zusammen, Elle. Ich lade die Sachen ins Auto. Jack, ruf Sam an und sag, er soll dich in zehn Minuten unten an der Straße abholen.«

Ich rufe Finn und Maddy zu, dass sie sich fertig machen sollen, dann gehe ich den Pfad hinunter zum Badezimmer. Der Reißverschlussbeutel mit unseren Sonnenschutzmitteln ist verschwunden. Ich weiß, dass ich ihn gestern in die Speisekammer gelegt habe. Ich ziehe die unterste Schublade des eingebauten Wäscheschranks auf, wo meine Mutter alles reinstopft, was herumliegt und ihren Ordnungssinn kränkt. Da liegt er, natürlich, neben einem Paar von Maddys Flipflops, die ich seit Langem suche, und einer feuchten Badehose von Peter, die jetzt einen modrigen Geruch hat, als hätte sie drei Tage in der Waschmaschine gelegen. Ganz unten in der Schublade liegt eine Thermosflasche mit rot kariertem Bezug, die meiner Mutter schon gehört hat, als ich so alt war wie Maddy jetzt. Zur Thermoskanne gehörte eine schicke, beigefarbene Plastiktasse, die man umgekehrt über den Ausguss stülpen konnte. Ich drehe den Stöpsel ab und schnuppere in die Kanne hinein. Es ist bestimmt zwanzig Jahre her, seit meine Mutter sie benutzt hat, trotzdem hat sich ein schwacher Geruch nach schalem Kaffee gehalten. Ich spüle sie aus, fülle sie an der Badewanne mit Wasser und probiere einen Schluck. Das Wasser hat einen schwachen Metallgeschmack von den Rohren. Fehlen noch Eiswürfel.

Am Ende des Pfads bleibe ich stehen und sehe meinem wunderbaren Gatten zu, der mit drei Boogie-Brettern auf dem Kopf und mehreren Handtüchern unter dem Arm um die Ecke kommt, hinter ihm die Kinder. Ich habe ihn nicht verdient.

»Peter«, rufe ich.

»Ja?«

»Ich liebe dich.«

»Natürlich liebst du mich, Dummerchen.«

7

1974. Mai, New York.

Kirschblüte. Der Hügel hinter dem Metropolitan Museum ist ein Meer aus Rosa. Am liebsten würde ich davon essen. Ich stecke den Kopf in die niedrigen Zweige und verschwinde im Blütenbouquet. Durch die Blüten kann ich die Hieroglyphen auf Kleopatras Nadel sehen.

Meine Mutter breitet auf der Wiese unter den Bäumen eine Tischdecke aus. Sie nimmt Pappteller und eine Tüte mit hart gekochten Eiern aus dem Korb. Sie faltet ein Alufolienpäckchen mit Salz und Pfeffer auf, tippt das spitze Ende eines Eis hinein und beißt ab.

»Köstlich«, sagt sie laut. Sie holt die rot karierte Thermoskanne aus dem Korb, schraubt die Plastiktasse ab und gießt sich einen Kaffee mit Milch ein.

»Eleanor, komm da raus. Wir haben nicht den ganzen Tag Zeit.«

Ich bewege mich ganz vorsichtig. Unter meinem Pullover trage ich meinen neuen Gymnastikanzug und Strumpfhosen, und ich will nicht hängen bleiben und mir einen Faden reißen. Vom Park aus gehen wir nämlich direkt zu meiner ersten Ballettstunde.

»Hier.« Meine Mutter gibt mir eine braune Tüte und eine kleine Trinkpackung Milch. »Du kannst Erdnussbutter mit Butter oder Leberwurst haben.«

Es ist Samstag, viele Menschen sind im Park, aber niemand

außer uns ist über die Felsen in diese verborgene Lichtung hinuntergeklettert. Ich suche mir eine trockene Stelle, breite meine Strickjacke auf dem Rasen aus und setze mich neben Mum. Sie ist in ihr Buch vertieft, also essen wir unseren Lunch schweigend. Der Himmel über uns ist vom ungetrübtesten Blau. Ich höre das leise Summen von Insekten und in der Ferne einen Baseballschlag, dann erfreuten Applaus. Die Felsbrocken riechen süß und rein. Es ist der erste richtige Frühlingstag, und nach einem langen Winter unter dickem Schnee und Hundedreck lüften die Felsen in der Sonne aus.

»Ich muss pinkeln.«

»Geh hinter den Felsen da.«

»Das geht nicht.«

»Stell dich nicht so an, Eleanor. Du bist sieben Jahre alt. Wen soll das schon kümmern?«

»Aber ich habe meinen Gymnastikanzug über der Strumpfhose an.«

»In dem Fall musst du warten, bis wir da sind«, sagt sie. »Hilf mir beim Einpacken.«

Die Ballettstunden sind ein Geschenk meines Vaters. Ich wollte sie nicht. Ich wollte Turnstunden, wie die anderen Mädchen in meiner Klasse. Handstand-Überschlag und Brücke. Anna sagt, meine Knochen seien für Ballett zu kräftig. Aber das Schlimmste ist, dass ich die erste Stunde versäumt habe und die anderen Mädchen mir voraus sein werden.

Mum guckt auf die Uhr. »Es ist Viertel vor drei. Wir müssen uns beeilen, sonst kommen wir zu spät.«

Als wir in Madame Rechkinas Studio ankommen, stehen die anderen Mädchen schon in einer Reihe vor der Spiegelwand, die Haare in ordentlichen Knoten mit schwarzen Netzen hochgesteckt. Ich bin ganz außer Atem, und auf meiner Strumpfhose sind Grasflecken.

»Mum, wir kommen zu spät.«

»Unsinn.«

»Ich muss aufs Klo.«

»Du wirst auch so klarkommen.« Sie macht die Tür auf und schiebt mich in den Raum. »In einer Stunde hole ich dich ab.«

Madame Rechkina lächelt mit schmalem Mund und bedeutet den Mädchen, sie sollen in der Mitte Platz für mich machen. Ich stelle mich in die Reihe. Die Füße in die erste Position. Der Mann am Klavier fängt an zu spielen.

»*Pliéez, Mesdemoiselles.*« Madame geht durch den Raum und korrigiert die Haltung.

»*Pliéez encore*! Die Arme anmutig!«

Ich studiere das Mädchen vor mir und versuche, ihre Haltung nachzumachen.

»*À la seconde*«, ruft Madame.

Ich spreize die Füße und beuge die Knie. Und da passiert es. Auf dem glänzenden Fußboden unter mir entsteht eine Pfütze, die sich rasch ausbreitet und meine rosa Ballettschuhe nass macht. Hinter mir schreit jemand. Die Musik hört auf. Ich renne weinend aus dem Raum und hinterlasse auf dem sauberen Parkettboden eine Spur feuchter Fußabdrücke. Ich schließe mich in der Toilette ein.

»Miss Josephine!«, höre ich Madame ihrer Assistentin zurufen. »Einen Lappen, *s'il vous plâit. Vite, vite*!«

Am nächsten Wochenende besteht meine Mutter darauf, dass ich wieder zur Ballettstunde gehe. »Eleanor«, sagt sie streng. »Wir sind keine Familie von Feiglingen. Wir stellen uns unseren Ängsten. Sonst hat man den Kampf verloren, bevor er überhaupt begonnen hat.«

Ich flehe sie an, dass ich mit Anna zu Hause bleiben darf, aber sie lässt sich nicht erweichen.

»Sei nicht albern. Glaubst du, die anderen Mädchen haben noch nie gepinkelt?«

»Aber nicht auf den Fußboden«, sagt Anna und lacht so laut, dass sie sich den Bauch halten muss.

12.30

Auf dem Parkplatz am Strand herrscht sengende Hitze. Als meine Füße beim Aussteigen den sandigen Boden berühren, schreie ich auf.

»Verdammt.« Ich lasse mich wieder auf den Sitz fallen. »Ich glaube, ich habe mir eben die Fußsohlen verschmort.« Ich taste nach meinen Flipflops und finde sie unter dem Sitz.

»Zieht Socken an, sonst verbrennt ihr euch die Füße.« Ich gebe Finn ein Paar schmutzige weiße Socken, die vor mir auf dem Boden liegen. »Maddy?«

»Kein Problem, ich habe Sandalen an«, sagt sie.

»Zieh trotzdem Socken an.«

»Mom.« Maddy wirft mir einen gepeinigten Blick zu. »Ich ziehe doch nicht Socken mit Sandalen an. Abartig.«

»Was stört dich an Socken mit Sandalen?« Peter steigt aus und fängt an, die Sachen aus dem Kofferraum zu laden. »Das ist die Uniform der Engländer, wenn sie ins Ausland fahren.«

Ich warte, bis alle ausgestiegen sind, dann klappe ich die Sichtblende herunter und prüfe mein Gesicht im Spiegel. Ich fahre mir mit den Fingern durch die Haare, kneife mir in die Wangen, knote mir den Sarong etwas tiefer um die Hüften. Jonas' zerbeulter Lieferwagen steht weiter vorn.

Peter steht neben der offenen Tür. »Hier.« Er zieht mich an der Hand hoch. »Nimm die Handtücher, mein Herz.«

Ich nehme die Handtücher und die Thermoskanne mit dem Eiswasser.

»Und sei nett zu Gina, wenn sie uns darauf hinweist, dass wir eine Stunde zu spät kommen. Keine zickige Eleanor. Eine freundliche Eleanor.«

»Ich bin immer freundlich zu ihr.« Ich will ihm einen Tritt in den Allerwertesten geben, aber er weicht mir geschickt aus.

Als wir oben auf der Düne ankommen, sehen wir ungefähr hundert Sonnenschirme vor uns, die im Sand stecken. Gestreift. Rot-weiß-blau. Das Wasser ist von einem klaren Türkis, eine glatte Fläche. Keine Algeninvasion, kein angeschwemmter Unrat. Der perfekte Strandtag. Ein Tag für *Der weiße Hai*. Die Kinder spielen Frisbee, bauen Sandburgen, schaufeln Gräben und gucken zu, wie sie sich mit Wasser füllen. Frisch erblühte junge Mädchen in Bikinis stolzieren selbstbewusst umher und tun so, als bemerkten sie nicht, dass sie alle Blicke auf sich ziehen. Ich suche den Strand nach Jonas ab. Normalerweise ist er auf der linken Seite.

Peter entdeckt ihn zuerst. Jonas und Gina haben ein gelbweiß gestreiftes Strandzelt aufgebaut. Es sieht wie ein Zirkuszelt aus, ist an drei Seiten geschlossen und hat eine Öffnung zum Meer hin. Gina steht daneben und winkt uns mit einem roten Handtuch zu. Maddy und Finn rennen die Düne hinunter, Peter ist gleich hinter ihnen. Ich zögere und mache mich innerlich auf das gefasst, was passieren wird. Wenn nun Peter eine Veränderung zwischen mir und Jonas bemerkt? Wenn Gina gestern Abend mitbekommen hat, dass Jonas und ich zusammen aus dem Zimmer verschwunden waren? Ich versuche mir die Situation vorzustellen, bevor ich aus der hinteren Tür gegangen war. Jonas saß am Tisch, auf dem Stuhl zurückgelehnt, außerhalb des Kerzenscheins. Peter lag komatös auf dem Sofa. Gina lachte über eine Bemerkung von Dixon, meine Mutter goss Grappa in die Espressotassen, stellte Teller zusammen, wusch Gläser ab. Ich bin mir ziemlich sicher, dass Gina mir den Rücken zugekehrt hatte. Jonas sitzt im Sand und guckt aufs Meer. Ich atme tief durch. Wir sind keine Familie von Feiglingen.

1976. Juli, Back Woods.

Ich treibe auf einer blauen Luftmatratze. Meine Augen sind geschlossen, ich halte das Gesicht in die Sonne. Unter meinen Lidern tanzen schwarze Flecken vor rotem Grund. Ich liege ganz still, höre das Auf und Ab meines Atems und lasse mich vom salzigen Wind in die Mitte des Sees treiben. Ich bin ganz allein. Niemand außer mir ist hier. Ein Moment der Vollkommenheit. Ich lasse einen Arm ins Wasser hängen, spreize die Finger und spüre den Widerstand des Wassers, das zwischen ihnen hindurchströmt. Ich stelle mir vor, ich bin eine Ente. Jeden Moment kann eine Schnappschildkröte aus der kalten Tiefe auftauchen, um meine scharfen gelben Füße zu packen und mich mit sich hinunterzuziehen. In der Ferne höre ich, wie klappernd Ruder in ein Kanu gelegt werden. Anna und ihre Freundin Peggy sind zum anderen Ufer des Sees gepaddelt. Von dort ist es nur ein kurzer Weg zum Strand. Ich öffne die Augen und sehe gerade noch ihre orangeroten Rettungswesten, als sie das Kanu an den Strand ziehen und zwischen den Bäumen verschwinden.

Mum und ihr neuer Freund Leo sind in die Stadt gefahren, um seine Kinder von der Greyhound-Station abzuholen. Sie wollen zehn Tage bei uns bleiben. Leo ist ein Jazzmusiker aus Louisiana. Er spielt Saxofon. Er hat einen dichten schwarzen Bart und ein lautes Lachen. Er ist der Meinung, Sport sei etwas für Schwächlinge. Am liebsten isst er Krabben. Anna ist ihm gegenüber reserviert, aber ich mag ihn.

Leos Kinder, Rosemary und Conrad, leben bei ihrer Mutter in Memphis. Sie sprechen mit einem starken Südstaatenakzent. Rosemary ist sieben, ein Mäuschen. »Sie ist unbedeutend«, sagt Anna. »Außerdem riecht sie komisch.« Conrad ist elf, ein Jahr älter als ich. Er ist klein und gedrungen, trägt eine dicke Brille und hat glupschige Augen. Er kommt einem immer zu nah. Wir haben sie erst einmal gesehen, in einem Lunch-Restaurant, als sie in New York waren, um ihren Vater zu besuchen. Rosemary hat Steak gegessen und von der Erbsünde geredet.

»Seine Ex möchte ihn am liebsten tot sehen«, höre ich meine Mutter am Küchentelefon zu einer Freundin sagen. »Wenn es nach ihr ginge, würde sie Leos Kontakt zu den Kindern abbrechen.« Sie senkt die Stimme und fährt fort: »In dem Punkt stimme ich ihr zu, das gestehe ich, aber behalte das bitte für dich. Es sind keine sehr netten Kinder. Es kommt wahrscheinlich nur selten vor, dass man die Kinder anderer Leute mag. Leo sagt, der Junge sei wasserscheu. In dieser Hitze mit ihm am See zu sein wird also bestimmt ein Albtraum. Wir müssen hoffen, dass er sich wenigstens wäscht.«

Uns hat sie gesagt, wir sollten uns von unserer besten Seite zeigen.

In der Mitte des Sees, wo das Wasser am tiefsten ist, wächst ein Wald von Wasserschlauch vom Grund nach oben. Darin verstecken sich die Fische. Ich drehe mich auf den Bauch und blicke über den Rand der Luftmatratze ins Wasser. In meinem eigenen Schattenfleck kann ich alles scharf sehen, was darunter im Wasser ist. Ein Schwarm Elritzen schwimmt mit zackigen Bewegungen durch Seerosenstiele und totes Gras. Eine Zierschildkröte paddelt gemächlich durch das trübe Grün zur Oberfläche. Mit langsamen, wachsamen Schlenkern kreuzt ein Mondfisch in der Tiefe vor seinem Nest. Ich beuge mich weiter über den Rand, tauche mein Gesicht ins Wasser und öffne die Augen. Die Welt verschwimmt. Ich bleibe so lange so liegen, wie ich den Atem anhalten kann, und höre das Blubbern der Luft. Könnte ich unter Wasser atmen, würde ich mich einfach nie mehr bewegen.

Auf unserer Seite des Sees höre ich das Zuschlagen einer Autotür und Leos lautes Lachen. Sie sind hier.

12.35

Jonas liegt ausgestreckt im Sand und stützt sich auf die Ellbogen, sein schwarzes Haar klebt nass und glatt am Kopf wie die öligen Federn einer Ente. Sein dünnes weißes Baumwollhemd spannt über den Schultern. Ein Sonnenstrahl wird von seinem Ehering reflektiert. Er dreht sich nicht um, als wir näher kommen. Kann er mir jetzt nicht mehr ins Gesicht sehen, nach dem, was wir gemacht haben? Oder war sein Verlangen nach mir all die Jahre die treibende Kraft, und jetzt bin ich einfach eine von denen, die er gefickt hat und daher abschreiben kann? Oder will er den Moment der Erkenntnis hinauszögern, will sein altes Leben noch ein bisschen behalten, ehe sich alles ändert? Denn ändern wird es sich in jedem Fall.

Peter setzt sich neben Jonas und zeigt auf etwas am Horizont. Jonas wendet sich Peter zu und antwortet. Heiße Wellen steigen vom Sand auf.

»He!«, ruft Gina und kommt mit zusammengekniffenen Augen über den Sand zu mir. Ich starre fasziniert auf ihr Bauchnabelpiercing, das bei jedem Schritt unter ihrem bauchfreien Top zu sehen ist und wieder verschwindet. Maddy und Finn haben ihre Handtücher in der Nähe ausgebreitet und besprühen sich gegenseitig mit Sonnenschutzmittel. Ich halte mich von ihnen fern.

Jonas hat sich immer noch nicht zu mir umgedreht, aber ich glaube zu sehen, wie sich seine Unterarme leicht anspannen.

Ich werfe einen Blick zu den Kindern hinüber, Beklommenheit steigt in mir auf.

»Mal im Ernst, Elle«, sagt Gina und bleibt vor mir stehen.

»Mom«, ruft Finn. »Kannst du mir die Taucherbrille enger machen?«

Ich öffne den Mund und will etwas sagen, aber nichts kommt heraus. Sag, was du sagen willst, denke ich, aber sag es leise.

»Wir warten seit über einer Stunde auf euch. Die Sandwiches sind bestimmt schon völlig durchweicht.«

Ich zwinge mich, die Ruhe zu bewahren und mir nichts anmerken zu lassen, aber ich bin überzeugt, dass meine Miene mich verrät. Unter den Handtüchern auf meinem Arm zittern meine Hände. »Es tut mir leid. Wir hätten anrufen sollen. Ich hatte heute Morgen einen blöden Streit mit Jack, und die Sache ist einfach aus dem Ruder gelaufen. Ich lege nur schnell die Handtücher ab, dann gehe ich rüber zum Supermarkt und kaufe frische Sandwiches.«

Gina guckt mich an, als hätte ich den Verstand verloren. »Elle? Hallo? Das war ein Witz. Du kannst doch nicht ernsthaft denken, dass ich wegen der Sandwiches sauer bin.« Sie lacht, aber eine Millisekunde lang flackert ein seltsamer Ausdruck über ihr Gesicht, und ich frage mich, ob sie meinen inneren Tumult bemerkt.

»Natürlich nicht.« Ich lache gekünstelt. »Ich bin ganz durch den Wind. Das kommt von den Schlafpillen oder von den Wechseljahren.«

Gina hakt sich bei mir ein und geht mit mir zu den anderen. »Ich bin einfach froh, dass ihr endlich da seid. Jonas weigert sich, ins Wasser zu gehen. Ist es nicht einfach der schönste Tag des Sommers?«

»Ein bisschen zu heiß.«

»Im Ernst, das verstehe ich nicht an euch Leuten aus Back Woods. Ihr wohnt am schönsten Ort der Welt und habt ein perfektes Leben, und alles, was ihr sagen könnt, ist: ›Es ist zu heiß.‹ Mit Jonas war heute Morgen auch nichts anzufangen. – Wir gehen ins Wasser«, ruft Gina zu Maddy und Finn hinüber. »Den Letzten beißen die Hunde, meine Süßen. Los, die Ärsche hoch!« Sie macht einen kleinen Hüftschwung. Maddy sieht mich mit einem Ausdruck puren Entsetzens an, aber die Kinder gehen mit ihr zum Wasser und stürzen sich kopfüber hinein.

»He, Missus«, ruft Peter zu mir hinüber. »Wirf mir mal die Wasserflasche rüber, ja? Ich bin am Verdursten.«

Ich visiere ihn an und werfe ihm die Thermoskanne zu. Sie beschreibt einen Bogen durch die Luft und landet aufrecht zu seinen Füßen.

»Guter Wurf«, sagt Peter.

Jetzt dreht sich Jonas um. Und sieht mich an. Er steht auf, klopft sich den Sand von den Händen und kommt mit ausgestreckten Armen auf mich zu, nimmt mir den Stapel Handtücher ab, beugt sich vor und küsst mich auf die Wange. »Ich habe dich vermisst«, sagt er leise in mein Ohr.

»He«, sage ich leise. Ich kann es nicht ertragen. Es ist zu viel. »Und ich dich.«

Er streicht mir mit dem Finger über den Arm, und ich erzittere.

»Wer geht mit ins Wasser?«, ruft Peter. »Diese Hitze ist ja nicht zum Aushalten.«

1977. Februar, New York.

Ich bin in der fünften Klasse. Es hat geschneit. Anna und ich sind eine Woche lang bei ihrem Patenonkel Dixon zu Besuch. In der Zeit wohnen Dad und Joanne in London – Dad ist von seiner Firma dorthin geschickt worden – und Mum und Leo sind in Detroit bei einem Konzert. Im Mai wollen sie heiraten. Dixon ist Mums »cooler« Freund. Alle Welt liebt Dixon. Er hat sein langes aschblondes Haar zu einem Pferdeschwanz gebunden und fährt einen Pick-up. Er kennt Carly Simon. Mum sagt, er brauche nicht zu arbeiten. Sie sind seit frühester Kindheit miteinander befreundet. Sonst würde er wahrscheinlich nicht mal mit ihr sprechen. Sie waren zusammen in der Vorschule und haben die Sommer in Back Woods verbracht, wo sie nackt gebadet und bei Ebbe im Schlamm nach Venusmuscheln gesucht haben. »Dabei hasse ich Muscheln«, sagt Mum. »Aber Dixon schafft es, einen zu überreden.« Einmal hat Anna Mum gefragt, warum sie nicht Dixon geheiratet hat, und Mum sagte: »Weil er ein Schürzenjäger ist.« Ich dachte damals, sie meinte damit einen Koch.

Die Dixons wohnen in einer großen, verwinkelten Wohnung in der 94. Straße, nicht weit vom Central Park. Dixons Tochter Becky ist meine beste Freundin. Anna und Beckys ältere Schwester Julia sind gleichaltrig, aber sie haben nie richtig zusammengefunden. Julia ist Turnerin. Zwei Jahre zuvor hat ihre Mutter die Familie verlassen und sich einer Kommune angeschlossen. Becky und ich verbringen unsere Zeit unbeaufsichtigt, wir spielen das Fadenspiel, gehen im Central Park Rollschuh laufen, kochen widerliche Gerichte und zwingen uns gegenseitig, das Gekochte zu essen. Am Morgen haben wir im Mixer Milchshakes aus Brauhefe und Erdbeerpuddingpulver gemacht. Dixon ist es scheißegal, sagt er, solange wir etwas essen. Das Mal davor, als Mum uns bei Dixon gelassen hat, haben wir im Fernsehen *Beim Sterben ist jeder der Erste* gesehen. Danach sind wir das ganze Wochenende durch die Wohnung gerannt und haben geschrien: »Wie ein Schwein am Spieß.« Mum ist ausgerastet, aber Dixon hat gesagt, sie solle nicht so verklemmt und puritanisch sein. Er ist der einzige Mensch, der so mit ihr redet.

Die Stadt ist in einer seltsamen Stille erstarrt. Wenn wir aus dem Fenster gucken, sehen wir nichts außer Schneegestöber. Ich höre das Klopfen der Heizungsrohre, die sich im heißen Dampf ausdehnen. Bei der trockenen Hitze in der Wohnung bekommt man kaum Luft, und als ich versuche, das schwere Fenster aufzustemmen, verbrenne ich mir an der weißen Heizungsverkleidung aus Gusseisen die Schienbeine, aber das Fenster lässt sich nicht hochschieben.

»Kann mir mal jemand helfen? Ich kriege keine Luft.« Aber niemand regt sich. Wir spielen Monopoly, und Anna ist gerade auf Marvin Gardens gelandet und muss nachdenken.

Dixon und seine neue Frau Andrea sind schon den ganzen Morgen bei geschlossener Tür in ihrem Schlafzimmer. »Sie haben ein Wasserbett«, sagt Becky, als wäre das eine Erklärung. Andrea und Dixon haben sich in einer Sweat Lodge in New Mexico kennengelernt. Andrea ist im sechsten Monat schwanger. Sie sind sich ziemlich sicher, dass es Dixons Kind ist.

»Sie ist in Ordnung«, sagt Becky, als Mum sie fragt, was sie von ihrer neuen Stiefmutter hält.

»Ich finde sie nett«, sage ich.

»Nett?« Meine Mutter sieht aus, als hätte sie gerade einen Olivenstein runtergeschluckt.

»Was ist daran schlecht?«, frage ich.

»Nett ist der Feind von Interessant.«

»Sie spricht mit uns, als wären wir erwachsen, und das finde ich cool«, sagt Becky.

»Aber du bist nicht erwachsen, du bist elf«, sagt Mum darauf.

»Neulich Abend hat sie mich gefragt, ob ich es aufregend finde, dass ich bald meine Tage kriege«, sagt Becky.

Zum ersten Mal in meinem Leben erlebe ich, dass es meiner Mutter die Sprache verschlägt.

»Elle«, sagt Anna, »du bist dran.« Ich setze mich neben sie auf den Fußboden und würfle. Der Holzfußboden riecht gut, finde ich. Nach demselben Bohnerwachs wie bei unserer Mutter.

Ich gucke den langen Flur entlang, der zu den Schlafzimmern führt, und als ich gerade überlege, ob ich die Karte »Du kommst aus dem Gefängnis frei« benutzen soll, öffnet sich eine Tür. Dixon erscheint nackt auf dem Flur. Er kratzt sich geistesabwesend an den Eiern. Dahinter kommt Andrea aus dem Zimmer. Sie rekelt sich wie eine Katze und streckt die Arme in die Luft. »War das ein guter Fick«, sagt sie. Im Flur ist es dämmrig, trotzdem können wir alles sehen: ihr üppiges rotes Schamhaar, ihr krauses Janis-Joplin-Haar, ihr zufriedenes Lächeln.

Dixon geht quer durchs Wohnzimmer, hockt sich neben das Stereogerät und legt eine Schallplatte auf. In seiner Poritze kann ich dunkle Haare sehen.

»Hört mal auf die Backing Vocals in diesem Stück«, sagt er. »Clapton ist ein Genie.«

Ich starre auf die Minischubkarre in meiner Hand und wünschte, ich könnte in den Fugen des Fußbodens verschwinden. Becky stößt mich an, vielleicht ein bisschen zu fest.

»Mach, du bist dran.«

8

»Kommst du mit ins Wasser?«, fragt Peter.

»In fünf Minuten. Erst muss ich mich von dem Gang durch die Sahara erholen.« Ich nehme ihm die Thermoskanne aus der Hand und trinke direkt daraus.

»Wie attraktiv«, sagt Peter. »Meine Frau wurde von Wölfen aufgezogen.«

Jonas lacht. »Ich weiß. Ich war einer davon.«

Peter gibt mir die Tube Sonnenschutzcreme. »Reibst du mir mal den Rücken ein?«

Ich knie mich hinter ihn und drücke Sunblocker in die Hand. Die Tube ist jetzt schon sandig, und mich irritiert das körnige Gefühl, als ich ihm die Schultern einreibe. Jonas sitzt neben uns und sieht zu.

»So.« Ich gebe ihm einen kleinen Klaps. »Du bist offiziell geblockt.« Ich wische mir die Hände an einem Handtuch ab und krieche ins schattige Zelt. »Ah, schön kühl«, sage ich.

Peter steht auf und nimmt ein Boogie-Brett. »Komm bald nach. Nicht dass ich vom Warten im Wasser schrumpelig werde.«

Kaum ist Peter weg, wünsche ich mir, ich wäre mit ihm gegangen, denn jetzt sind Jonas und ich allein, und ich fühle mich in seiner Gegenwart so unwohl wie nie zuvor. Seit unserer Kindheit sind wir bestimmt tausendmal an diesem Strand gewesen, wir haben im seichten Wasser nach Seeigeln und Sattelmuscheln gesucht, haben befremdlich anmutende nackte

Deutsche von den Dünen aus beobachtet und uns darüber unterhalten, wie es wohl ist, im Meer zu ertrinken. Aber gerade in diesem Moment und hier, im Schatten seines Zeltes, habe ich das Gefühl, bei einem Fremden zu sitzen.

Im Zelt gibt es ein kleines Netzfenster, durch das ich Jonas sehen kann. Zwischen uns liegen nur wenige Zentimeter, trotzdem sind wir vollständig voneinander getrennt. Er ist konzentriert dabei, etwas mit einer Muschel in den Sand zu zeichnen. Aus diesem Winkel kann ich nicht erkennen, was es ist.

»Wo ist Jack?«, fragt er, ohne aufzusehen.

»Er schmollt.«

»Weshalb?«

»Weil ich ihm mein Auto nicht geben wollte.«

»Warum nicht?«

»Weil er sich so idiotisch benommen hat«, sage ich, und Jonas lacht. Gina winkt uns aus den Wellen zu: Wir sollen kommen. Jonas tritt ans Netzfenster. »Kann ich reinkommen?«

»Nein.«

»Kann ich dir dann meine Beichte ablegen?«

»Ich bin mir nicht sicher, ob hier drei Rosenkränze helfen«, sage ich.

Er legt seine Handfläche ans Fenster. »Elle –«

»Hör auf«, sage ich, aber ich lege meine Handfläche an seine. So sitzen wir, still, reglos, die Handflächen mit dem Netz dazwischen aneinandergelegt.

»Ich bin, seit ich acht bin, in dich verliebt.«

»Das ist gelogen«, sage ich.

1977. August, Back Woods.

Die Baumwipfel über mir bilden ein Fenster. Ich liege auf der moosigen Uferböschung eines Bachs und betrachte das fast perfekte Himmelsviereck. Einen Moment lang ist es rein blau, im nächsten zieht eine Wolke vorbei, wie auf der Deckenmalerei einer Kirche. Eine Möwe fliegt durch den Rahmen. Ich höre ihren suchenden, traurigen Ruf noch, nachdem sie längst verschwunden ist. Ich hole eine Bonbonrolle aus der Hosentasche. Fast jeden Tag komme ich hierher. Manchmal fragt mich meine Mutter, wo ich gewesen bin, und ich sage: »Hier und da«, und das scheint ihr zu genügen. Wenn ich per Anhalter mit einem Serienmörder in die Stadt führe, wüsste sie nichts davon. Alles dreht sich um Leo und Anna. Sie streiten unaufhörlich. Seit Mum und Leo verheiratet sind, ist das so. Jeden Abend setze ich mich beklommen an den Tisch. Am Anfang geht es noch, Leo hält uns Vorträge über China oder warum die Pentagon-Akten so wichtig sind. Und dann fällt er über Anna her. Er ist mit ihrer Freundin Lindsey nicht einverstanden: Sie kleide sich wie eine Nutte; sie sei körperlich entwickelt, intellektuell aber zurückgeblieben; sie habe die Roten Khmer für die Farbe eines Lippenstifts gehalten. Ihre Eltern hätten Gerald Ford gewählt. Anna habe in Mathe nur ein C+. Wie könne sie da einfach sitzen bleiben, statt unserer Mutter zu helfen, die uns bedient? Ihr Rock sei zu kurz. »Warum guckst du überhaupt auf meinen Rock, du Kinderschänder?«, sagt Anna, und als er aufsteht, rennt sie in ihr Zimmer und schließt sich ein.

»Es sind doch nur die Hormone«, sagt meine Mutter zu Leo, bemüht, die Dinge zwischen ihnen zu glätten. »Alle Teenager sind abscheulich. Besonders die Mädchen. Warte nur, bis Rosemary in die Pubertät kommt.« Leo verspricht, sich mehr Mühe zu geben. Aber seit wir in Back Woods sind, ist es noch schlimmer geworden. Leo hat beschlossen, »richtig durchzugreifen«. Wenn Anna Widerworte gibt, schickt er sie in unsere Schlafhütte, und Mum mischt sich nicht ein. »Ich kann nicht dauernd den Schiedsrichter spielen«, sagt sie zu Anna. Anna liegt auf dem Bett, unterdrückt ihre Tränen und schreit mich an, wenn ich reinkommen will. An einem Morgen im Juli hatten Anna und Leo am Frühstückstisch einen so schrecklichen Streit, dass Mum ein Ei an die Wand warf. »Ich halte das nicht eine Minute länger aus, ich gehe rüber zu Pamela.« Sie gab mir eine Banane. »Am besten, du verbringst den Tag woanders, wenn du nicht taub werden willst.«

Ich ging zum Strand und überlegte mir gerade, wie ich Leo vergiften könnte, denn ich müsste diejenige sein, die Anna rettete, da Mum es nicht tat, als ich über eine Wurzel stolperte, sodass die Gummilasche an meinem Flipflop riss. Ich setzte mich auf den Boden und versuchte, den Riemen wieder durch das Loch in der Sohle zu stecken. Unter den niedrigen Ästen war schwach eine Spur zu erkennen, wahrscheinlich von Rehen. Ich kroch ihr zwischen den Bäumen nach, bis sie sich in einem Dickicht von Stechwinden verlor. Ich wollte umkehren, als ich das Plätschern von Wasser hörte. Das ergab keinen Sinn, denn jeder wusste, dass es in diesem Teil des Waldes kein Fließwasser gab. Das war der Grund, warum die Pilgrim Fathers, nachdem sie am Cape gelandet waren, weiterzogen und später Plymouth gründeten. Mit meinem Handtuch zog ich die Stechwinden Strang um Strang zur Seite und ging weiter, wobei ich aufpasste, dass ich mir die Beine nicht zu sehr zerkratzte, und schließlich kam ich zu einer kleinen Lichtung, in deren Mitte eine Frischwasserquelle sprudelte und sich in ein schmales Bachbett ergoss. Die hohen Bäume wichen hier zurück, und der Boden war ein Teppich aus Moos. Ich legte mich auf die Böschung und schloss die Augen. Gift konnte man zu leicht entdecken, dachte ich. Vielleicht sollten Anna und ich von zu Hause weglaufen und hierherkommen. Wir konnten aus Brettern ein Baumhaus bauen, mit einem Dach aus Ästen. Wir hätten Trinkwasser. Am Strand konnten wir Fische fangen, früh am Morgen, bevor die anderen aufstanden. Wir konnten Preiselbeeren und Blaubeeren sammeln. Ich begann, im Kopf eine Liste der Vorräte zu machen, die wir brauchen würden: leere Keksdosen mit Plastikdeckeln, um Dinge trocken aufzubewahren, Streichhölzer, Kerzen, Angelhaken und Leine, einen Hammer und Nägel, Seife, zwei Gabeln, Unterwäsche zum Wechseln, Schlafsäcke, Insektenspray. Mum würde es leidtun, dass sie Leo erlaubt hatte, Anna zu bestrafen, und dass sie Anna nicht geschützt hatte. Sie würde uns vermissen, vielleicht nicht gleich am ersten Tag, aber später doch.

Inzwischen ist es schon fast Labour Day, und die einzigen Überlebensvorräte, die ich bisher gesammelt habe, sind zwei rostige Kaffeedosen und ein paar Kerzenstummel. Über mir bildet ein Vogelschwarm ein V, als flöge ein flüchtiger Gedanke durch den blauen Himmel. Ein Schatten fällt auf mein Gesicht. Ich erstarre. Versuche mich unsichtbar zu machen.

»Hallo.« Ein kleiner Junge, vielleicht sieben oder acht, blickt auf mich hinunter. Er ist so leise gekommen, dass ich nichts gehört habe. Er hat dichtes schwarzes Haar, das ihm auf die Schultern fällt. Hellgrüne Augen. Keine Schuhe. »Ich heiße Jonas«, sagt er. »Ich habe mich verlaufen.« Anscheinend ist er weder besorgt noch verängstigt.

»Elle«, sage ich. Die Familie habe ich am Strand schon gesehen. Seine Mutter hat krauses Haar und schreit uns an, wenn wir unsere Apfelgriebse in den Sand stecken. Die Familie wohnt auch in Back Woods.

»Ich bin einem Seeadler gefolgt«, sagt er, als wäre das eine Erklärung. Er setzt sich neben mich auf die moosige Böschung und blickt zum Himmel hinauf. Ich höre das Rascheln der Bäume, das Plätschern des Wassers auf den Steinen. Ich weiß, dass Jonas da ist, aber irgendwie macht er sich zu einem Schatten.

»Das ist ein Fenster«, sagt er nach einer Weile.

»Ja.« Ich stehe auf und klopfe mir den Saum meiner Shorts ab. »Wir sollten zurückgehen.«

»Meine Mutter wird sich ganz schön aufregen«, sagt er mit ernstem Gesicht.

Beinahe hätte ich gelacht, aber ich nehme seine Hand, gehe mit ihm zurück zu dem Pfad und übergebe ihn seiner Mutter. Und sie dankt mir, aber es klingt wie ein Vorwurf.

12.45

»Es ist nicht gelogen.«

Finn, Maddy und Gina sind durchs flache Wasser zur Sandbank gewatet, wo der Grund abrupt abfällt. Peter ist hinter ihnen und zieht sein Boogie-Brett über die Wellen. Ich möchte weinen.

»Doch. Ist es. Was war denn an dem Abend bei der Strandparty, als ich Gina kennengelernt habe? Du hast mir groß und breit erzählt, dass du dich in sie verliebt hättest, und jetzt seist du ›zum Glück‹ frei von mir. Und das ist bestimmt zwanzig Jahre her. Bitte.«

»Das habe ich nur gesagt, um dir wehzutun.«

»Ich weiß noch genau, wo ich gestanden habe. Nämlich zufälligerweise an diesem Strand. Und was ich anhatte, weiß ich auch noch. Ich hatte das Gefühl, mein Innerstes würde mir weggerissen, wie auf der Achterbahn, wenn einem der Magen runtersackt.«

»Du hattest Jeans an«, sagte Jonas leise. »Unten waren sie nass.«

Auf dem Meer wirft Maddy sich mit ihrem Boogie-Brett auf eine Welle und lässt sich von ihr ans Ufer tragen. Als sie am Strand ankommt, vollführt sie einen kleinen Triumphtanz, dann rennt sie wieder ins Wasser.

»Scheiße, Scheiße, Scheiße.« Die Gefühle übermannen mich. Wegen damals. Wegen jetzt. Wegen allem. »Was ist gestern nur in uns gefahren? Gut, wir hatten eine Menge getrunken, aber wir haben uns schon so oft betrunken und sind nie so weit gegangen.«

»Aber du hast daran gedacht. Gib's zu.«

»Nie.« Das ist eine Lüge.

»Der Abend gestern war der beste in meinem Leben. Der erste Abend.«

»Nein«, sage ich. »Es war schon Jahre vorher zu spät dafür.«

Er zieht seine Hand vom Netzfenster weg. Es ist ein Gefühl, als hätte man mich geschlagen. Ich bin verzweifelt, ich muss ihn zurückhaben. Dann streicht etwas an meinem Bein entlang. Jonas' Hand hat sich unter der Plane hindurch ins Zeltinnere getastet. Seine Hand liegt jetzt an der Innenseite meines Oberschenkels. »Ich mag diesen Teil von dir«, sagt er.

»Lass das.« Ich schlage seine Hand weg.

»Weich wie bei einem Baby.« Seine Finger zupfen an meinem Badeanzug.

»Ich meine es ernst, Jonas. Die anderen sind doch hier. Ich kann die Kinder sehen.«

»Sie sind hundert Meter weit weg. Leg dich hin. Mach die Augen zu. Ich passe auf.«

»Nein«, sage ich. Aber ich breite mir das Handtuch über die Hüften und lege mich in den Sand. Hinter meinem Kopf knirschen Schritte durch den Sand. Ich höre das Kratzen von einem losen Klettverschluss, der über den Sand streift. Das Geräusch eines Balls, der mit Holzschlägern hin und her geschlagen wird. Rieche Kokosnussöl.

Jonas zieht den unteren Teil meines Badeanzugs zur Seite, spürt meiner Scham nach, drückt seine Fingerspitze an meine Öffnung.

»Gina ist auch da«, flüstere ich. »Und Peter.«

»Psst«, sagt er. »Sie sind ganz weit draußen. Hinter der Sandbank. Ich habe deinen Mann genau im Blick.« Er führt seinen Finger in mich hinein, zieht ihn dann so langsam heraus, dass ich kaum zu atmen wage, und öffnet mich mit den Fingerspitzen. Ich stöhne und bete, dass der Wind das Geräusch fortträgt. Dann fickt er mich mit seinen Fingern, hart, schnell. Meine Hüften kreisen, ich reibe mich an seinen Fingern und wünsche mir seine ganze Hand in mir drin. Ich liege an einem belebten Strand. Meine Kinder spielen in der Brandung. Und der Gedanke, dass Gina und Peter kaum einen Steinwurf entfernt sind, erregt mich mehr als jemals zuvor.

»Gina kommt aus dem Wasser«, flüstert Jonas. Er drückt meine Klitoris fest zwischen seinen Fingern. Ich komme in hundert Wellen und unterdrücke meine Schreie, während Gina über den Strand auf uns zugeht.

»Es ist nicht zu spät«, sagt er. Er wischt sich die Hand im Sand ab und geht zu seiner Frau.

9

1978. September, New York.

Die Flaute zwischen dem Ende des Sommers und dem Schulbeginn. Tage, an denen man neue Schuhe bei Stride-Rite kauft und eine Salzbrezel und ein Comicheft geschenkt bekommt. Kein Gewitter mit Donner und Blitzen, kein Pech und Schwefel – einfach ein stiller, bewölkter Tag. Der Tag, an dem Anna in ein Internat in New Hampshire fährt. Der Bus geht mittags um zwölf Uhr von der Ecke 79. Straße und Lexington Avenue. Als Leo in der Woche nach unserer Rückkehr in die Stadt von einem Konzert nach Hause kam, sah er zufällig, wie Anna und ihre Freundin Lindsay an unserer Ecke Passanten um Geld anbettelten. Sie erzählten einem Mann im Anzug, sie seien ausgeraubt worden und hätten jetzt kein Geld für die Busfahrt nach Hause. Der Mann zog zehn Dollar aus der Tasche und sagte den Mädchen, sie sollten sich ein Taxi nehmen. Leo wartete, bis der Mann verschwunden war, dann ging er zu den Mädchen hin.

»Anna«, fragte er freundlich, »was machst du hier draußen? Es ist schon spät. Solltest du nicht längst oben sein?«

»Ich bringe Lindsay zur Bushaltestelle«, sagte Anna.

»Das kommt mir aber nicht so vor.«

»Wie kommt es dir denn vor?«, fragte Anna.

»Ich habe gesehen, was ihr macht.«

»Ach ja? Was denn?«

»Ihr belügt die Leute. Ihr bestehlt sie. Wie zwei billige Nutten auf der 14. Straße.«

»Du bist so ein Widerling«, sagte Anna.

Er streckte die Hand aus. »Gib mir das Geld. Sofort. Deine Mutter und ich werden besprechen, wie es mit dir weitergeht.«

»Er denkt, er kann über mich bestimmen«, sagte Anna höhnisch zu Lindsay. »Aber er ist nicht mein Vater. Zum Glück. Komm, wir verdrücken uns.«

»Dein Vater ist nicht da«, sagte Leo.

»Er ist wohl da. Er lebt in London.«

»Wenn er euch sehen wollte, könnte er das.«

»Verpiss dich, du Spanner«, sagte Anna. »Ein Spanner, genau das bist du.«

Leo sagt, er erinnere sich nicht daran, die Hand gegen Anna erhoben zu haben, aber Lindsay hat mir erzählt, dass er ein Gesicht machte, als wollte er ihr wehtun. Jetzt kommt sich Leo wie ein Scheusal vor, wenn er Anna sieht. Einer muss verschwinden, und es trifft Anna. Ist mir recht, wenn sie geht. Letzte Woche, als ich einen ihrer BHs anprobiert habe, hat sie mich dabei überrascht und meinen Ferienaufsatz zerrissen. Aber es macht mich auch traurig. Sie hatte Angst, das weiß ich, und Heimweh, bevor sie gefahren ist. Und ich weiß, dass sie sich wünscht, unsere Mutter hätte sich für sie entschieden.

Ich sitze auf ihrer Bettkante und sehe zu, wie sie die letzten Dinge einpackt. Ich nehme die Klick-Klack-Kugeln in die Hand, die am Türknauf hängen.

»Fass meine Sachen nicht an.« Sie nimmt mir die Kugeln ab und wirft sie in ihren Kleiderschrank. »Und wenn du meine Klamotten anziehst, bringe ich dich um.«

»Kann ich das hier haben?« Ich hole ein altes Exemplar von *Tiger Beat* aus dem Papierkorb. Donny Osmond guckt mich an.

»Meinetwegen.« Anna setzt sich auf ihren Koffer und zieht den Reißverschluss zu, dann sieht sie sich mit einem besorgten Blick in ihrem Zimmer um, als hätte sie etwas vergessen. Auf ihrer Kommode steht eine kleine Flasche Love's Fresh Lemon. »Hier.« Sie gibt mir die Flasche. »Sieht ja so aus, als wäre ich an deinem Geburtstag nicht da.«

Ihre Poster hat sie abgenommen, aber die Reißzwecken stecken noch, und an den Wänden sieht man die dunklen Umrisse. Unter einer Reißzwecke steckt ein kleines Stück glänzendes Papier, das ist alles, was sie hierlässt: einen Schnipsel von Sweet Baby James, der Rest liegt zerknüllt im Papierkorb.

»Warum kann ich nicht dein Zimmer haben?«, frage ich. »Warum kriegt er es?«

Anna bricht in Tränen aus. »Ich hasse dich«, sagt sie.

Das Schlimmste ist, dass für Anna ein Ersatz kommt. Conrads Mutter ist zu dem Schluss gekommen, dass sie mit ihrem dreizehnjährigen Sohn nicht mehr zurechtkommt. Die unheimliche Rosemary mit ihren gregorianischen Gesängen und dem Gerede über Erbsünde behält sie, und wir kriegen Conrad. Den abscheulichen Conrad mit seinen Glotzaugen und dem dicken Ringerkörper. Anna sagt, seine Mutter habe ihn dabei überrascht, als er sich im Klo einen runtergeholt hat, deshalb schickt sie ihn weg. Sobald wir Anna zu ihrem Bus gebracht haben, holen wir Conrad vom Flughafen ab. Anna hat Angst, die Fahrt allein zu machen, das weiß Mum auch, aber Leo hat darauf bestanden, dass Mum dabei sein muss, um seinen Sohn in der Familie willkommen zu heißen, und deshalb kann sie Anna nicht nach New Hampshire fahren. »Ich kann nicht an zwei Orten gleichzeitig sein«, hat sie zu Anna gesagt.

»Du könntest doch zu Dad ziehen«, sage ich.

Anna geht zu ihrem Schreibtisch, macht die unterste Schublade auf und holt einen blauen Luftpostbrief heraus. »Ich habe ihm im Sommer geschrieben. Ich habe ihm erzählt, wie schlimm es zwischen mir und Leo ist, und ihn gefragt, ob ich zu ihm nach London kommen kann.« Sie gibt mir den Umschlag.

Es ist ein kurzer Brief. Dad schreibt, er wünschte, Anna könne zu ihm kommen, aber er und Joanne hätten im Moment nicht das Geld für eine größere Wohnung. Überhaupt sei alles etwas eng, und Joanne brauche Ruhe zum Schreiben. Wenn ich allein entscheiden könnte, schreibt er, dann könntest du natürlich bei uns wohnen. Er sei zuversichtlich, dass die Dinge bald besser werden. Leo sei ein guter Mensch. Unterschrieben hat er mit: »Love, Dad.«

»Er will mich nicht«, sagt Anna.

»Er sagt, wenn er allein entscheiden könnte«, sage ich.

»Er *kann* es allein entscheiden, du Dumpfbacke«, sagt Anna.

Als es Zeit zum Gehen ist, schließt Anna sich im Bad ein. Sie dreht die Wasserhähne voll auf, aber ich kann hören, dass sie weint. Leo ist draußen und macht ein paar Besorgungen, sodass es keinen angespannten Abschied geben wird. Wir reden nicht, als wir mit dem Aufzug nach unten fahren. Wir sehen zu, wie die Etagen nach oben verschwinden, bis der Aufzugführer den Messinggriff umschaltet und die Käfigtür aufzieht.

»Bon voyage«, ruft ihr der dünne Pförtner Gio zu, als wir durch das Foyer gehen, den Blick auf den schwarz-weiß gefliesten Fußboden gesenkt. »Komm bald wieder, Anna. Wir werden dich vermissen.«

Anna gelingt es zu lächeln. »Da sind Sie anscheinend der Einzige.« Sie wirft meiner Mutter einen eisigen Blick zu.

»Soll ich ein Taxi rufen?«, fragt Gio.

»Nein, danke, Gio«, sagt meine Mutter. »Wir schaffen das so. Wenn mein Mann nach Hause kommt, sagen Sie ihm bitte, dass wir Anna zum Bus bringen. Eleanor, hilf Anna mit dem Koffer.«

Wir gehen die Lexington Avenue entlang, an Lamstons vorbei, am Drugstore, an dem Coffeeshop, wo man Kräuterbier mit Eishaube bekommen kann, dann den Hügel hinunter zu der Ecke, wo der Bus wartet.

»Vielleicht ist es ein bisschen wie im Sommercamp«, sage ich zu Anna. »Du wolltest doch immer zu einem mit Übernachtung.«

»Kann sein«, sagt Anna. Sie nimmt meinen Arm und hakt ihn bei sich ein. »Ich wünschte, du könntest mitkommen«, sagt sie. Das ist das Netteste, was sie je zu mir gesagt hat.

»Es tut mir leid«, sage ich.

Wir schieben ihren Koffer in den Laderaum und stehen einen Moment zusammen. »Lass dich von ihm nicht unterbuttern«, sagt sie. Ohne ein Wort zu unserer Mutter und ohne einen Blick zurück steigt sie in den Bus.

13.15

Ich stehe bis zu den Knien im Wasser. Jedes Mal, wenn eine Welle heranrollt, spanne ich die Beinmuskeln an, drehe mich ein bisschen zur Seite und bohre die Zehen in den Sand. Ich will nicht umgeworfen werden.

Peter und die Kinder sind im tiefen Wasser und treiben auf ihren Boogie-Brettern. Ich suche die Oberfläche nach Schwanzflossen ab. Nach Schatten. Es ist lange her, dass ich hier unbefangen geschwommen bin. Immer wenn wir zum Strand kommen, bilde ich mir ein, ich sähe einen Hai herannahen. Ich wäre die Erste, die ihn sieht. Ich stelle mir vor, wie ich warne und rufe, wie die Kinder wild um sich spritzend, halb rennend, halb schwimmend das Ufer erreichen, wo sie in Sicherheit sind. Ich stelle mir vor, dass ich um Hilfe rufe und mich, als niemand kommt, selbst in die Gefahr stürze. Wie ich mein eigenes Leben aufs Spiel setze, um das meiner Kinder zu retten, und sie dem Hai entreiße. Und jedes Mal meldet sich ein anderer Gedanke: Wenn es nur Peter im Wasser wäre, würde ich ihn dann auch retten wollen?

Gerade winkt Peter mir zu.

»Zeit für die Sandwiches!«, rufe ich und bedeute ihm mit Gesten, dass er die Kinder aus dem Wasser holen soll.

Er wirft einen Blick über die Schulter, sieht eine riesige Welle nahen und paddelt mit aller Kraft. Er wirft sich auf den Kamm der Welle und reitet an mir vorbei. Auf seinem Gesicht liegt ein beseligtes Lächeln.

Gina hat das Picknick im schattigen Zelt ausgebreitet. Ich erkenne den Abdruck meines Körpers im Sand neben einem Pappteller mit Thunfischsandwiches.

»Jonas ist zur Toilette gegangen.« Gina verteilt Becher mit Limonade. »Guck mal«, sagt sie. »Ist er nicht süß?« Sie zeigt auf das, was Jonas in den Sand gemalt hat. Was ich vom Zelt aus nicht sehen konnte. Es ist ein Herz. In das Herz hat er geschrieben: »Ich liebe allein dich.«

Gina gibt den Kindern einen Beutel mit winzigen Karotten.

»Ist es nicht toll, einen so romantischen Mann zu haben?«, sagt sie zu Maddy.

»Du hast großes Glück, Gina«, sagt Maddy.

»Das stimmt«, sage ich.

»Was bin ich denn? Kalter Kaffee?«, sagt Peter.

»Vielleicht«, sagt Maddy. »Aber kalter Kaffee schmeckt gut.«

»Ich mag keinen Kaffee«, sagt Finn. »Gebt mir bloß keinen Kaffee zu trinken, den mag ich nämlich nicht.«

Ich sehe Jonas von den Toiletten her über die Düne kommen.

»He, Mann«, ruft Peter zu ihm hinüber. »Du hast ein paar tolle Wellen verpasst. Es war großartig.«

»Ich weiß«, sagt Jonas. »Aber ich habe stattdessen mit deiner Frau geflirtet.« Er legt sich neben mich in den Sand und verschränkt die Hände hinter dem Kopf. Ich spüre seine warme Haut neben meiner. Die wenigen Zentimeter zwischen uns sind elektrisch geladen. Nicht Luft, sondern Wasser. Unsere unerlaubte Nähe erregt mich.

»Du kannst sie haben, aber das kostet etwas«, sagt Peter lachend. »Ich warte schon lange auf einen geeigneten Abnehmer.« Er steckt sich den letzten Bissen von seinem Sandwich in den Mund.

»Ich schick dir mal meine Leute vorbei, dann können sie sich mit deinen Leuten unterhalten«, sagt Jonas und streift meinen Arm mit seinem. Ich gestatte mir, seine Nähe einzuatmen, bevor ich mich aufsetze und von ihm abrücke.

»Ha«, sage ich. »Sehr witzig.«

Peter hat Mayonnaise auf der Wange. »Du hast da was«, sage ich. Ich befeuchte den Zipfel eines Handtuchs mit Spucke und wische den Fleck ab.

»Igitt«, sagt Finn.

»Ist doch nur ein bisschen Spucke, Dummerchen. Und Peter, sag bitte nie wieder ›He, Mann‹. Nie wieder.«

Gina ist damit beschäftigt, den Umriss des Herzens, das Jonas für mich in den Sand gemalt hat, mit Steinchen und trockenem Tang zu dekorieren. Maddy hilft ihr und sammelt ein paar Muscheln. Sie kommt mit einem Sanddollar angerannt.

»Guck mal, was ich hab!« Es klingt, als hätte sie den Schatz der Sierra Madre gefunden.

»Perfekt«, sagt Gina und legt ihn in die Mitte von dem Wort »LIEBE«.

Ich kann Jonas nicht ansehen.

»Wir sollten gehen«, sage ich zu Peter.

»Ich will aber noch bleiben«, jault Finn.

»Jaul nicht«, sage ich.

»Ich will auch noch bleiben«, sagt Maddy.

»Ich werde hier regelrecht geröstet«, sage ich.

Peter guckt auf seine Uhr. »Die Kinder haben ihren Spaß. Eine halbe Stunde können wir noch bleiben.«

Er hat recht. Die Kinder sind glücklich. Es ist nicht ihre Schuld, dass ich mit Jonas gefickt habe.

»Ihr könnt sie bei uns lassen«, sagt Gina. »Wir bringen sie später vorbei.«

»Gute Idee«, sagt Peter, bevor ich Nein sagen kann. »Wenn ihr kommt, könnt ihr eine Runde im See schwimmen. Das Salz abwaschen.«

»Das klingt perfekt«, sagt Gina.

Ich sehe Jonas an und hoffe, er findet einen Grund, abzulehnen. Er lächelt nur amüsiert.

Peter sammelt unsere Sachen ein. »Gegen drei?«

»Abgemacht«, sagt Jonas in die Runde, sieht dabei aber mich an. »Wenn ihr auf uns wartet, durchschwimme ich mit dir den See.«

»In der Zeit mache ich die Margaritas«, sagt Peter.

»Mein Glas bitte mit Salzrand«, sagt Gina.

Im Auto legt Peter mir die Hand auf den Oberschenkel. »Endlich allein, mein Prachtweib.«

»Das ist wohl kaum dir zu verdanken. Ich habe die ganze Zeit versucht, sie loszuwerden. Jetzt kommen sie zu uns und bleiben, bis es Essenszeit ist.«

»Aber erst mal haben wir ein paar Stunden frei. Ich dachte, wir könnten am Black Pond halten und eine Runde schwimmen.«

Er beugt sich zu mir und schmiegt sich an meinen Hals. »Nackt schwimmen«, sagt er in einem bedeutungsvollen Ton. »Dein Badeanzug macht mich geil.«

»Mein ausgeleierter alter Badeanzug macht dich geil?«

»Meine ausgeleierte alte Frau macht mich geil.«

Ich lache. So ist er.

»Komm schon. Wir machen es uns schön.« Er greift mir zwischen die Beine, der Sarong rutscht zur Seite, und Peter streichelt meine Oberschenkel. »Wann hattest du zuletzt Sex in der Öffentlichkeit?«

Mein Bein zuckt zurück. Da ist die Erinnerung an Jonas'

Berührung. »Eine tolle Idee«, sage ich und versuche es zu überspielen. »Wir sind schon Ewigkeiten nicht mehr da gewesen.«

»Na also«, sagt er. Und nimmt seine Hand weg.

10

1979. Juni, Connecticut.

Durch das große Fenster im Esszimmer meiner Großeltern, in dem ich den Tisch fürs Abendessen decke, kann ich über die hügelige Landschaft hinweg die benachbarte Farm sehen. Hinter einem Zaun liegen wiederkäuende Kühe. Das letzte goldene Licht dieses Sommertages strahlt die Baumwipfel an. Mein Vater und Joanne lassen sich scheiden. Uns sagt er, er habe seine Töchter zu sehr vermisst, und Joanne habe sich geweigert, wieder in die Staaten zu kommen. Er hat sich für uns entschieden. Wir werden den ganzen Monat zusammen verbringen.

Mein Vater und Granny Myrtle sitzen im Wohnzimmer, wo sie die Sechsuhrnachrichten gucken und leise miteinander sprechen. Ich gehe auf Zehenspitzen um den Esstisch und lege auf jede Serviette eine Silbergabel, lege die Silbermesser rechts neben die Teller und versuche, alles so geräuschlos wie möglich zu tun, um sie belauschen zu können.

»Was für ein Unsinn«, sagt Granny Myrtle zu ihm. »Diese unerträgliche Frau hat dir Hörner aufgesetzt. Indirekt ist das ein Segen.« Sie dreht den Fernseher lauter. »Ich werde wohl langsam taub.«

»Das stimmt nicht, Mutter«, sagt mein Vater. »Ich habe die Mädchen vermisst.« Aber seine Stimme klingt irgendwie lahm, und ich muss an leere Räume denken.

»Die Mädchen sind das einzig Gute, was du in deinem Leben zustande gebracht hast«, sagt sie.

Ich höre, wie mein Vater aufsteht und zur Bar geht, höre das Klirren von Eiswürfeln in seinem Bourbon-Glas.

In unserem Zimmer hinter der Küche liegt Anna auf ihrem Bett und starrt an die Decke.

»Ich muss hier weg«, sagt sie, als ich hereinkomme.

Wir sind erst seit zwei Tagen da, aber sie will nicht bleiben. Lily, ihre Zimmerpartnerin im Internat, hat Anna eingeladen, drei Wochen im Sommerhaus der Familie in Newport zu verbringen. »Sie sind Mitglieder im Country Club. Ihr Bruder Leander ist einer der besten Tennisspieler da.«

»Du kannst gar nicht Tennis spielen«, sage ich.

»Du gehst mir echt auf die Nerven.«

»Wenn du wegfährst, habe ich niemanden.«

»Ich will nicht einen ganzen Monat hier festsitzen, bloß weil es Dad plötzlich eingefallen ist zurückzukommen.« Sie steht auf, holt eine Zeitschrift aus ihrer Tasche und lässt sich wieder aufs Bett fallen.

Ich gucke ihr dabei zu, wie sie liest.

»Starr mich nicht so an«, sagt sie.

»Willst du morgen schwimmen gehen?«

»Nein.«

»Oder eine Fahrradtour machen?«

Sie antwortet nicht.

Ich sitze auf der Bettkante und lasse den Blick durchs Zimmer schweifen.

»Mal angenommen, du müsstest dich entscheiden, dein ganzes Leben lang entweder Tab oder Fresca zu trinken, welches würdest du wählen?«

»Ich muss mich aber nicht entscheiden.«

»Ich weiß, aber mal angenommen.«

»Mal angenommen, ich haue dich gleich, wenn du nicht still bist.«

»Dad wird traurig sein, wenn du wegfährst.«

»Also wirklich«, sagt sie. »Er hat null Recht, uns auch noch Riesenschuldgefühle zu machen. Er hat uns im Stich gelassen. Und jetzt ist er wieder da, und wir sollen dankbar sein?«

Es klopft leise an der Tür, Dad streckt den Kopf herein.

»Da sind ja meine Mädels«, sagt er munter. »Das Essen ist gleich fertig. Mutter hat einen Fleischeintopf gemacht.«

»Ich habe keinen Hunger«, sagt Anna.

Er setzt sich auf ihr Bett. »Was liest du da, mein Spatz?«

»Eine Zeitschrift.« Sie sieht ihn nicht einmal an.

»Ihr seid mindestens einen Kopf größer geworden, seit ich euch Ostern gesehen habe, jedenfalls kommt es mir so vor. Wie war das letzte Halbjahr?«, fragt er Anna. »Deine Mutter hat mir gesagt, du hast ein A in Französisch. *Mademoiselle, tu es vraiment magnifique!*«

Seine schreckliche Aussprache schwebt im Raum.

Anna sieht ihn mit Verachtung an.

»Na gut«, sagt er. »Wascht euch die Hände und helft eurer Großmutter, den Tisch zu decken.«

»Mach die Tür hinter dir zu«, sagt Anna.

Es muss noch früh sein. Schmale Streifen von grauem Licht fallen durch die Latten der Jalousien. Eine Trauertaube ruft nach ihrem Gefährten. Ich höre ihren traurigen, hohlen Ruf. Anna schläft. Aus der Küche dringen leise Stimmen. Ich steige aus dem Bett und schleiche über den Linoleumboden. Unsere Tür ist angelehnt. Mein Vater sitzt am Küchentisch, den Kopf in die Hände gestützt. Granny Myrtle steht mit dem Rücken zu ihm an der Küchentheke und macht Mürbeteig. Ich sehe, wie sie Butter mit Mehl verknetet und dann langsam kaltes Wasser hinzufügt.

»Am Freitagmorgen geht ein Bus um elf Uhr zwanzig. Ich habe mir den Fahrplan angesehen. In New Haven hat sie Anschluss.« Sie macht den Küchenschrank auf und nimmt den Zucker heraus.

»Anna ist so böse auf mich«, sagt er.

»Was hattest du denn erwartet? Sie ist fünfzehn Jahre alt und kennt ihren eigenen Vater kaum. Sie braucht übrigens einen Tennisdress. Wir können morgen nach Danbury fahren.«

»Sag mir, Mutter, wie ich das wieder in Ordnung bringe.«

»Was soll ich dir denn sagen, Arthur? Wie man sich bettet, so liegt man. Du musst selbst sehen, wie du das wieder hinbekommst.«

Von unserem Fenster aus sehe ich meinen Großvater, der um diese frühe Stunde schon im Gemüsegarten ist und auf der feuchten Erde kniet. Er rupft das Unkraut zwischen den Rhabarberpflanzen aus, neben ihm steht ein Korb mit Zuckererbsen. Eine Fliegengittertür schlägt zu. Mein Vater geht über den Rasen zu ihm. Granny Myrtle nimmt das hölzerne Nudelholz aus der untersten Schublade.

Ich ziehe mir meine Jeansshorts und ein T-Shirt an und gehe zum Frühstück in die Küche. Eine halbe Grapefruit ist für mich vorbereitet, die rosa Segmente sind sorgfältig von den Häuten gelöst und mit braunem Zucker bestreut, der eine süße Kruste bildet. Daneben ein Silberlöffel auf einer Serviette. Ich gebe meiner Großmutter einen Kuss auf die weiche, daunige Wange und setze mich an den Tisch.

»Ich dachte, ich könnte mit dir und Anna zu den Wesselmans fahren, ihr könntet in ihrem Pool schwimmen.« Sie gibt mir einen Kuss auf den Kopf. »Du musst einen Sonnenhut aufsetzen, Eleanor. Dein Haar ist ganz gebleicht von der Sonne. Es ist fast so weiß wie meins.«

»Von einem Hut krieg ich Jucken auf der Stirn.«

»Danach können wir neue Bücher aus der Bibliothek holen. Zum Abendessen mache ich Lammkoteletts. Und du kannst mir beim Spargelstechen helfen.«

»Ich will nicht, dass Anna wegfährt«, sage ich.

»Spargel anzubauen ist gar nicht so leicht, weißt du. Dein Großvater hat befürchtet, die Rehe und Kaninchen würden alle frischen Sprieße fressen.«

»Ich habe dann niemanden.«

»Warum sollen die Ferienpläne deiner Schwester durchkreuzt werden, bloß weil euer Vater diese entsetzliche Frau geheiratet hat?«

Meine Großmutter gibt mir einen Teller mit gebuttertem Toast und ein Einweckglas mit selbst gemachter Holzapfelmarmelade. »Euer Vater ist ein guter Mensch, aber es mangelt ihm an Rückgrat.« Sie setzt sich neben mich. »Du hingegen, Eleanor, du hast Rückgrat. Anna ist zäh wie Rindsleder, keine Frage, aber du bist stoisch.« Sie gießt sich ein Glas Buttermilch ein. »Ich gebe mir die Schuld dafür, dass euer Vater so willensschwach ist. Ich habe ihn verzogen.«

Hinter uns knarrt eine Bodendiele. Mein Vater steht in der Tür. Die Uhr über dem Herd tickt die Sekunden weg. Ich senke den Blick auf meinen Toast, es ist mir peinlich für ihn, und ich wünschte, ich könnte verschwinden und ihm die Verlegenheit ersparen.

»Elle und ich haben gerade übers Schwimmen gesprochen«, sagt meine Großmutter, als wäre nichts gewesen. »Ich habe bei den Wesselmans angerufen. Joy sagt, ihre Blaubeerbüsche beugen sich schon unter der Last der Beeren.«

»Ich wollte mit den Mädchen heute am Steinbruch schwimmen gehen«, sagt mein Vater.

»Ich habe den Mürbeteig schon fertig.« Sie steht auf und macht ein paar Klappen auf und wieder zu. »Ich weiß genau, dass ich die Plastikeimer zum Beerensammeln hier irgendwo reingestellt habe.«

Ich warte, dass mein Vater ihr nachgibt, aber er hat die Hände in den Hosentaschen und guckt aus dem Küchenfenster.

»Der Walnussbaum, den Vater und ich letztes Jahr gepflanzt haben, ist richtig gut angegangen«, sagt er.

»Gran? Ich würde lieber mit Dad zum Steinbruch fahren. Wir können ja einen anderen Tag Blaubeeren pflücken.«

Mein Vater streckt sich und dreht sich zu mir um. Auf seinem Gesicht liegt ein solches Strahlen, dass ich davon ganz traurig werde.

»Natürlich, mein Schatz«, sagt meine Großmutter zu mir. »Wenn du das möchtest, dann ist es ein sehr guter Plan.«

Der Steinbruch liegt zwischen zwei Hügeln versteckt, die sich hinter der Farm der Straights erheben. Ich habe Anna überredet mitzukommen. Jetzt, da sie weiß, dass sie am Freitag fahren kann, hat sich ihre Laune gebessert. Zu dritt klettern wir auf den Hügel, wir haben Handtücher dabei und gehen auf einem Trampelpfad zu einer großen Wiese, die sich bis zur Kammlinie erstreckt, eine grüne Horizontlinie. Auf dem Sattel des ersten Hügels grasen schwarz-weiße Kühe, sie schlagen mit ihren Schwänzen die Fliegen weg, und ihre schweren Euter hängen direkt über den Halmen. Überall sind Kuhfladen, manche so trocken, dass man sich daran verbrennen kann, andere dampfen vor Feuchtigkeit. Am Ende der Wiese, im Schutz eines Wäldchens, liegt der Steinbruch: ein tiefes Loch mit klarem Wasser, die steinernen Seiten sind schlüpfrig von Moos und Feuchtigkeit, während die groben Vorsprünge bestens für Kopfsprünge geeignet sind. Aber erst müssen wir die Kuhweide überqueren.

Mein Vater zieht sich die Schuhe aus und stellt sie ordentlich nebeneinander hin. »Wer als Erster ankommt«, sagt er grinsend und springt geschickt in großen Sätzen über die Weide. Er ist schon in seiner Kindheit zum Steinbruch gegangen. »Wer als Letzter springt, ist ein faules Ei«, ruft er über die Schulter. Er sieht so glücklich und unbekümmert aus, und das macht auch mich glücklich. Anna streift ihre Sneakers ab und setzt ihm nach. Ich renne auch los, lachend, den Wind im Gesicht, das Handtuch hinter mir schwenkend wie ein Banner. Die Kühe bewegen sich schwankend und kauend um uns herum, ihre schweren Körper schaukeln sanft, und von den Mädchen, die an ihnen vorbeirennen, nehmen sie keine Notiz.

14 Uhr

Der alte Fahrweg zum Black Pond ist kaum noch auszumachen, und in der Mitte steht das Gras so hoch, dass es den Unterboden streift und ein Geräusch macht wie Wind, der über die Prärie weht. Die Straße führt um eine Biegung, gabelt sich, gabelt sich noch einmal und noch einmal und hört bei einem baufälligen Holzzaun auf. Auf der anderen Seite des Zauns verläuft ein schwach auszumachender Trampelpfad. Ich steige aus und gehe hinter Peter den steilen Hügel hinunter und um ein paar Kojotenhaufen herum, die ganz grau von Kaninchenfell und Disteln sind. Wir kommen bei einem kleinen Sandstrand heraus. Black Pond ist der kleinste Toteissee im Wald, nur die Bewohner von Back Woods kennen ihn. Der See bei uns am Sommerquartier ist breit und klar, seine Schönheit ist seine Größe, eine Meile von klarem Blau, in dem sich der Himmel spiegelt. Dieser See ist älter, weiser, verborgener, als bewahrte er viele Geheimnisse. Ein von dichtem Wald umgebenes Wasserloch ohne Boden, das den halben Tag im Schatten liegt.

Der Strand, über und über mit Kiefernnadeln bestreut, liegt verlassen da. Es ist eine Weile her, dass jemand hier war. Als wir Kinder waren, sind wir mit unserem Picknick hierhergekommen. Es war ein Ort für einen besonderen Ausflug. Und jedes Mal mussten wir überlegen, welches der richtige Abzweig war. Man konnte sich leicht verfahren. Einmal, als ich mit Anna hier war, sahen wir ein Paar, das nackt am Strand vögelte. Die Frau lag auf dem Rücken und hatte die gespreizten Beine in die

Luft gereckt, und der Mann bewegte sich auf ihr. Ich erinnere mich an den Gedanken, dass die Frau zu dick war, um nackt zu sein, dass es irgendwie obszön aussah. Nicht der Sex, den fand ich beängstigend und faszinierend zugleich, sondern ihr Körper, der auf dem harten Boden ausgestreckt lag und aussah wie roher Teig, und auch, dass es ihnen gleichgültig zu sein schien, ob sie gesehen wurden. Wir sind umgekehrt und nach Hause gerannt, kichernd vor Scham und Belustigung.

Peter und ich setzen uns ans Ufer. Er holt eine Zigarette aus der Tasche. Zündet sie an. »Erinnerst du dich, als du mich das erste Mal hierhergebracht hast?«

»In unserem ersten Sommer?«

»Fast denke ich, dass das für mich der romantischste Moment in meinem Leben war.«

»Na, was bedeutet das für den Rest unseres Lebens zusammen?«

Peter lacht, aber was ich sage, stimmt. Ich war mit ihm am späten Nachmittag zum Schwimmen hergefahren. Als wir uns danach am Strand liebten, fiel mir plötzlich das nackte Paar wieder ein, die in die Luft gespreizten Beine der Frau, das viele Fleisch, und ich stöhnte so laut, dass es über den See hallte. In dem Moment kam Peter zum Orgasmus. Ich weiß seit Langem, dass in mir eine Schlechtigkeit schlummert, eine geheime Perversion, etwas Verdorbenes, das ich vor ihm zu verbergen versuche. Das er hoffentlich niemals sehen muss.

»Weißt du«, sagt er und nimmt meine Hand, »ich muss mich bei dir entschuldigen.«

»Wofür?«

»Für heute Morgen. Für gestern Abend. Weil ich Annas Gedicht nicht gelesen habe, das hat dich gekränkt.«

»In dem Moment war ich gekränkt, das stimmt. Aber Jonas hat es schön gelesen. Und das Wichtige ist ja, dass es jedes Jahr für sie gelesen wird.«

»Trotzdem, es tut mir leid. Es war unaufmerksam von mir, und das bedaure ich.«

»Wir hatten alle zu viel getrunken. Es gibt nichts, wofür du dich entschuldigen müsstest. Wirklich nicht.« *Nichts.*

»Gerade im Auto, als ich meine Hand auf dein Bein gelegt habe, bist du zurückgezuckt.«

»Ich bin nicht zurückgezuckt«, sage ich und hasse mich für die Lüge. »Im Gegenteil, ich wünschte mir, du würdest das öfter machen.«

Er drückt seine Zigarette aus und sieht mich skeptisch an, als wollte er sich überzeugen, dass ich die Wahrheit sage. »Dann ist ja gut.«

Er beugt sich über mich und küsst mich. Seine Lippen schmecken nach Rauch und Salz. Einen halben Meter vor uns gleitet eine Dosenschildkröte von einem Baumstamm herunter und verschwindet im seichten Wasser.

Ich stehe auf und ziehe mir den Badeanzug aus. »Was ist mit Schwimmen?« Sex mit ihm zu haben geht jetzt nicht. Nicht nach dem, was gerade mit Jonas war. Ich kann ihn nicht noch mehr betrügen und erniedrigen. Er greift nach mir, aber ich laufe los – laufe ins Wasser, das mich, so hoffe ich, reinigen wird. Peter rennt hinter mir her, nackt, pendelnd. Ich schwimme mit fliegendem Atem zur schattigen Seite des Sees, versuche, zehn Züge Abstand zu wahren. Aber er ist schneller, kräftiger, und er holt mich von hinten ein.

»Hab dich.« Er drückt mir seine Erektion an den Po.

»Lass es uns verschieben«, sage ich und befreie mich aus seinem Griff. »Wir müssen nach Hause.«

»Fünf Minuten spielen doch keine Rolle«, sagt Peter.

»Genau«, sage ich lachend. »Bei mir dauert es mindestens zehn.« Dann tauche ich von ihm weg und schwimme zum Strand zurück, wo ich meine Sachen gelassen habe und, so kommt es mir vor, meine Seele.

1979. 12. Juli, Vermont.

Reihe um Reihe um Reihe, ein Meer von wogendem Grün. Noch nie habe ich so viel Mais gesehen. William Whittakers Felder sind überwältigend, sie erstrecken sich endlos, die Hügel hinauf und hinunter, bis zu seiner Farm, wie eine feindliche Armee. Whittaker ist Leos ältester Freund, seit der Grundschule sind sie beste Freunde. Am Sonntag hat Whittaker Geburtstag, und wir sind eingeladen, das Wochenende auf seiner dreihundert Hektar großen Farm im Norden Vermonts zu verbringen.

»Whit ist vor ein paar Jahren von Philadelphia hier raus gezogen. Nach dem Tod seiner Frau«, sagt Leo auf der Fahrt über eine lange unbefestigte Straße, die, so verspricht er meiner Mutter, zum Farmhaus führt. Sie ist überzeugt, dass wir falsch abgebogen sind. »Hat alles hinter sich gelassen, schicke Anwaltspraxis, tolles Haus in Chestnut Hill.«

»Ich glaube, wir hätten bei der letzten Gabelung links abbiegen sollen«, sagt Mum.

»Warum ist sie gestorben?«, frage ich. Conrad und ich sitzen rechts und links auf den Fenstersitzen, bedrängt von einem riesigen Gitarrenkasten zwischen uns.

»Ja, das ist eine schreckliche Geschichte«, sagt Leo. »Whit und sein Sohn Tyson waren zu einem Vater-Sohn-Wochenende weg. Tyson muss damals ungefähr zehn gewesen sein.«

»Vater-Sohn-Wochenende?«, sagt Mum und versucht, im dämmrigen Licht auf der Landkarte die Orientierung zu finden. »Das klingt unangenehm. Oder ein bisschen profan.«

Leo lacht. »Ganz im Gegenteil. Mit indianischen Führern. Große Eule, kleine Eule, mächtiger Wolf, starkes Wolfsjunges. Man sitzt am Lagerfeuer. Es gibt Holzperlen. Man schnitzt Pfeilspitzen.«

Meine Mutter sieht ihn verständnislos an, als könnte sie ihm nicht folgen.

»Wie bei den Pfadfindern«, erklärt Leo. »Jedenfalls: Am Sonntagabend kamen sie nach Hause, und Louisa lag im Hausflur; ihr Kleid war von den vielen Messerstichen völlig rot. Whit hat erzählt, Tyson habe einfach dagestanden, stumm. Kein Laut, keine Tränen. Dann habe er sich auf den Boden gelegt und sei ganz nah an seine Mutter herangerückt, bis sich ihre Nasenspitzen berührten, und habe in ihre offenen toten Augen geblickt. Als wollte er ihre Seele finden, hat Whit gesagt.«

»Ist das traurig«, sage ich.

»Der Junge hat sich davon nie erholt. Spricht so gut wie nie.«

»Er ist unterbelichtet«, sagt Conrad, ohne den Blick von seinem *Mad*-Heft zu heben.

»Conrad.« Leo beherrscht seine Stimme, trotzdem ist der warnende Ton deutlich.

»Er ist komplett unterbelichtet«, flüstert Conrad mir zu. »Ich habe ihn kennengelernt.«

Leos Hände umfassen das Steuer fester. Seit Conrad letztes Jahr zu uns gezogen ist, hat Leo sich bemüht, Konflikte zu vermeiden. Er möchte gern, dass Conrad sich in unserer Familie wohlfühlt. Aber Leo kann noch so nett sein, es ist ziemlich offensichtlich, dass Conrad sich wünscht, er wäre zu Hause in Memphis und seine Mutter hätte sich für ihn entschieden, so wie bei Anna und unserer Mutter. Die meiste Zeit hockt er in seinem Zimmer, in Annas ehemaligem Zimmer, und hört ABBA und Meatloaf, er macht Gewichtheben und guckt auf seinem alten Fernseher mit den Kaninchenohren-Antennen alle Episoden von *M. A. S. H.* In seinem Zimmer riecht es nach Käsefüßen: eklig, feucht, säuerlich.

Mit Einbruch der Dämmerung kommen wir beim Farmhaus an. Whittaker und Tyson erwarten uns in der Einfahrt, drei Hunde springen um sie herum.

»Wir haben die alte Kiste aus einer Meile Entfernung gehört. Hätten euch entgegenkommen können.« Whittaker schließt Leo in die Arme. »Und Wallace, zum Anbeißen frisch.«

»Ist ganz schön lange her, Alter«, sagt Leo und schlägt Whittaker auf den Rücken.

Tyson ist erstaunlich hübsch. Groß, blaue Arbeitshosen, freundliches Gesicht.

»Ich bin Elle«, sage ich und strecke ihm die Hand hin.

Aber er sieht mich gar nicht an, so schüchtern ist er. Er scharrt mit dem Fuß.

»Tyson muss dein Alter sein, Conrad.« Whittaker trägt unsere Taschen, und wir gehen mit ihm ins Haus. »Nimm du die anderen Sachen, Ty, und bring sie ins Dachgeschoss.«

Whittaker ist das genaue Gegenteil von seinem Sohn. Klein, lebhaft, redet ununterbrochen und so schnell, dass ich nicht weiß, wie er zwischendurch zum Atemholen kommt. Auf mich wirkt er wie ein Vogel aus einem Cartoon, mit dem krächzenden Lachen, dem Südstaatenakzent, den flinken, geschmeidigen Bewegungen. Ich mag ihn.

Er hat das Abendessen vorbereitet.

»Geschmortes Kaninchen und Succotash aus Mais und Limabohnen. Seit wir aus Philly weg sind, bin ich gewissermaßen autark geworden«, sagt er stolz. »Das Brot habe ich heute Morgen gebacken. Alles Essen, das auf dem Tisch steht, ist aus unserem Garten. Selbst die Kaninchen.«

»Baust du Kaninchen an?«, fragt Conrad und stochert in seinem Essen herum.

Whittaker lacht. »Wir fangen sie. Sie sind eine Plage. Eine Pest. Wenn wir wollen, dass unser Gemüse wächst, müssen wir Fallen aufstellen. Und in dieser Gegend essen wir das, was wir erlegen. Allerdings essen wir Kaninchen nicht so oft, wie mir lieb wäre, denn Ty läuft herum und öffnet die Fallen, wenn ich nicht da bin. Er hält das Geschrei nicht aus.«

Sein Sohn sitzt am Ende des langen Eichentischs und isst schweigend.

Whittaker wendet sich mir zu. »Hast du mal ein Kaninchen schreien hören?«

Ich schüttle den Kopf.

»Klingt grässlich. Kann es meinem Jungen nicht übel nehmen.« Whittaker lehnt sich auf seinem Stuhl zurück. »Aber wo wir von Plagen reden, die Rehe sind in diesem Jahr schlimmer denn je.« Er wendet sich Conrad zu. »Du weißt, was das bedeutet, junger Mann?«

Conrad schüttelt den Kopf.

»Morgen Abend gibt es Rehbraten.«

Conrad macht ein entsetztes Gesicht. Whittaker lacht laut.

»Conrad mag keine Experimente beim Essen«, sagt Leo und reißt sich ein Stück vom Brot ab. Sein Bart ist ein Nest von Krumen. »Wenn es nach ihm ginge, würde er sich von Fischstäbchen und Big Macs ernähren.«

Ich esse etwas vom Eintopf. »Probier doch mal, Conrad.«

»Habe ich schon«, sagt Conrad. »Es schmeckt richtig gut.«

»Stimmt gar nicht. Du hast es nur auf dem Teller herumgeschoben.«

»Petze«, kontert Conrad eisig.

»Lügner«, gebe ich ebenso eisig zurück.

»Zicke.«

Tyson ist völlig verstummt, als wollte er sich unsichtbar machen.

»Ist doch nicht so schlimm«, sagt Whittaker und entschärft die Spannung. »Bis ich zwölf war, habe ich nur Spiegeleier in Soße gegessen. Morgen mache ich Spaghetti bolognese. Und denk nicht, dass ich losgezogen bin, um eine Kuh zu erlegen, Conrad. Da fällt mir ein – wenn ihr rausgeht in den Wald, solltet ihr etwas Rotes anziehen. In letzter Zeit haben wir das Problem, dass auch außerhalb der Jagdsaison Jäger ohne Erlaubnis auf mein Land kommen.«

»Ich verabscheue Jäger«, sage ich.

»Also, ich habe nichts gegen Jäger, wenn sie sich von dem, was sie erlegt haben, ernähren wollen«, sagt Whittaker. »Aber für diese Jäger ist es lediglich ein Sport. Ohne moralische Einstellung. Sie lassen die toten Tiere einfach liegen, woraufhin sie verbluten. Geben ihnen nicht einmal den Gnadenschuss. Das ist schändlich. Meine Hunde finden sie im Wald und kommen mit blutverkrusteten Mäulern zurück.«

»Ich glaube, ich muss kotzen«, sagt Conrad.

»*Conrad.*« Leo sieht aus, als würde er gleich explodieren.

»Als wir in Guatemala lebten, hatten wir einen Hund«, sagt Mum, »der ging ins Hühnerhaus und biss den Hühnern die Köpfe ab. Der Gärtner hat ihn erschossen.«

»Guatemala?« Whittaker zieht die Augenbrauen hoch und gießt ihr Glas wieder voll.

»Meine Mutter ist mit uns dahin gezogen, als ich zwölf war. Austin, mein Bruder, war erst zehn.«

»Warum Guatemala?«

»Eine unglückselige Scheidung. Und ›Haushaltshilfen‹ waren da billig. Man konnte einen Koch für acht Cent in der Stunde anheuern. Meine Mutter war Besseres gewöhnt. Aber sie konnte Guatemala auf den Tod nicht ausstehen. Sie war überzeugt, eines Tages würde ein Dorfbewohner sie mit einer Machete angreifen.«

»Lebt sie immer noch dort?«

»Sie ist vor ein paar Jahren gestorben. Eine Machete war nicht im Spiel. Aber mein Bruder lebt immer noch da. Er hat eine Guatemaltekin geheiratet. Er hat nichts für die Staaten übrig. Hält uns für Wilde.« Sie lacht in ihr Glas. »Er ist Ornithologe. Spezialist für Papageien, ausgerechnet.«

»Papageien mag ich sehr«, sagt Tyson leise.

Nach dem Essen führt Whittaker uns über eine praktisch senkrechte Treppe hinauf auf den Dachboden, der bis zum First offen ist. Auf dem Fußboden liegen vier Matratzen mit Bettzeug.

»Ich lasse das Badezimmerlicht unten brennen«, sagt er. »Nicht dass jemand im Dunkeln stolpert. Hoffentlich hat niemand was gegen ein paar Fledermäuse.«

»Was soll das, Dad?«, sagt Conrad, nachdem Whittaker gegangen ist. »Wir schlafen alle hier, in einem Raum?«

»Macht doch Spaß. Wie beim Zelten«, sagt Mum. Aber ihr Blick ist skeptisch.

Mitten in der Nacht wache ich von Geflüster im Dunkeln auf. Leise, heisere Stimmen. Es dauert einen Moment, bis ich mich orientiert habe. Mum und Leo streiten. Meine Mutter klingt unglücklich.

»Jetzt hör auf, Wallace. Sei still.« Ich höre das Geräusch von Bettwäsche, als er sich von ihr wegrollt.

»Es ist Wochen her, seit wir miteinander geschlafen haben.«

»Meine Güte!«, zischt Leo. »Doch nicht vor den Kindern.«

Ich muss aufs Klo, aber wenn ich aufstehe, weiß sie, dass ich sie gehört habe, und das wäre ihr unsäglich peinlich. Ich kann ihr das nicht antun.

»Ich bin auch leise. Wirklich.«

»Du bist betrunken.« Seine Stimme klingt kalt.

»Bitte, Leo«, bettelt sie.

Ich ziehe mir die Decke über die Ohren, damit ich ihr Betteln nicht höre. Sie klingt so jämmerlich. Getrieben, verzweifelt. Vielleicht hört es sich so an, wenn Kaninchen schreien.

Es muss noch ganz früh sein, als ich wieder aufwache. Das Haus liegt in tiefem Schlaf. Das fahle Licht des frühen Morgens sickert durch das Giebelfenster. Conrad liegt voll angezogen auf der Bettdecke. Nicht einmal die Schuhe hat er sich ausgezogen. Leo und meine Mutter liegen Rücken an Rücken. Ich hoffe, wenn sie aufwachen, sagt Leo ihr, wie sehr er sie liebt.

Ich gehe auf Zehenspitzen nach unten, ich muss an die frische Luft. Draußen schlägt mir die Kühle des Morgens entgegen. Jetzt sehe ich die Farm bei Tageslicht, sie ist schön. Kletterrosen ranken über die Zäune. Im Gemüsegarten stehen blühende Zucchinipflanzen in ordentlichen Reihen, Zuckererbsen klettern an Gerüsten hoch, um ihre Wurzeln breitet sich orange blühende Kapuzinerkresse aus. Drei Kaninchen halten sich im Salatbeet an den Setzlingen schadlos.

Hinter dem Garten erstrecken sich die Maisfelder bis zum Fuße der Hügel, auf denen dunkle Wälder einem zartrosa Himmel entgegenwachsen. Ich ziehe mir meinen Pullover über und gehe über einen an das Maisfeld grenzenden Kartoffelacker. Ein bittersüßer Erdgeruch steigt davon auf und umgibt mich.

Ich folge der Treckerspur, die eine Schneise durch das Feld zieht und das Maismeer teilt. Die Pflanzen bilden auf beiden Seiten eine hohe Hecke. Ich höre ihr Lispeln, ihr Wispern. Ich wünschte, ich könnte die Stimme meiner Mutter auslöschen.

Ich bin bestimmt mehr als eine Stunde gegangen, als ich um eine Kurve biege und abrupt stehen bleibe. Zehn Meter vor mir steht mitten auf dem Pfad ein riesiger Hirsch. Bambis Vater, sein stolzes Geweih wie kahle Äste im Winter. Er sieht mich an, ich erwidere den Blick und hoffe, er springt nicht weg. Dann das Krachen eines Gewehrschusses. Seine Augen weiten sich vor Überraschung, und er fällt. Blut fließt aus einem Loch an seinem Hals. Er liegt in sanfter, trauriger Stille da. Ich höre

133

ein Geräusch im Mais, das Öffnen eines Gewehrlaufs. Ich verstecke mich zwischen den Maisstauden, verberge mich vor den Jägern. Tyson tritt aus der Deckung. Er wischt sich mit dem Handrücken über den Mund. Seine Augen sind leer, stumpf, die Augen eines Schlafwandlers. Er geht in die Hocke und legt sich neben das sterbende Tier und sieht dabei ganz klein aus, wie ein Kind. Er blickt dem Hirsch in die Augen, aufmerksam, ohne zu blinzeln, bis alles Leben aus dem Tier gewichen ist. Tyson kniet sich wieder hin, beugt sich in einer Bewegung hinunter, die schön und verstörend zugleich ist, und küsst den toten Hirsch zart aufs Maul. Tyson hört mich, als ich scharf einatme. Er springt auf und spannt den Hahn.

»Tyson, nicht!« Ich trete aus den Maispflanzen hervor.

Er sieht mich einen Moment an, und noch bevor ich etwas sagen kann, ist er verschwunden. Ich sehe, wie die Maispflanzen sich über ihm biegen.

Als ich wieder zur Farm komme, ist Conrad mit Whittaker im Gemüsegarten. Er rührt Wasser in einem Eimer, und Whittaker schüttet ein dunkelbraunes Pulver hinein. Tyson steht dabei, auf seiner Stiefelspitze ist ein kleiner Blutfleck zu sehen.

»Morgen, Elle«, ruft Whittaker, als er mich sieht. »Wir haben uns schon gefragt, wo du abgeblieben bist.«

»Ich bin durch die Maisfelder gegangen.«

Tyson sieht mich mit intensivem Blick an. Auf dem Weg zurück zur Farm habe ich versucht, das, was ich gesehen habe, zu verstehen. Zu begreifen, warum Tyson etwas so Grausames getan hat. Ich versuche mir den Schmerz vorzustellen, der immer noch in ihm ist, den Zorn, dass der Mörder seiner Mutter frei herumläuft. Ungestraft. Aber was ich beobachtet habe, erschien mir eher eine Liebestat, nicht ein verfehlter Racheakt. Whittaker gibt mir einen Eimer. »Hilf uns mal, das auf den Beeten zu verteilen.«

»Es stinkt«, sage ich. »Was ist das?«

»Getrocknetes Ochsenblut. Hält Rehe und Kaninchen fern. Die finden nämlich auch, dass es stinkt. Verteil einfach am Fuß jeder Pflanze ein paar Tropfen. Man braucht nicht viel. Ich hoffe, ihr habt Hunger. Im Ofen ist jede Menge Schinkenspeck. Die Eier waren noch warm, als ich sie aus dem Hühnerhaus geholt habe.«

Conrad und ich helfen Whittaker, das Ochsenblut um die Pflanzen herum zu verteilen. Tyson sieht uns von den Salat- und Gurkenbeeten aus zu. Als wir fertig sind, riecht alles Lebendige in Whittakers Garten nach Tod.

11

»Drink?« Peter fährt mit einer Limone über den Rand eines blauen mexikanischen Glases, das er dann kopfüber auf einen Teller mit koscherem Salz stülpt.

»Sind wir schon legal?« Meine Mutter kommt herein und wirft einen Blick auf ihre Uhr.

»Weit davon entfernt.« Peter gießt einen kräftigen Schluck Tequila in einen Martinishaker.

»Na, dann kann ich nicht widerstehen.«

Wie mich das aufregt, dieses Geschwätz weißer Mittelschichtsbürger über ihre Trinkgewohnheiten.

»Wo sind bloß die anderen?«, sage ich. Jonas und Gina und die Kinder sind noch nicht wieder da, und mit jeder Minute, die vergeht, werde ich unruhiger. Seit Peter und ich vom Black Pond zurück sind, tue ich nichts anderes, als darauf zu warten, dass Jonas kommt. Ich spiele nicht Backgammon mit Jack, ich schneide mir nicht die Fingernägel, die es dringend nötig hätten, stattdessen blättere ich in einer alten Ausgabe des *New Yorker* und kaue an meinen Nägeln. Nicht einmal vierundzwanzig Stunden sind verstrichen, und schon hoffe ich, dass die Zeit ohne ihn schnell vergeht, damit wir bald wieder zusammen sind, als hätte mein eigenes Leben aufgehört zu existieren und wäre nur noch die Zeit zwischen ihm und ihm. Es macht mich rasend, diese ständigen Misstöne. Ich stelle mir meinen Magen vor: bis oben hin gefüllt mit abgebissenen Fingernägeln. Der unverdaute Schmerz eines ganzen Lebens. Das finden sie, wenn ich aufgeschnitten werde: spitze, brüchige Schnipsel.

Jack liegt auf dem Sofa, den Kopf in meinem Schoß, und liest etwas auf seinem Smartphone. Aus diesem Winkel sieht er wie ein süßer kleiner Junge aus, und mein Herz droht zu brechen. Ich beuge mich zu ihm hinunter und will ihm einen Kuss geben, aber er wedelt mich mit der Hand weg.

»Ich bin immer noch böse auf dich«, sagt er.

»So unhöflich, dass sie uns warten lassen. Macht mal Platz.« Peter setzt sich neben uns aufs Sofa und achtet sorgfältig darauf, dass er nichts aus seinem Glas verschüttet. »Möchtest du einen Schluck?«

»Nach dem Schwimmen.«

»Ich gerne«, sagt Jack.

Peter will ihm ein Glas geben.

»Kommt nicht infrage.« Ich schiebe sie beide weg und stehe auf. »Ich gehe jetzt schwimmen. Sagt Jonas und Gina, wir sehen uns ein andermal.«

»Solltest du dir nicht Sorgen machen?«, fragt meine Mutter aus der Küche.

»Danke, Mum. Ja, wahrscheinlich sind sie alle ertrunken. Oder bei einem schrecklichen Autounfall ums Leben gekommen.« Ich lasse die Fliegengittertür hinter mir zufallen.

»Seit heute Morgen ist deine Frau unausstehlich«, sagt Mum zu Peter. »Hat sie ihre Tage?«

»Das habe ich gehört!«, rufe ich und renne zum See runter.

Mit zwölf Zügen bin ich im tiefen Wasser. Ich lege mich auf den Rücken, stemme die Arme in die Seiten und paddele mit den Füßen zur Mitte des Sees. Ich höre das gedämpfte Murmeln des Wassers um mich herum.

In der Mitte des Sees drehe ich mich wieder auf den Bauch und spiele Toter Mann: das Gesicht im Wasser, die Augen offen. Aber mein Blick kann das dämmrige Seegrün nicht durchdringen. Meine Sinne versagen, ich stecke bis zum Hals drin. Ich stelle mir vor, wie es wäre zu ertrinken. Ich würde in das trübe Tief hinabsinken, würde versuchen, wild um mich schlagend an die Oberfläche zu gelangen, würde Wasser in mich hineinströmen lassen, als wäre es Luft.

1979. Oktober, New Hampshire.

Vor dem Autofenster zieht das herbstliche Neuengland in dahinfließendem Gelb und Orange vorüber, gelegentlich unterbrochen von einer Kiefer. In Annas Internat ist Besuchswochenende. Dixon, Mum, Becky und ich besuchen sie. Ich war noch nie in New Hampshire. »Ich auch nicht«, sagt Anna, als ich sie anrufe und unseren Besuch ankündige. »Wir verlassen das Schulgelände nie. Ich stecke in einer Zeitschlaufe aus rotem Backstein, mit Mädchen, die Hockey spielen und sich von Ex-Lax-Schokolade ernähren.« Aber die Wahrheit ist auch, dass Anna jetzt viel glücklicher ist. Sie kommt nur selten nach Hause. Die langen Wochenenden verbringt sie bei einer Freundin, die näher am Internat wohnt.

Es war Dixons Idee, sie zu besuchen. Er bestand darauf. Anna ist sein Patenkind. Er mag Leo sehr, sagt er zu Mum, aber Ehen gehen zu Ende, Kinder bleiben.

»Technisch gesehen, stimmt das nicht«, sagt Mum.

»Sei nicht so düster. Du klingst schon wie deine eigene Mutter«, sagt Dixon und gibt ihr einen Rippenstoß.

Andrea und Dixon haben sich getrennt. Als das Baby zur Welt kam (eine Badewannengeburt zu Hause), war sofort offensichtlich, dass es nicht Dixons sein konnte. »Ich bin vieles«, sagt Dixon, »ein Genie, ein göttlicher Liebhaber, Experte für Walt Whitman. Aber Asiate? Nein.«

»Du findest eine andere«, sagt Mum. »Das war schon immer so. In ungefähr zwei Sekunden.«

»Stimmt«, sagt Dixon. »Aber nichts ist von Dauer.«

»Das kommt daher, dass du einen schlechten Riecher hast und dich immer mit den Falschen zusammentust«, sagt Mum.

»Meine Achillesferse«, sagt Dixon. »Hätte ich mich von Vernunft leiten lassen, hätte ich dich geheiratet.«

»Zweifellos.«

»Andrea, das muss man ihr lassen, war allein sich selbst treu.«

»Keine weiteren Fragen.«

Dixon lacht. »Ist ja auch egal. Aber das Baby war süß, stimmt's, Becks?«

»Na ja«, sagt Becky. »Der Kopf sah komisch aus.«

»Das hat sich schnell gegeben. Der Geburtskanal war bei Andrea etwas eng.«

Becky macht ein Geräusch, als wäre ihr übel. »Können wir bitte nicht über Andreas Vagina sprechen, Dad?«

Becky und ich sitzen eingequetscht zwischen Dixons Reisetasche und einer großen mexikanischen Strohtasche voll mit Sachen, die Anna im September vergessen hatte einzupacken.

»Warum kann das nicht in den Kofferraum?«, frage ich.

»Weil der voll mit Holzkisten ist. Auf dem Rückweg halten wir nämlich zum Apfelpflücken«, sagt Mum. »Und dann machen wir Apfelmus«, fügt sie hinzu, als ich stöhne. »Denk dran, dass ich Pektin kaufe, Dix.«

»Cool«, sagt Dixon. »Apfelmus.« Er schaltet das Radio an und dreht den Knopf an mehreren knisternden Sendern vorbei.

»Guck bitte auf die Straße«, sagt Mum.

»Keine Einmischung vom Beifahrersitz.«

Der einzige Sender, den er klar reinbekommt, spielt *Time in a Bottle*.

»Nicht das«, sagt Mum. »Ich kann Jim Croce nicht ausstehen. Zu sentimental.«

»Sei mal ein bisschen nachsichtig, Wallace. Er ist von einem Pekannussbaum erschlagen worden.«

»Davon wird seine Musik nicht besser.«

Dixon grinst und dreht die Lautstärke voll auf. Meine Mutter steckt sich die Finger in die Ohren, aber sie lächelt. In Dixons Gegenwart ist sie immer entspannt.

Wir biegen in eine schmale Straße, gesäumt von einer Natursteinmauer und Ahornbäumen. Sie führt durch Weideland und an rot gestrichenen Scheunen vorbei und windet sich durch endlose Apfelplantagen, in denen die Äpfel schwer an den Bäumen hängen. Zu Annas Internat biegt man noch einmal ab und kommt dann zu zwei mächtigen Säulen mit einer diskreten Messingplakette, deren Aufschrift fleckig und unlesbar ist. Lamont Academy. Die lange Kiesauffahrt führt durch ausgedehnte Grasflächen mit Bäumen, deren Stämme so dick sind, dass drei Menschen nötig wären, sie zu umfangen.

Lamont ist größer, als ich es mir vorgestellt hatte, und Ehrfurcht gebietender. Die Gebäude mit den Schlafräumen und die Schulgebäude sind aus rotem, von Efeu überwachsenem Backstein; neben einer holzverkleideten und weiß gestrichenen Kapelle steht die Bibliothek mit Marmorsäulen am Eingang. Auf dem Parkplatz begrüßen die Schüler erfreut und glücklich ihre Eltern. Anna ist nirgendwo zu sehen. Schließlich finden wir sie auf den Stufen zu dem Flügel mit den Schlafräumen. Sie sitzt in der Sonne, hat ein Buch im Schoß und weint.

»Wie kann Phineas tot sein«, sagt sie, klappt das Buch zu und steht auf. »Ich hasse dieses Buch.«

»*Ein anderer Frieden* von John Knowles, das hat noch jeden Internatsschüler zum Weinen gebracht, das ist allseits bekannt«, sagt Dixon.

»Er war so schön«, sagt Anna. »Er war vollkommen.«

»Nur die Guten sterben jung«, bemerkt Dixon.

»Das ist völliger Blödsinn«, sagt Mum.

Anna und Mum bleiben auf Abstand, wie Schüler bei einem Schulball, wo jede wartet, dass die andere den Anfang macht. Seit Anna aufs Internat gekommen ist, hält sie sich von Mum fern. Mum hat versucht, sich Anna anzunähern, aber Anna geht darauf nicht ein, sie verbreitet eine Kühle um sich, die nie verschwindet, als könnte sie ihr früheres Leben im Rückspiegel sehen, während ihre Aufmerksamkeit ausschließlich auf die Straße vor ihr gerichtet ist.

Mum blinzelt zuerst, sie geht zu Anna und sagt: »Ich bin sehr glücklich, dich zu sehen.« Sie nimmt Anna in den Arm. »Du siehst wunderschön aus.«

»Ich hatte nicht damit gerechnet, dass ihr wirklich kommt«, sagt Anna.

»Das war doch besprochen«, sagt Mum leicht irritiert.

»Letztes Jahr seid ihr nicht gekommen.«

»Aber jetzt sind wir hier.« Dixon legt Anna den Arm um die Schultern. »Und was ist das heute für ein herrlicher Tag. Ich muss ein Klo finden, bevor ich mich nass mache, und dann zeigst du uns alles hier.«

»Mann, Dad!«, sagt Becky und verdreht die Augen.

»Lilys Eltern haben uns zum Lunch im Restaurant eingeladen«, sagt Anna.

»Ich dachte, wir bleiben unter uns – aber warum nicht, es klingt nett.« Mum lächelt, aber ich weiß, dass sie enttäuscht ist.

»Erst will ich Elle meinen Schlafraum zeigen«, sagt Anna. Sie nimmt mich bei der Hand, als wären wir immer schon beste Freundinnen gewesen.

Becky folgt uns, aber Dixon ruft sie zurück. »Hast du den Baum da drüben gesehen, Beck? Der ist bestimmt zweihundert Jahre alt. Komm, wir gucken ihn uns mal aus der Nähe an.«

Anna ist in einem Dreibettzimmer untergebracht, es ist ein großes Zimmer mit hohen Fenstern, einem abgetretenen Holzfußboden und drei Betten an den Wänden. Ein Avocadostein in einem Glas auf der Fensterbank treibt dünne weiße Wurzeln ins wolkige Wasser. Annas Bett ist nicht gemacht, ich erkenne ihren lila Überwurf aus indischer Baumwolle. An der Wand darüber hängen zwei Fotos. Eins zeigt Anna und ihre Zimmergenossinnen vor einem Pool. Auf dem anderen sind wir beide im Central Park zu sehen, wie wir auf einen Baum klettern. Auf dem Bild lachen wir.

Anna setzt sich im Schneidersitz auf ihr Bett. Sie klopft auf die Stelle neben sich. Die Matratze sackt ein, als ich mich setze.

»Ich will dir was erzählen«, sagt sie. »Aber du musst versprechen, es niemandem weiterzusagen.«

»Ist gut.«

»Ich meine es ernst«, sagt sie. »Sonst bringe ich dich um.« Sie beugt sich näher zu mir. »Seit dem Wochenende bin ich nicht mehr Jungfrau.« Sie klingt so stolz, als hätte sie eine große Tat vollbracht, und ich will eine angemessene Antwort geben und etwas sagen, das lässig klingt, erwachsen. Schließlich vertraut Anna mir etwas an. Aber ich kann nur an Staubgeruch denken, an kalten Schweiß, und Mutter betteln hören. Ich zupfe an einem losen Faden in Annas Bettüberwurf. Das Gewebe zieht sich wie ein Akkordeon zusammen.

»Ich wusste nicht, dass du einen Freund hast«, sage ich.

»Habe ich auch nicht. Er ist ein Freund von Lilys Bruder. Er ist neunzehn. Wir waren alle bei ihnen, am Columbus-Tag.«

»Und wie war es?«

»Nicht besonders. Aber das Wichtigste ist, dass ich nicht mehr Jungfrau bin.«

»Und wenn du schwanger geworden bist?«

»Bin ich nicht. Ich habe mir Lilys Diaphragma geliehen.«

»Das ist eklig.«

»Ich habe es natürlich erst gewaschen, du Dumme. Zwei Stunden lang, so kam es mir wenigstens vor.« Sie lacht.

»Trotzdem eklig«, sage ich.

»Egal. Besser, als schwanger zu werden.« Sie springt vom Bett und geht zum Fenster, sie nimmt die Avocadopflanze und hält das Glas gegen das Licht. »Ich sollte mal das Wasser auswechseln.«

»Ich warte lieber«, sage ich.

»Worauf?«

»Bis ich mich verliebe.«

Anna stellt das Glas wieder hin, sagt nichts und bleibt mit dem Rücken zu mir stehen. Das Fenster, das sie zwischen uns geöffnet hat, schließt sich wieder.

»Vielleicht warte ich auch nicht. Ich weiß auch nicht«, haspele ich. »Klingt wahrscheinlich blöd.«

»Nein. Es ist eine gute Idee«, sagt sie und dreht sich zu mir um.

»Findest du?«

»Für dich. Aber nicht für mich. Ich glaube nicht, dass ich mich überhaupt verlieben werde. Ich bin nicht der Typ.«

Als wir zurückfahren, ist es dunkel. Im Auto riecht es nach frischen Äpfeln. Becky und ich sitzen hinten und spielen Himmel und Hölle.

»Sag eine Zahl«, sagt sie und macht den Anfang.

»Drei.«

Sie öffnet und schließt das gefaltete Papier dreimal.

»Sag eine Farbe.«

»Blau.«

Sie macht das blaue Dreieck mit meinem Schicksal auf.

Sie hat geschrieben: »*Du machst es mit einem dicken, fetten Schwein.*« Ihre Handschrift ist die einer Achtjährigen.

»Du bist so eklig«, sage ich und lache. »Jetzt du.« Ich nehme

mein eigenes gefaltetes Papier und stecke die Finger in die dreieckigen Vertiefungen. Auf. Zu. Auf. Zu. Auf. Sie zeigt auf Rot.
Ich mache das Feld auf.

»Ein geheimnisvoller Fremder wird bald in dein Leben treten.«
Sie liest flüsternd, was ich geschrieben habe. *»Und er wird seinen Penis in dich hineinstecken.«*

»Das habe ich NICHT geschrieben. Du bist gestört«, sage
ich.

»Warte mal.« Becky lehnt sich über mich und zieht den
Reißverschluss an der Reisetasche ihres Vaters auf, leise, damit
er es nicht hört. Sie holt ein weißes Buch ohne Einband hervor.
»Und du denkst, *ich* bin eklig.«

Das Buch ist voll mit Zeichnungen. Ein Bild nach dem
anderen von zwei Menschen, die es miteinander treiben. Die
Frau sieht aus wie die Ehefrau in der *Bob Newhart Show*, nur
nackt. Der Mann hat langes Haar und einen Bart. Er trägt
ein offenes Hemd, sonst nichts. Sein Penis schwingt unter den
Hemdschößen. Es ist widerlich. Ich denke an Anna, die mit
dem College-Jungen Sex hatte. Der Gedanke, dass es jemand
war, den sie kaum kannte, macht mich traurig, und ich könnte
mir vorstellen, dass sie es insgeheim bedauert. Einmal geschehen, kann man es nie wieder rückgängig machen.

Becky blättert die Seite um, zu einem anderen Bild: Die
Frau lehnt an einer Wand, der Mann kniet vor ihr und hat sein
Gesicht in ihrem Schritt.

»Kotz«, flüstert Becky. »Kannst du dir was Ekligeres vorstellen? Wahrscheinlich schmeckt sie nach Pisse.«

»Igitt.« Wir lachen, bis es wehtut.

»Was ist so witzig?«, fragt Dixon vorn im Auto. »Ich möchte
gern mitlachen.«

Becky steckt das Buch wieder in die Tasche.

»Wir haben was gelesen«, sage ich.

»Elle, du weißt, dass dir schlecht wird, wenn du im Auto

144

liest«, sagt Mum. Sie macht das Handschuhfach auf und nimmt einen Beutel heraus. »Für alle Fälle.« Sie reicht ihn mir nach hinten. »Aber wenn dir wirklich schlecht wird, warte um Himmels willen, bis wir anhalten können. Bei dem Geruch von Erbrochenem kommt es mir selber hoch.«

16.10

Ich halte es mit schmerzenden Lungen aus, bis es nicht eine Sekunde länger geht. Ich reiße den Kopf aus dem Wasser und schnappe nach Luft. Dann spüre ich einen Biss, scharf und schnell, am Knöchel. Ich erschrecke bei dem Schmerz. Vor mir schnellt Jonas' Kopf aus dem Wasser. Er lacht, als er mein entsetztes Gesicht sieht.

»Bist du des Wahnsinns? Ich dachte, es wäre eine Schnapp-schildkröte.« Erbost schwimme ich von ihm weg, aber er packt meinen Badeanzug.

»Lass los.«

»Ich lass nicht los.«

»Du bist gemein.«

»Gar nicht.« Er zieht mich zu sich heran. »Das weißt du.«

»Ihr seid so spät gekommen.«

»Eure Kinder sind wie Fische. Sie wollten nicht aus dem Wasser.«

»Ich weiß.« Ich seufze. »Manchmal möchte ich ihre Boogie-Bretter durch den Schredder schicken. Woher Peter nur die Geduld nimmt.«

Wir bleiben wassertretend auf der Stelle, mit Abstand zwischen uns, aber zusammen.

»Gina hat was gemerkt«, sage ich. »Es gab einen komischen Moment, als ich zum Strand kam.« Am Ufer sehe ich Maddy und Finn Fangen spielen. Hinter ihnen hängt meine Mutter eine weiße Tischdecke auf die Leine. Ich höre das Schlagen einer Tür, Ginas Lachen. Jonas hört es auch. Ich wende mich von ihm ab, verlegen, weil alles so öffentlich ist.

»Es ist in Ordnung«, sagt er.

»Es ist nicht in Ordnung. Mit mir stimmt etwas nicht. Ich müsste voller Schuldgefühle sein. Aber vorhin, am Strand mit Gina, da habe ich mich ihr überlegen gefühlt. Als hätte ich gewonnen. Wegen des Herzens im Sand.«

»Das hast du auch.«

»Es ist schlimm, das zu sagen.«

»Das stimmt«, sagt er. Was ich an Jonas immer ganz besonders geliebt habe, ist seine Bereitschaft, die eigenen Übertretungen zuzugeben. Sich schulterzuckend damit abzufinden, wer er ist. »Ich liebe Gina. Aber dich habe ich im Blut. Das kann ich nicht selbst bestimmen.«

»Natürlich kannst du das.«

»Nein, ich kann nicht anders. Und das akzeptiere ich. Darin liegt ein Unterschied zwischen uns. Zu akzeptieren, dass es so ist.«

»Ich will nicht darüber sprechen.« Trotz der Geheimnisse, die meine Stiefschwester Rosemary mir enthüllt hat, als Peter und ich letzte Woche in Memphis waren, und abgesehen davon, wie sehr es möglicherweise meine Sicht auf die Vergangenheit beeinflusst hat, werden Jonas und ich immer das Sühneopfer sein müssen, die Bestrafung. »Ich werde Peter nicht verlassen.«

»Das ist schon alles? Es ist einfach vorbei?«, fragt Jonas. Er dreht sich weg von mir und sieht zu der wilden, unbewohnten Seite des Sees hinüber, sein Blick bleibt am Schilfrohr und den Binsen hängen, dem Ort, wo wir damals Freundschaft geschlossen haben: der kleine Junge, versteckt im Laub, rittlings auf einem niedrigen Ast, wo er geduldig und mucksmäuschenstill saß, und das hoch aufgeschossene, wütende Mädchen, das an dem Tag einfach nur sterben wollte. Der Baum ist noch da, aber jetzt strecken sich seine Äste hoch in den Himmel.

»Er ist groß geworden«, sagt Jonas. »So viele Jahre sind vergangen.«

»Der Lauf der Dinge.«

»So ist es«, sagt er. »Ich mag es, wie Bäume gleichzeitig nach oben und nach unten wachsen. Ich wünschte, wir könnten das auch.«

Ich will ihn einfach nur küssen. »Du solltest zurückschwimmen.«

»Ich habe Gina gesagt, ich würde von der anderen Seeseite nach Hause gehen und mich dort mit ihr treffen.«

»Nein, schwimm zu ihr zurück.«

Jonas sieht mich an, seine Miene ist undurchdringlich. »Also gut«, sagt er. »Vielleicht sehen wir uns gleich noch.«

»Vielleicht.« Ich mag das alles nicht: den Abstand, weil er von mir weggerückt ist, die Leere, so vertraut, die ich seit Jahren in mir trage und die sofort wieder da ist. Aber ich muss ihn gehen lassen, selbst wenn dies hier, wir zwei, das ist, was ich mir mein Leben lang gewünscht habe. Denn Jonas irrt: Es ist falsch, es ist zu spät. Ich liebe Peter, ich liebe meine Kinder. Das ist es, worum es geht.

Ich sehe ihm nach, sehe den größer werdenden Abstand zwischen uns. Und dann schwimme ich ihm hinterher, ziehe ihn mit mir unter die Wasseroberfläche, küsse ihn lange und intensiv, im undurchdringlichen Wasser, vor der wissenden Welt verborgen, und sage mir, es ist das letzte Mal.

»Willst du mich ertränken?«, fragt er, als wir nach Luft ringend aufgetaucht sind.

»Dann wäre es leichter.«

»Verdammt, Elle. Mein ganzes Leben habe ich auf den Moment gestern gewartet. Nimm es nicht zurück.«

»Ich muss. Ich werde es tun. Aber ich bin noch nicht ganz so weit.«

»Tu's nicht.«

147

Wir kraulen synchron durch den See, spritzen Wasser mit den Füßen hoch, lassen uns treiben, werfen uns auf den kleinen Sandstrand, sitzen nebeneinander in der warmen Luft.

12

1980. April, Briarcliff, New York.

Sonntag. Bisher war es ein regnerischer Frühling, aber der Tag heute ist wunderschön, sonnig und frisch, alles grünt und sprießt. Joanne hat meinen Vater gebeten, seine Kisten abzuholen, die immer noch auf dem Dachboden im Haus ihrer Eltern stehen. Wir fahren am Hudson entlang und haben alle Fenster geöffnet. Seit Joanne und mein Vater sich getrennt haben, verbringen er und ich mehr Zeit zusammen. Er hat sich mit Anna und mir große Mühe gegeben, aber ich bin überzeugt, wenn er noch mit Joanne zusammen wäre, würde er das nicht tun.

Dad hat ein Picknick eingepackt: Sandwiches mit Schinken und Tomate, Birnen, Pickles, eine Flasche Bier für ihn, Yoo-Hoo für mich. Er ist bester Laune.

»Ich war froh, Joanne endlich los zu sein«, sagt er, »aber dass ich Dwight und Nancy nicht mehr sehe, tut mir leid. Sie waren immer gut zu mir. Wenn wir eine schöne Stelle finden, halten wir an und picknicken. Ich möchte nicht zu früh bei ihnen ankommen.«

»Ich mochte das Haus sehr gern. Es roch da immer so gut.«

»Nancy freut sich darauf, dich zu sehen. Seit Frank zum College weggegangen ist, fühlt sie sich ein bisschen einsam.«

Ich bin froh, dass Frank nicht da sein wird. Bei dem Gedanken an die dicke Schlange und Franks feuchte Oberlippe wird mir jetzt noch schlecht. »Ich habe sie seit Ewigkeiten nicht gesehen. Dabei waren Anna und ich damals dauernd da.«

»Nicht *dauernd*«, sagt Dad. Er fährt auf den Parkplatz beim Bahnhof von Tarrytown. »Auf der anderen Seite der Gleise gibt es einen hübschen Picknickplatz.«

Ich steige aus, und in dem Moment überkommt mich ein Gefühl von Traurigkeit, verschwommen und trotzdem klar. Es ist Jahre her, aber dies ist der Bahnhof, an dem Anna und ich immer aus dem Zug der Harlem-Hudson-Linie ausgestiegen sind, wenn wir Dad und Joanne besuchten, bevor sie nach London zogen. Der Bahnhof, an dem wir mit der Zeit lernten, dass wir unseren Vater nur auf der kurzen Fahrt zum Haus der Burkes sehen würden.

Wir überqueren die Gleise und finden eine Bank mit Blick auf den Hudson. Es ist die Zeit, in der der Fluss seine Winterträgheit abschüttelt und beginnt, sich für den Frühling zu recken und zu strecken. Ich beobachte einen kräftigen Ast, der flussabwärts schwimmt und von der starken, gemächlich rollenden Strömung weitergeschoben wird. Mein Vater holt sein altes Schweizer Taschenmesser heraus, klappt es auf und macht sein Bier mit dem Flaschenöffner auf. Ich habe das Messer immer geliebt – seine versteckten Schätze: die winzige Schere, die Nagelfeile, die Puppensäge. Er klappt die große Klinge auf und schält in präzisen Spiralen die Schale von einer Birne.

»Warum haben wir aufgehört, die Burkes zu besuchen, Dad?«

»Weil ich meine Mädels bei mir haben wollte.«

»Und warum hast du uns die ganze Zeit davor immer da abgegeben?«

»Na ja«, sagt er. »Das lag an Joanne.« Er teilt die Birne in Stücke und hält mir mit der Klinge eine Scheibe hin. »Pass gut auf. Die Klinge ist schärfer, als sie aussieht. In der Tasche ist ein Stück Käse.«

Bei meinem Vater ist alles immer die Schuld von jemand anderem.

»Habe ich dir mal erzählt, woher ich diese Narbe habe?« Er hält seinen Daumen in die Höhe und beugt sich vor. Dramatische Pause. Mein Vater erzählt eine Geschichte nicht einfach, er führt sie vor. Holt aus. Plustert sich auf wie ein roter Vogel mit breiter Brust. Wartet, dass seine Zuhörer bequem sitzen. Wenn er eine Geschichte ein zweites Mal erzählt, tue ich so, als hätte ich sie noch nie gehört. Ich will ihn nicht kränken. Aber in diesem Moment möchte ich am liebsten eine Stecknadel in diesen aufgeblasenen Ballon stecken. *Ja. Die Geschichte hast du mir bestimmt zwanzigmal erzählt.*

»Pop hat mir das Messer zu meinem zehnten Geburtstag geschenkt. Er sagte, Messer seien etwas für Männer, nicht für Kinder, und ermahnte mich, es mit Respekt zu benutzen. Als ich es das erste Mal nahm, um den Verschluss einer Cola-Flasche mit dieser Klinge zu öffnen, habe ich mir ganz tief in den Daumen geschnitten. Die Wunde musste genäht werden, zwölf Stiche. Überall Blut. Als hätte ich eine Arterie getroffen. Pop nahm mir das Messer für ein Jahr weg. Er sagte, er hätte sich schwer in mir getäuscht. Ein Junge, der den Unterschied zwischen einem Flaschenöffner und einer Klinge nicht kenne, spiele sich nur als Mann auf. Die Lektion hat sich mir tief eingeprägt.« Hinter ihm fährt der Zug der Harlem-Hudson-Linie auf dem Weg nach Süden langsam in den Bahnhof ein. »Dein Großvater hat mir das Schnitzen beigebracht. Und das Schießen. Erinnerst du dich noch an die kleine Taube, die ich für dich geschnitzt habe?«

Ich schüttle den Kopf, obwohl sie auf dem Bord über meinem Bett steht, an ihrem angestammten Platz. Ich gebe meinem Vater den Käse und nehme mir ein Sandwich. Schinken, Avocado und Tomate auf weißem Brot. Ich klappe das Sandwich auf. Das Brot ist von Tomatensaft durchtränkt. Ich picke die Samen heraus und schnipse sie ins Gras. Auf dem Fluss kämpft ein Segelboot gegen die Strömung.

Um Punkt zwei Uhr fahren wir in die Einfahrt der Burkes.

»Wenn das nicht pünktlich ist«, sagt Dad und ist mit sich zufrieden.

Ein schokoladenbrauner Labrador liegt in einem Sonnenfleck auf der Veranda. Jetzt kommt er mit behäbigem Gang auf uns zu und reibt sich an Dads Bein, dann verharrt er, als hätte diese Bewegung ihn aller seiner Kräfte beraubt.

»Hallo, treue Seele«, sagt Dad und streichelt den Hund. »Erinnerst du dich an Cora?«, fragt er.

»Das Hundejunge?«

»Jetzt ist sie eine alte Dame. Hundejahre.« Er klopft an die Tür. »Hallo?«, ruft er. »Nancy? Dwight? Ist jemand da?« Aber da ist nur das Haus, stumm und still. »Nancys Auto ist da. Sie ist bestimmt hinten im Garten.« Wir gehen ins Haus.

Alles ist so, wie ich mich daran erinnere: die glänzende Messingzange und der Aschebehälter im gemauerten, weiß gestrichenen Kamin. Die Ohrensessel, so typisch in den Häusern weißer angelsächsischer Siedler, die fadenscheinigen Bezüge, der abgetretene persische Läufer. Auf dem niedrigen Beistelltisch eine Vase mit Pfingstrosen aus dem Garten. Ihre Blütenblätter sind auf die Bücher darunter gefallen.

»Hallo. Hallo?«, ruft Dad wieder. Ich gehe hinter ihm her in die Küche. Die Kaffeemaschine ist an und verbreitet einen schwachen Geruch nach altem oder verbranntem Kaffee. Mein Vater schaltet die Maschine aus und hält die Glaskanne unter den Wasserhahn. Ein Zischen und Dampfen, als das Wasser auf den ankokelten Boden trifft und braun wird.

»Im Garten ist sie nicht. Sie müssen rausgegangen sein. Ich fange schon mal mit den Kartons an. Du kannst dir ja euer altes Zimmer ansehen.«

»Sollten wir nicht lieber warten? Ich komme mir vor wie ein Eindringling.«

»Die Burkes gehören zur Familie, mit oder ohne Joanne.«

Die versteckte Tür zu unserem alten Zimmer steht offen. Auf dem Absatz der Holztreppe, wo Anna und ich gesessen und mit unseren Anziehpuppen gespielt haben, bleibe ich einen Moment stehen. Im Zimmer selbst hat sich nichts verändert. Auch die gesteppten Bettdecken sind dieselben. Ich sehe wieder Franks vor Schmerz verzerrtes Gesicht an dem Abend, als wir seinen Hamster erdrückt hinter Annas Bett fanden. Sein Weinen aus Liebe zu einem Tier, wie die grausamsten Menschen sie oft haben. Die Sonne scheint durch die von Fensterkreuzen geteilten Scheiben. Über dem abweisenden Felsen ist der Himmel von strahlendem Blau. Nancys Rhododendron steht in voller Blüte. Alles ist unverändert. Und doch umschwebt mich in unserem Zimmer ein Gefühl von Traurigkeit und Leere; es wirkt eindimensional, wie ein Bühnenbild für eine glückliche Kindheit, denn wenn man hinter die Wände guckt, ist der Raum dahinter leer. Plötzlich möchte ich bei meinem Vater sein.

Unten in der Speisekammer bleibe ich vor Franks altem Hamsterzimmer stehen. Ein Schild, mit verblassendem gelben Marker geschrieben, klebt noch an der Tür: »Eintritt auf eigene Gefahr.« Ich drehe den Türknauf und trete in das verbotene, fensterlose Zimmer. Meine Augen brauchen einen Moment, um sich an das Dämmerlicht zu gewöhnen. Jetzt ist es ein Vorratsraum, an den Wänden stapeln sich Kisten, Franks Hamsterkäfige sind verschwunden. In der hintersten Ecke, von einem schwachen bläulichen Neonlicht erhellt, steht ein Terrarium. Es ist fünfmal so groß wie das, an das ich mich erinnere. Als ich darauf zu gehe, bemerke ich darin eine Bewegung, geschmeidig, schlangenhaft. Ich gehe rückwärts aus dem Zimmer.

Nancy sitzt am Küchentisch und schneidet Äpfel. »Ja hallo, meine Liebe«, sagt sie erfreut. »Da bist du ja.«

Ich bleibe vom hellen Licht ihres freundlichen Lächelns gebannt stehen.

Sie legt einen Apfelgriebs hin und wischt sich die Hände an der Schürze ab. »Ist Waldo nicht groß geworden?«

»Wir haben geklopft«, sage ich. »Daddy hat gesagt, er würde schon mal anfangen, seine Sachen nach unten zu bringen.«

»Natürlich, mein Schatz. Ich hatte mich nur einen Moment lang hingelegt. Aus dir ist ja eine hübsche junge Frau geworden. Du bist bestimmt schon fünfzehn.«

»Dreizehn – im September werde ich vierzehn.«

»Nach der langen Fahrt habt ihr sicher Durst. Ich habe Eistee gemacht. Dwight müsste jeden Moment reinkommen. Er ist nur schnell zu Carter Ashe gefahren, seinem Freund, um ihm ein Buch zurückzugeben.« Sie geht zum Kühlschrank, macht ihn aber nicht auf, sondern schüttelt den Kopf, als wollte sie einen eindringenden Gedanken verscheuchen. »Er war zum Luncheon nicht hier«, sagt sie. »Ihr habt sicher Durst. Ich habe Eistee gemacht.«

Ich finde meinen Vater auf dem Dachboden, inmitten von Kisten und alten Fotos. Es ist heiß und stickig. Es riecht nach Vergangenheit.

»Guck dir die mal an.« Er gibt mir einen dicken braunen Umschlag. »Meine alten Kontaktabzüge und Negative. Ein paar schöne Bilder von deiner Mutter sind dabei.«

Ich nehme die Kontaktabzüge heraus und sehe sie mir an. Jede Menge Fotos von meiner Mutter: im Cocktailkleid mit Perlenkette, auf dem Sofa liegend, in die Kamera lächelnd. Anna in der Badewanne, von Seifenschaum bedeckt und mit einem Salatsieb auf dem Kopf. Mum und ich auf dem Spielplatz, Mum schubst mich auf der Schaukel an, einer meiner roten Schnallenschuhe ist abgefallen. Ganz unten in dem Stapel finde ich mehrere Fotos von uns vieren. Wir stehen auf den Stufen des Natural History Museum, Anna und ich haben die gleichen Sommerkleider an und tragen Schnallenschuhe. Dad trägt mich auf den Schultern. An all das erinnere ich mich nicht.

Unter einem Balken in der Dachschräge stehen drei offene Kisten, der Name meines Vaters ist mit schwarzem Marker daraufgeschrieben. Sie sind voller Schallplatten. Seine alten 78er in braunen Papierhüllen, die LPs in abgestoßenen Covern. Ich streiche mit dem Finger über die dünnen Rücken. Das Geräusch mag ich. Daran erinnere ich mich.

Mein Vater nimmt ein verblichenes Farbfoto von dem Stapel vor sich. »Guck mal hier.«

Es ist ein Foto von Dad und Mum. Sie sehen so jung aus. Sie sitzen auf einer Wiese, der Kopf meiner Mutter liegt im Schoß meines Vaters. Sie trägt Shorts im Matrosenstil und eine Spitzenbluse, die obersten drei Knöpfe stehen offen. Ihre Augen sind geschlossen. Er sieht auf sie hinunter. Er wirkt glücklich, so wie ich ihn nie gesehen habe. In der Ferne hinter ihnen ragt ein Vulkan in den blassen Himmel.

»Acatenango.« Er zeigt auf den Vulkan. »Deine Mutter und ich sind nach Guatemala geflogen, damit ich Nanette, deine Großmutter, und deinen Onkel Austin kennenlernen konnte. Es war eine einzige Katastrophe. Du hast sie nie gesehen, oder?«

»Ich weiß es nicht. Vielleicht. Als ich ein Baby war.«

Mein Vater nickt. »Natürlich. Damals warst du noch im Krankenhaus. Das war nach deiner Operation. Nanette ist zu Weihnachten gekommen. Mir hat sie einen folkloristischen Stickteppich mit Maria und Josef auf dem Esel geschenkt. Sie hat behauptet, er sei eine wertvolle Reliquie der Mayas.« Er lacht. »Wahrscheinlich liegt er ganz unten in einem der Kartons. Sie war eine Naturgewalt, diese Frau. Konnte mich nicht ausstehen. Sie hat gesagt, deine Mutter heirate unter ihrem Stand.« Er legt das Foto wieder auf den Stapel. »Damit hatte sie natürlich recht. Ich konnte an deine Mutter nicht heranreichen.« Er hält inne. »Deine Mutter und Leo scheinen sehr glücklich miteinander zu sein.«

»Kann sein.«

Er nimmt das Foto wieder in die Hand. »Ich war schrecklich verliebt in deine Mutter.«

»Was ist denn passiert? Ich meine, *du* hast doch *sie* verlassen, nicht umgekehrt.«

»Glaub mir, es war das Letzte, was ich wollte.«

»Warum habt ihr euch dann scheiden lassen?«

»Wahrscheinlich hat deine Mutter eingesehen, dass Nanette recht hatte mit dem, was sie über mich dachte.« Er lacht, aber ich merke, dass er es selbst auch ein bisschen glaubt.

»Das ist doch völlig idiotisch«, sage ich. »Und Nanette klingt wie eine echte Zicke.«

Dad lächelt. »Also, in dem Punkt, Miss Elle, liegst du ganz richtig.« Er steht auf und klopft sich den Staub von den Hosen. »Komm, wir packen den ganzen Krempel zusammen und ziehen einen Schlussstrich unter diesen Trip in die Vergangenheit.«

An der Tür umarmt Nancy uns zum Abschied. »Ich wünschte, ihr könntet bleiben«, sagt sie. »Bestimmt kommt Dwight gleich zurück. Er wollte nur ein Buch zurückbringen.« Sie steht auf der Veranda und winkt.

Ich sehe, wie sie kleiner wird. »Nancy kam mir so traurig vor. Einsam.«

»Dwight ist ein guter Mann und ein großer Dichter, aber er ringt mit seinen Dämonen. Eine Ehe ist nicht immer nur ein Segen«, sagt mein Vater.

Zwei Tage später ruft Joanne meinen Vater ganz aufgeregt an. Dwight Burkes Leiche ist aus dem Hudson geborgen worden. Er war seit Montagmorgen vermisst worden.

»Er ist zu seinem Freund Carter gefahren«, sagt Joanne zu meinem Vater. »Sie haben zu viele Bourbons getrunken. Du kennst ihn. Mutter wollte nicht, dass er nach Hause fährt, und hat ihn überredet, über Nacht zu bleiben. Carter hat erzählt, Daddy sei bei Sonnenaufgang zum Fluss runtergefahren. ›Er wollte seinen benebelten Kopf klären‹.«

»Für einen Kater gibt es kein besseres Mittel als schwimmen im kalten Wasser«, sagt mein Vater, als er mir erzählt, dass Dwight ertrunken ist. »Aber natürlich ist der Fluss ein mächtiges Tier.«

16.30

Es gibt keinen schöneren Anblick als Jonas, wenn er aus dem Wasser kommt. Das schwarze Haar, etwas zu lang, das tropfend im Nacken anliegt. Barfuß und in Shorts, mit seiner leuchtenden Haut und den wachen hellgrünen Augen. Er pflückt ein Blatt von einem Ast und entfernt sorgfältig die Mittelader, den von feinen Adern durchzogenen Rest legt er mir auf die Hand. Er zerdrückt die Mittelader und hält sie mir unter die Nase.

»Mhmm.« Ich atme den herben, minzähnlichen Geruch ein. »Sassafras.«

»Wusstest du, dass die Ureinwohner damit Akne behandelt haben?«

»Wie romantisch.« Ich lache.

»Gehen wir noch mal zum Meer runter?«

Die Sonne hat ihr goldenes Licht über das Meer gegossen. Ein Kormoran stürzt sich ins Wasser. Wellen ohne Schaumkronen rollen heran. Regenbogenpfeifer stelzen auf den Sandbänken herum und picken nach Meerasseln und Scheidenmuscheln. Es ist Spätnachmittag, ein paar Menschen sind noch am Strand. Wir setzen uns oben auf der Düne in eine Kuhle, der Strandhafer hinter uns gibt uns Schutz. Ich bin verliebt.

»Vorhin ist eine Robbe angeschwemmt worden«, sagt Jonas. »Finn und ich haben sie uns angesehen. Sie hatte eine riesige Wunde in der Fettschicht. Sah aus, als hätte ein Hai sie gebissen.«

»Warum sind die Leute am Strand immer so aufgeregt, wenn sie eine Robbe im Wasser entdecken? Robben sind überall, sie sind die Tauben des Meeres. Und sie haben diese widerwärtigen Knollenköpfe.«

»Robben sind ganz außergewöhnlich. Sie trinken Salzwasser und destillieren es zu frischem Wasser. Sie lösen das Salz im Meerwasser in ihrem Urin. In der fünften Klasse habe ich mal einen Aufsatz darüber geschrieben. Ich meine mich zu erinnern, dass ich vorgeschlagen habe, man solle erforschen, wie Robbenblasen zur Entsalzung von Meerwasser verwendet werden könnten.«

»Was für ein seltsames Kind du warst.«

Jonas lässt Sand durch seine Finger rieseln. »Was habt ihr gemacht, Peter und du, als ihr vom Strand weggefahren seid?«

»Weiß nicht mehr. Eigentlich nichts.«

»Als wir beim Haus ankamen, hat er sich bedankt, dass wir die Kinder eine Weile übernommen hätten. Es sei schön gewesen, dass ihr ein bisschen Zeit ›für euch‹ hattet.«

»Jonas.«

»Entschuldige.« Er sieht aus wie zehn. »Ich kann nichts dafür.«

»Kannst du wohl.«

Er legt einen scharfen Grashalm zwischen die Daumen, zieht ihn stramm und bläst darauf: ein tiefer Ton, wie ein Nebelhorn.

»Also gut«, sage ich. »Aber du hast gefragt. Wir haben die nassen Handtücher hinten ins Auto geworfen, sind an eine einsame Stelle im Wald gefahren und haben Sex miteinander gehabt. Es war gut. Es war schon eine Weile her.«

»Du lügst.«

»Er ist mein Mann, Jonas.«

»Lass das.« Er senkt den Blick, das Haar fällt ihm übers Gesicht. Ich kann seine Augen nicht sehen.

Ich seufze. »Wir sind zum Black Pool gefahren und eine Runde geschwommen, dann habe ich auf der Veranda gesessen, mich durch den Stapel alter *New Yorker* gearbeitet und auf dich gewartet. Warum hat es so lange gedauert? Ich bin fast wahnsinnig geworden.«

Jonas hebt den Blick und lächelt. »Ich bin so verdammt verliebt in dich.«

Draußen auf dem Meer, das wie eine Scheibe Glas daliegt, stößt ein dicker Robbenkopf an die Oberfläche. Ich sehe zu, wie er immer wieder auftaucht und verschwindet, während er an der Küste entlangschwimmt.

»Und ich bin in dich verliebt«, sage ich. »Aber ich bin mir nicht sicher, ob es von Bedeutung ist.«

1980. Oktober, New York.

Die Probe hat etwas länger gedauert. Wir üben für das Winterkonzert der Mittelschule. Ich spiele die zweite Querflöte.

»Stellt die Notenständer weg«, ruft Miss Moody, unsere Musiklehrerin, als wir zum Ausgang gehen. »Morgen in der ersten

Stunde probt hier der Chor.« Sie kommt zu mir, während ich die Teile meiner Querflöte einpacke. »Ich möchte, dass du am Wochenende den ersten Satz übst, Eleanor. Und denk an die Übungen, die ich dir in der letzten Stunde gegeben habe. Du musst an deiner Embouchure arbeiten, damit du das hohe C richtig triffst. Nicht dass es zu hoch rauskommt.«

Ich mag Miss Moody, aber manchmal ärgert sie mich. Ich ziehe meine Daunenjacke an und stecke den Flötenkasten in meine Schultasche.

Es ist erst halb fünf, aber schon jetzt könnte man denken, dass es Nacht wird. Ich hasse die Umstellung zur Winterzeit. Als ich die Madison Avenue entlanggehe, fährt mir der kalte Wind durch die Kleidung. An der Ecke 88. Straße gehe ich in das Schreibwarengeschäft und kaufe mir einen Schokoriegel. Als ich rauskomme, steht ein Junge an der Mauer. Er ist groß, sein Gesicht ist rot von Akne, er trägt eine Basketballjacke von St. Christopher, der katholischen Highschool in unserer Nachbarschaft.

»He.« Er lächelt, ich lächle zurück. »Tolle Titten«, sagt er, als ich an ihm vorbeigehe.

»Ich hab eine Jacke an, Blödmann.« Ich ziehe die Schultern hoch und gehe so schnell wie möglich auf der dunkler werdenden Straße weiter. Am liebsten würde ich rennen, aber ich weiß, ich darf mir meine Angst nicht anmerken lassen. An der Ampel bleibe ich stehen, hinter mir höre ich Schritte. Es ist derselbe Junge, sein Lächeln ist schief, unheimlich. Ich gucke, ob ein Erwachsener da ist, an dessen Seite ich gehen könnte, aber da ist niemand. Der Junge greift in seine Tasche, er hat ein Taschenmesser.

»Hier, miez, miez«, zischelt er.

Aus beiden Richtungen kommen Autos, trotzdem scheint es mir am sichersten, in den Verkehr zu treten. Ein Taxi macht einen Bogen um mich, der Fahrer dreht das Fenster runter und schreit mich an. Aber ich gehe weiter, renne so schnell, dass die kalte Luft in meinen Lungen brennt. Unten am Hügel biege ich scharf nach rechts und betrete einen Wohnblock, wo es im Foyer einen Portier gibt.

»Kann ich Ihnen helfen, Miss?«

Ich bin ganz außer Atem. »Jemand ist hinter mir her«, keuche ich.

Der Portier geht auf die Straße und guckt in beide Richtungen. »Ich sehe niemanden«, sagt er.

Ich setze mich auf die Bank vor der Heizung.

»Soll ich jemanden für Sie anrufen?«

»Nein, danke«, sage ich. Mum ist mit Leo im Village Gate beim Soundcheck, und Conrad hat mittwochs immer Sport. »Ich wohne gleich hier um die Ecke.«

Der Portier sieht noch einmal prüfend auf die Straße hinaus und hält dann die Daumen in die Höhe. »Alles frei, Miss.«

Ich gehe zu ihm hinaus und blicke die Straße hinunter zur Park Avenue. An der Ecke ist eine Kirche, in der Licht brennt.

»Ich komme schon klar.«

Aber in dem Moment, da sich die schwere Tür hinter mir schließt, wünsche ich mir, ich wäre noch im Foyer geblieben. Ich gehe die Straße entlang, gucke in alle Eingänge und halte mich nah an der Bordsteinkante. Auf dem Mittelstreifen der Park Avenue sind die Weihnachtsbäume schon aufgestellt, ihre Lichterketten erleuchten einen Pfad bis zur Grand Central Station. Im Frühling blühen hier die Tulpen, jedes Jahr zur gleichen Zeit wie die Kirschblüte. Auf unserem Abschnitt sind die Tulpen knallrot. Wenn die Blütenblätter abgefallen sind, bleiben Reihen von bloßen Stielen, deren schwarze Staubfäden wie Wimpern aussehen.

Als ich in die Park Avenue einbiege, wartet er im Schatten auf mich, den Rücken an die Kirchenmauer gedrückt. Er streckt die Hand aus und packt meinen Arm.

»Hier, miez, miez.« Er klappt das Taschenmesser auf. In der Schule haben wir Aufklärungsfilme gesehen, kurze Schwarz-Weiß-Filme, die uns vor Röteln warnen, vor bleihaltiger Farbe und den Gefahren von Heroin und die uns den Wert von Selbstverteidigung zeigen. Und da fällt mir ein, dass wir gelernt haben, wir sollten uns unserem Angreifer stellen.

»Ich mag katholische Jungen nicht«, sage ich. »Ihre Haut ist schweinchenrosa. Sie sind widerlich.« Ich sehe ihm direkt in seine gemeinen, eng stehenden Augen und das Gesicht mit der Akne. Ich trete mit dem Schuhabsatz so fest ich kann auf seinen Fuß. Dann renne ich los, keuchend und voller Angst, schneller als ich je in meinem Leben gerannt bin, bis ich zu Hause ankomme.

17 Uhr

»Ich muss gehen.« Ich stehe auf und klopfe mir den Sand ab.

»Ich möchte dir noch etwas zeigen.«

»Ich habe Finn gesagt, wir fahren noch ein bisschen Kanu.«

»Zehn Minuten.«

»Wenn's sein muss.«

Ich gehe oben auf der Düne hinter ihm her, bis wir zum Waldrand kommen. Er nimmt meine Hand, und wir gehen in den Wald hinein. Vor einem Dickicht bleibt er stehen. »Hier.«

Ich sehe nichts außer grünem Gestrüpp.

»Hinter dem Dickicht.«

Ich gehe in die Hocke und werfe einen Blick durch das Astgewirr. Und da, versteckt vom Gebüsch, steht das alte, verlassene Haus. Das Haus, das Jonas und ich gefunden haben, als wir Kinder waren. Jetzt sind nur noch die Grundmauern und zwei Steinmauern übrig, alles andere ist von Geißblatt und Heckenrosen zerstört worden. Blau blühende Ranken klettern an den bröckligen Mauern hoch und ersticken sie in Schönheit.

»Wie hast du das gefunden?«

Er legt sich neben mich auf den Bauch. Zeigt auf ein Loch, wo einmal eine Tür war. »Weißt du noch, die Küche? Und das Zimmer in der Mitte sollte unser Schlafzimmer sein, nach unserer Hochzeit.«

»Natürlich erinnere ich mich. Du hast mir einen Kombiboiler versprochen. Irgendwie fühle ich mich betrogen.«

Er rollt auf mich, zieht mit den Zähnen die Bänder an meinem Bikinioberteil auf, dass es abfällt, und leckt meine Brust wie ein großer Hund.

»Hör auf damit.« Ich lache und schiebe ihn runter, aber ich spüre, wie meine Vulva anschwillt.

»Entschuldige. Ich muss es tun.« Er sieht mir mit intensivem Blick in die Augen und spreizt meine Beine weit auseinander. Er dringt in mich ein, ohne den Blick von mir zu lösen. Bei seinem Orgasmus spüre ich, wie es stoßweise aus ihm herausströmt und mich füllt.

»Beweg dich nicht«, flüstere ich. »Bleib in mir drin.« Ohne sich zu bewegen, greift er nach unten und berührt mich wie mit zartem Atemhauch, und dann schluchze ich und stöhne in ewigem Schmerz.

Wir bleiben liegen, verschlungen, zwei Körper, eine Seele.

Ich umklammere ihn mit meinen Beinen, halte ihn fest, zwinge ihn tiefer in mich hinein. Nahrung und Wasser. Lust und Trauer. »Du hättest mich nicht verlassen sollen«, sage ich. »Das hier ist eine Katastrophe.«

»Du hast gesagt, du wolltest Peter.«

»Nicht damals. Nach dem Sommer. Du bist nicht zurückgekommen.«

»Ich bin deinetwegen gegangen. Damit du dein Leben neu beginnen konntest.«

»Das ging aber nicht. Ich hatte niemanden außer dir, mit dem ich sprechen konnte, ich konnte mich von den Gedanken nicht befreien. Es hat auch nichts genützt, dass ich in ein anderes Land gegangen bin.«

Er wendet den Blick ab. Zwischen uns gibt es diese Traurigkeit. Ein Wind ist aufgekommen und fährt durch die Wipfel über uns. Eine Esche wankt im Wind und regnet winzige grüne Zapfen herab. Jonas pflückt einen aus meinem Haar. »Hast du Peter das von Conrad erzählt?«

»Natürlich nicht. Wir haben einen Bluteid geschworen. Du hast mir praktisch die Fingerspitze abgeschnitten.«

»Ich meinte nur.« Er zögert. »Du bist jetzt lange verheiratet. Ich würde es verstehen.«

»Ich wünschte, Peter wüsste es. Ich finde es entsetzlich, dass es zwischen ihm und mir diese Lüge gibt. Es ist ihm gegenüber nicht fair. Aber er weiß es nicht. Und er wird es auch nie erfahren.«

Ich lausche der Stille des Waldes, nehme das Verrinnen des Tages wahr. Weiches Licht streicht über den Waldboden und verwandelt Kiefernnadeln in Kupfersplitter. Was ich gesagt habe, macht mein Reuegefühl wieder lebendig. Ich befreie mich von Jonas, setze mich und binde mir das Bikinioberteil um. Eine Zecke krabbelt an einem Grashalm hoch. Sie sieht aus wie ein winziger Melonenkern. Ich lege sie mir auf den Daumennagel, zerquetsche sie und sehe, wie sie die Beine ausstreckt und stirbt. Ich bohre ein kleines Loch in den Boden, lege die Zecke hinein, klopfe die Erde darauf fest. »Wie auch immer«, sage ich.

Jonas richtet sich auf und legt seine Arme um mich. »Es tut mir leid.«

»Ich muss gehen. Sonst macht Peter sich Sorgen.«

Er hält mein Haar mit der Faust fest. »Nein.« Ich höre meinen eigenen Schmerz in seiner Stimme. Dann küsst er mich.

Grob, ungestüm. Ich will ihm nicht nachgeben, aber ich erwidere seinen Kuss mit einer Liebe, die sich wie Ertrinken anfühlt. Der atemlose Drang zu atmen. Mondlicht und Süßes und Haie und Tod und Mitleid und Erbrochenes und Hoffnung – alles zusammen. Es ist zu viel. Ich muss nach Hause zu meinen Kindern. Zu Peter. Ich löse mich von ihm und stehe auf, ich bin verzweifelt.

»Elle, warte.«

»Conrad hat alles kaputt gemacht.«

Buch zwei

Jonas

13

1981. Juni, Back Woods.

In unserem See leben Schnappschildkröten, riesige, prähistorische Wesen, die sich im kühlen Schlamm des Seegrunds verstecken. Am Spätnachmittag buddeln sie sich aus und paddeln an die glasklare dunkle Oberfläche, wo Ruderwanzen hin und her spurten wie wendige Katamarane. Von der Veranda aus kann man die Schildkröten aufsteigen sehen, erst den hässlichen schwarzen Kopf, wie eine Faust, dann die Oberseite des Panzers. An dem Abstand zwischen diesen beiden Wölbungen erkennt man, ob es die Großvaterschildkröte ist oder einer ihrer kleineren Nachkommen. Die wenigsten Menschen haben sie je gesehen. Die Leute in Back Woods sagen, sie sei eine Legende oder schon lange tot, außerdem seien Schnappschildkröten harmlos. In den letzten hundert Jahren sei niemand von einer Schnappschildkröte gebissen worden. Aber ich habe sie gesehen, ich weiß, dass es die Großvaterschildkröte gibt und dass sie sich von Ochsenfröschen und jungen Vögeln ernährt und nach den orangefarbenen Schwimmfüßen junger Enten Ausschau hält, die einen knackigen Leckerbissen versprechen.

Als ich Jonas das erste Mal begegnete, an dem Tag bei der Quelle, war er ein kleiner Junge mit wirrem Haar, der einem Vogel nachgespürt und sich verlaufen hatte. Ich war erst elf, aber als ich ihn an die Hand nahm und zurück auf den Weg führte, fühlte ich mich alt genug, um seine Mutter zu sein. Nie hätte ich mir vorstellen können, dass dieses fremdartige Kind vier Jahre später, bei unserer zweiten Begegnung, mein Leben für immer verändern würde.

An dem Tag damals wachte ich angsterfüllt und mit einem beklommenen Gefühl von Heimweh in der Brust auf. Meine Träume hatten mir Angst gemacht. Ein Mann wollte, dass ich eine Backkartoffel aß. Er sagte, er würde mich umbringen. Ich bat darum, meine Mutter noch einmal sehen zu dürfen. Es waren auch Banjospieler da. Ich klopfte an das Glas, aber niemand konnte mich hören.

Anna schlief noch. Ihr Tagebuch mit der Spiralbindung lag aufgeschlagen auf dem Fußboden. Ich war versucht, darin zu lesen, aber ich kannte schon alles, was sie geschrieben hatte. Ich zog mein eigenes Tagebuch unter der Matratze hervor. Es hatte einen Einband aus grüner Seide und ein winziges Schloss mit Schlüssel. Mum hatte es mir nach unserem traditionellen Neujahrs-Dim-Sum-Essen in Chinatown gekauft. Anna hatte sich ein rotes T-Shirt mit vermutlich chinesischen Schriftzeichen ausgesucht, aber wenn man es von der Seite ansah, konnte man »Go Fuck Yourself!« lesen. Mum hatte sich einen fliederfarbenen Morgenmantel gekauft. Schon auf dem Weg nach Hause ging mir der Schlüssel meines Tagebuchs verloren. Ich fummelte das Schloss mit einer Sicherheitsnadel auf und machte es dabei kaputt. Eigentlich war das nicht weiter schlimm, denn im Grunde schrieb ich nur lauter Listen, die mir helfen sollten, ein besserer Mensch zu werden. Zum Beispiel: »Jeden Tag eine Stunde Flöte üben«, oder »*Middlemarch* lesen«.

In der Nacht hatte es geregnet, und jetzt war die Luft voller Feuchtigkeit. In der warmen Morgensonne stieg von den Kiefernnadeln um das Sommerquartier herum Dampf auf. Schon jetzt roch es in unserer Hütte schimmelig. Ich musste pinkeln.

Ich machte leise die Tür hinter mir zu und ging zur Toilette. Auf dem Weg stieß ich mit bloßen Füßen die von Kaninchen angeknabberten Kiefernzapfen zur Seite. Die Handtücher, die wir zum Trocknen aufgehängt hatten, waren nass und schwer und voller schwarzer Schnipsel, die von den Bäumen heruntergerieselt waren.

Als ich mich auf die Toilette setzte, entdeckte ich an meinem Schienbein eine Blutspur. Ich wischte sie mit Toilettenpapier weg und griff nach einem Pflaster. Ich stellte einen Fuß auf den Toilettensitz, und als ich das knifflige Pflasterpäckchen aufreißen wollte, bemerkte ich Blutstropfen auf dem Fußboden. Ich hob den Saum meines Nachthemds und sah, dass es hinten voller Blut war. Endlich! Ich hatte so lange auf diesen Moment gewartet, jeden Tag hatte ich in meinem Slip nachgeguckt, ob es so weit war, ob ich endlich meine Freundinnen eingeholt hatte.

Ich sah im Wäscheschrank nach und fand Annas Karton mit den Tampons. Dann setzte ich mich auf den Toilettensitz. Ich wusste, wie es geht, denn ich hatte schon manchmal ein Tampon von ihr gestohlen und geübt, wie man es einführt. Becky fand das blöd, aber ich hatte Angst, wenn ich es falsch machte, würde ich das Jungfernhäutchen verletzen. Ich hatte die Anweisungen auf der Packung und die Zeichnungen vom Vaginalkanal und der korrekten Hockstellung genau studiert.

Ich zog gerade die Schutzhülle ab, als es an der Tür klopfte.

»Nicht reinkommen!«, rief ich. »Ich bin hier drin.«

»Beeil dich, ich muss pissen.« Das war Conrad.

»Pinkel ins Gebüsch. Du bist doch kein Mädchen.«

»Und du bist eine Zicke.«

Ich hörte ihn im Gebüsch rascheln. Manchmal konnte man Conrad aushalten. Manchmal tat er mir sogar leid. Aber er war kriecherisch und verklemmt, so einer, der sich dauernd die Hände wusch. Seit Kurzem schlich er mir und Anna nach, wenn wir zum Strand gingen, immer knapp außer Sichtweite. Und manchmal, wenn wir im Sand lagen, sahen wir ihn oben auf der Düne, wo er uns beobachtete und hoffte, einen Blick auf unsere Brüste zu kriegen.

Ich überzeugte mich, dass die Tür abgeschlossen war. Dann zog ich mir den Slip aus und setzte mich, das Nachthemd bis zur Taille hochgezogen, wieder auf den Toilettensitz und spreizte die Beine. Ich wollte gerade das Plastikröhrchen zum Einführen ansetzen, als ich ein Geräusch hörte. Conrads Gesicht war an das Oberlicht gepresst, seine groß aufgerissenen Augen starrten auf meine gespreizten Beine. Ich ließ das Röhrchen fallen, und es rollte über den Fußboden.

»Hau ab, du Perversling!«, schrie ich. Ich zitterte am ganzen Körper vor Wut und Scham. Ich hörte Conrads hässliches Lachen, als er davonrannte. Morgen würden alle seine perversen Freunde davon wissen. Ich saß weinend auf der Toilette, Blut tropfte in die Schüssel, und wartete, dass ich sterben würde. Als ich hörte, wie seine Hüttentür ins Schloss fiel, rannte ich zu unserer Hütte, stopfte mein blutiges Nachthemd unters Bett, zog mir einen Badeanzug an und rannte runter zum See. Mein einziger Gedanke war, mich möglichst weit von Conrad zu entfernen. Ich würde ihm nie wieder unter die Augen treten können, das stand fest. An einem Baum lehnten mehrere Paddel. Ich nahm eins, schob mit großer Anstrengung unser Fiberglaskanu vom grasigen Ufer ins Wasser und legte mich, als es sich vom Ufer entfernte, auf den Bootsboden. Ich verschränkte die Arme vor der Brust und schaute in den Morgenhimmel. *So muss es sein, wenn man ein toter Wikinger ist*, dachte ich, während das Boot ohne Steuermann über den See glitt.

Als ich ein gutes Stück vom Ufer entfernt war, richtete ich mich auf und paddelte so schnell ich konnte. In der Mitte des Sees beschloss ich, dass es das Einfachste wäre, mich zu ertränken. Ich brauchte etwas Schweres, damit ich sinken würde. Ich konnte gut schwimmen und wusste, dass ich am Ende versuchen würde, wieder an die Oberfläche zu kommen. Wenn ich einen schweren Stein finden konnte, würde ich ihn an der Fangleine befestigen, die ich mir um das Fußgelenk binden würde, dann würde ich springen. Vielleicht würde Conrad nie gestehen, was er getan hatte, aber er würde für den Rest seines miesen kleinen perversen Lebens wissen, dass er für meinen Tod verantwortlich war.

Ich paddelte auf die morastige, unbewohnte Seite des Sees zu, wo das Röhricht wie eine kleine Armee stand und das Paddel sich in den dünnen Seerosenstielen verfangen konnte. Hier war das Ufer mit Überbleibseln aus der Eiszeit übersät, mit Felsbrocken und Kieselsteinen, die von dem langsam rutschenden Gletschereis vorwärtsgeschoben worden waren.

Als ich ins Flache kam, stieß ich das Paddel fest ins Wasser und nahm Schwung, dann riss ich es hoch, und das Boot glitt still durch das Dickicht der Seerosenstiele und schabte über den sandigen Grund. Ich war im Begriff, aus dem Kanu zu springen und es ans Ufer zu ziehen, als ich eine leise Stimme hörte: »Beweg dich nicht. Bleib im Boot sitzen.«

Ich sah überrascht auf. Er saß vollkommen still und so gut wie unsichtbar auf dem niedrigsten Ast einer Pechkiefer über meinem Kopf. Er war ohne Hemd gut getarnt, trug nur grüne verschossene Shorts, und seine langen Beine baumelten herab. Er war dünner als in meiner Erinnerung. Auch größer natürlich. Inzwischen musste er zwölf sein. Sein dichtes schwarzes Haar hing ihm wirr bis zu den Schultern. Seine Augen hatten denselben intensiven Blick, älter als seine Jahre, der mich damals an dem Tag, als ich ihn im Wald fand, so stark fasziniert hatte.

»Gib mir das Paddel«, flüsterte er.

»Warum flüsterst du?«, flüsterte ich zurück.

Er zeigte auf das Schilfrohr unter meinem Boot.

Ich beugte mich über den Bootsrand, um zu sehen, was da war, aber aus meinem Blickwinkel konnte ich nichts erkennen.

»Das Paddel«, flüsterte er wieder.

Ohne dass das Boot ins Schaukeln geriet, stand ich auf und reichte es ihm in den Baum hinein. Jonas nahm etwas aus einer Plastiktüte, das wie Gehacktes aussah, und verteilte es über das Blatt.

»Jetzt pass auf.« Er ließ das Paddel unmittelbar vor mir herab.

Das Geräusch, das dann kam, werde ich nie vergessen, das jähe, heftige Krachen und Bersten von Holz. Jonas lehnte sich auf dem Ast nach hinten und hielt das Paddel mit aller Kraft fest. Und dann sah ich das Ungeheuer, wie es aus dem trüben Wasser auftauchte, das Paddelblatt fest im Maul. Es war der Schildkrötengroßvater, ein hässliches Geschöpf von der Breite eines Ruderboots. Prähistorisch. Mit einem Hühnerkopf. Und wütend. Jonas sprang vom Baum und zog entschlossen, die Zähne zusammengebissen, an dem Paddel.

»Hilf mir.«

Ich sprang aus dem Boot, schlug einen großen Bogen um die Schildkröte und half Jonas, sie mit dem Paddel an Land zu ziehen.

»Ich brauche deine Fangleine«, sagte Jonas. »Lass nicht los.« Er rannte zum Kanu und löste das dicke Seil, das im Bug befestigt war.

»Beeil dich«, sagte ich. Die Schildkröte fraß langsam das Ruder auf und kam immer näher.

Jonas machte eine Schlaufe in das Seil, schlich sich von hinten an die Schildkröte heran und warf ihr das Seil um den dicken Schwanz.

»Ich hab sie«, sagte er.

»Und jetzt?«

»Jetzt müssen wir sie ins Boot hieven.«

Die Schildkröte zappelte und wehrte sich zischend gegen ihre Fesselung. Ihr langer Hals ruckte hin und her und schnappte hilflos nach dem Seil, während ihre scharfen Sägezähne fest ins Paddel bissen. Wut lag in ihrem Blick, Erniedrigung, weil wir sie gefangen und ihrer Würde beraubt hatten, und währenddessen fraß sie sich weiter das Paddel hinauf. Sie hatte es auf mich abgesehen, wollte ihr Pfund Fleisch, und ich verstand genau, was sie empfand.

»Lass sie frei«, sagte ich.

»Auf keinen Fall.« Jonas zog noch fester an dem Seil.

»Es ist nicht richtig«, sagte ich. »Und sie wird mich fressen.«

»Seit zwei Jahren versuche ich, sie zu fangen. Meine Brüder sagen, es gibt sie nicht.«

»Jetzt hast du sie gefangen.«

»Ja, aber das würden sie mir nicht glauben.«

»Dann sind sie blöd.«

»Sie finden, dass ich blöd bin.«

»Wir können das jetzt nicht diskutieren«, sagte ich, weil die Schildkröte immer näher kam. »Aber wenn du vorhast hast, eine hundert Pfund schwere aufgebrachte Killer-Schildkröte in ein wackliges Boot zu hieven, haben deine Brüder vielleicht recht.«

Jonas stand mit dem Seil in der Hand da und wägte ab: das riesige Tier, das an der Fessel zerrte, mein verängstigtes Gesicht, das Fiberglaskanu. Mit einem tiefen Seufzer band er seine Trophäe los. Ich warf das Paddel fort und lief ein paar Schritte zurück.

Die Schildkröte kam weiter auf mich zu. Aber als ihr klar wurde, dass sie ihre Freiheit wiederhatte, ließ sie das Paddel fallen, warf uns einen letzten misstrauischen Blick zu und drehte den schwerfälligen Körper um, hin zum tiefen Wasser, wo sie in Sicherheit sein würde. Wir sahen zu, wie sie mit arthritisch wirkenden Bewegungen aus dem Flachen paddelte, und als sie das tiefe Wasser erreicht hatte, schwamm sie, so schnell es ging, davon.

Von dem Paddel war nur ein zerrupfter Stiel übrig. Wir befestigten die Fangleine wieder im Bug und zogen das Kanu um den See herum zu unserem Sommerquartier. Unterwegs nahm Jonas, so wie damals, vor Jahren, als ich ihn aus dem Wald führte, meine Hand.

Conrad war am Ufer und sah uns kommen, ein hässliches Grinsen auf dem teigigen Gesicht. Sein Gekicher vom Morgen hallte noch in mir nach, aber meine Verstörtheit und Scham waren einer eiskalten Wut gewichen.

»Wer ist das?«, fragte Jonas.

»Mein widerlicher Stiefbruder. Ich hasse ihn.«

»Hass ist ein starkes Gefühl«, sagte Jonas.

»Stimmt. Und ich hasse ihn sogar sehr.« Dann sagte ich: »Er ist ein Perversling. Als ich heute Morgen auf dem Klo war, hat er mir nachspioniert. Eines Tages bringe ich ihn um.«

»Meine Mutter sagt, es ist besser, seine Überlegenheit zu wahren.«

»Bei Conrad geht das nicht, er zieht einen zu seinem Niveau runter.«

»Was ist mit dem Paddel passiert?«, fragte Conrad, als wir näher kamen.

Ich ging wortlos an ihm vorbei.

»Es ist von einer Schnappschildkröte attackiert worden«, sagte Jonas.

»Wie aufregend«, sagte Conrad gehässig, worauf ich ihm am liebsten den Paddelstiel an den Kopf geworfen hätte, aber ich ging einfach weiter.

»Das war es auch«, sagte Jonas. Zusammen zogen wir das Kanu auf trockenen Boden und drehten es auf die Seite, für den Fall, dass es regnen würde.

»Ich hatte auch einen aufregenden Morgen«, sagte Conrad.

Ich spannte die Kiefer an. Keinesfalls würde ich mich von ihm provozieren lassen.

»Ich sehe die Bilder immer wieder vor mir«, sagte Conrad.
»Wer ist eigentlich dein kleiner Freund hier?«

»Jonas, das ist mein Stiefbruder Conrad. Er lebt bei uns, weil seine Mutter noch überlegt, ob sie ihn zurückhaben will oder nicht. Ich habe das schreckliche Gefühl, dass wir ihn nie wieder loswerden.«

»Das hättest du wohl gerne«, sagte Conrad. Und obwohl ich auf sein Niveau gesunken war, empfand ich den Ausdruck von aufrichtiger Verletztheit in seinem Gesicht nach meiner Tampon-Erniedrigung am Morgen als Genugtuung.

»Komm«, sagte ich zu Jonas. »Wir erzählen deinen Brüdern, was wir erlebt haben.«

In jenem Sommer wurde Jonas mein Schatten. Ich wusste, wenn ich über den See schwamm oder mit dem Kanu zum Meer hinüberpaddelte, würde er irgendwann auftauchen. Ging ich aber durch den Wald zum Strand, traf ich ihn auf einem umgestürzten Baumstamm sitzend, wo er einen abgebrochenen Zweig, einen schwarzen Käfer, oder was auch immer, in ein kleines Skizzenheft zeichnete, das er stets bei sich trug. Fast schien es, als hätte er einen inneren Kompass, ein magnetisches Feld, mit dem er die Himmelsrichtungen bestimmen konnte. Oder vielleicht erkannte er, ähnlich wie eine Brieftaube, meinen Geruch im Wind.

Manchmal zeigte er mir Kojotenkot oder eine Spur, die in die Bärentrauben führte, wo im weichen Boden noch die Hufabdrücke von Rehen zu sehen waren. Meistens verbrachten wir die Tage am Strand, lagen auf dem heißen Sand oder forderten uns gegenseitig heraus, bei Flut in dem eisigen Wasser ein bisschen zu weit rauszuschwimmen, auf den Wellen zu reiten und uns nicht von der Unterströmung wegziehen zu lassen. Oft redeten wir nicht dabei. Aber wenn wir redeten, dann über alles.

Mir war klar, dass unsere Freundschaft keinen Sinn ergab.

Ich war keine Einzelgängerin und auch nicht einsam. Becky war ganz in der Nähe, und ich hatte Anna. Aber in dem Sommer, in dem so vieles aufhörte und ich immer mehr das Gefühl hatte, gejagt zu werden, gab Jonas mir ein Gefühl von Geborgenheit.

Wir waren ein ungleiches Paar. Ich war groß, hellhäutig, lief in Scholl-Sandalen umher, trug einen Bikini und versteckte meine mir unbehaglichen Brüste und neuen Kurven in Hemden mit ausgefransten Kragen, die ich von meinem Vater geerbt hatte. Jonas war gut dreißig Zentimeter kleiner, braun wie eine Nuss, immer barfuß, immer in denselben ausgebleichten grünen Shorts und einem Allman-Brothers-T-Shirt. Als ich erwähnte, dass seine Klamotten vor Schmutz starrten und mal gewaschen werden könnten, zuckte er die Achseln und sagte, vom Schwimmen im Meer und in den Seen würden die Sachen sterilisiert.

»Außerdem ist das ganz schön unverschämt von dir.«

»Es ist mütterlich«, sagte ich. »Ich fühle mich für dich verantwortlich.«

»Ich bin kein Baby.«

»Ich weiß«, sagte ich. »Du bist ein Kind.«

»Du auch«, sagte er.

»Nicht mehr.«

»Was heißt das?«

Als ich den Mund aufmachte, hätte ich mich am liebsten selbst geschlagen. »Nichts«, sagte ich. »Nur dass ich älter bin.«

Jonas ließ nicht locker. »Nein. Du hast gesagt, du bist kein Kind mehr, ich aber schon. Du musst nicht mit mir rumlaufen, wenn du nicht willst. Du bist nicht für mich verantwortlich.«

»Hör auf, dich wie ein Baby aufzuführen.«

»Dann bin ich also doch ein Baby«, sagte Jonas.

»Wie du willst. Mir egal«, sagte ich. »Ich bin jetzt ›eine Frau‹, wie meine Mutter mir dauernd erzählt. Ich finde es echt zum Kotzen, wenn sie das sagt. ›Eleanor, sei stolz, du bist jetzt eine Frau.‹«

Er sah mich mit ernstem Gesicht unverwandt an. Dann streckte er sich, legte mir die Hand auf die Schulter und drückte mich freundschaftlich.

»Das tut mir leid«, sagte er. »Das klingt wirklich schrecklich. Komm, ich habe gestern was Tolles entdeckt. Außerdem«, sagte er über die Schulter, als er mir vorausging, »Sexualkundeunterricht gibt es schon in der fünften Klasse, ich weiß also, dass Frauen bluten.«

»Eklig.«

»Die Fähigkeit, neues Leben zu schaffen, ist doch etwas Schönes.«

»Hör auf!« Ich schlug ihn auf den Arm.

»Sei stolz, Eleanor, du bist jetzt eine Frau«, sagte er mit der Stimme meiner Mutter, dann rannte er weg, bevor ich ihn zu Boden ringen konnte.

Mitten im Wald, in einem Heuschreckenhain, hatte Jonas ein verlassenes Haus entdeckt. Die Wände und das Dach waren seit Langem zerfallen, geblieben waren nur die Steinfundamente von zwei kleinen Zimmern. Heckenrosen und Geißblatt wucherten über alles. Wir kletterten über die niedrige Steinmauer und standen in dem, was einmal das Zuhause von jemandem gewesen war. Jonas nahm einen Stock, kratzte einen Buckel in dem sandigen Boden weg und fand eine blaue Flasche, die blank gerieben war wie Strandglas. Er machte eine größere Stelle sauber, und wir legten uns nebeneinander hin und blickten in den weißgrauen Himmel hinauf. Ich schloss die Augen, lauschte dem Wispern der Kiefernnadeln, sog den Duft von Meerfenchel und Wacholder ein. Es war angenehm, mit ihm so in der Stille zu liegen. Schweigend, aber verbunden, ohne Worte, als könnten wir die Gedanken des anderen hören und brauchten sie nicht laut auszusprechen.

»Meinst du, hier hat das Ehebett gestanden?«, fragte Jonas nach einer Weile.

»Du bist ein komischer Junge.«

»Ich dachte nur, wie schön es hier ist und dass wir das Haus wieder aufbauen und hier leben können, wenn wir heiraten.«

»Also, erstens bist du zwölf Jahre alt. Und zweitens, hör auf, so komisch zu sein«, sagte ich.

»Wenn wir älter sind, macht der Altersunterschied nichts mehr aus. Er macht jetzt schon kaum was aus.«

»Das stimmt wahrscheinlich.«

»Das heißt also Ja«, sagte Jonas.

»Also gut«, sagte ich. »Aber ich will einen Kombiboiler.«

»Meine Brüder verspotten mich wegen dir«, sagte Jonas eines Tages, als ich mit ihm vom See nach Hause ging. Ich kannte seine Brüder flüchtig: Elias war sechzehn. Er und Anna hatten im Sommer vor zwei Jahren zusammen einen Segelkurs gemacht, und einmal hatten sie sich beim Flaschendrehen geküsst. Hopper war so alt wie ich. Er war groß, hatte dichtes rotes Haar und Sommersprossen. Er hatte mir freitags bei den Tanzabenden im Jachtclub ein paarmal zugenickt, mehr nicht.

»Sie verspotten dich, weil ich gut deine Babysitterin sein könnte, und das stimmt ja auch. Es ist ein bisschen komisch.«

»Hopper ist in dich verknallt«, sagte Jonas. »Wahrscheinlich muss er mich deshalb quälen. Aber das erklärt ja nicht, warum Elias so komisch ist.«

Ich lachte. »Hopper? Ich habe noch nie richtig mit ihm gesprochen.«

»Du könntest Hopper bitten, mit dir zu tanzen«, sagte Jonas. »Guck mal.« Er hob eine winzige blaue Eierschale auf, die im hohen Gras an der Straße lag. »Die Rotkehlchen sind wieder da.« Er gab mir vorsichtig die Schale. Sie wog nichts und war hauchzart. »Ich hatte schon gedacht, die Eichelhäher hätten sie verjagt.«

»Warum soll ich nett zu ihm sein, wenn er gemein zu dir ist?«

»Er ist nur gemein, weil er mich als Bedrohung sieht.«

»Eher sollte ich ihm sagen, er soll dich in Ruhe lassen.«

»Bitte nicht«, sagte Jonas. »Das wäre demütigend für ihn.«

Wir kamen zu einer Kurve und gingen langsamer. Hinter der Kurve stand das Haus der Gunthers, das einzige Haus in Back Woods, das einen festen Zaun um das Grundstück hatte. Die Gunthers waren komische Leute. Österreicher. Sie hielten sich abseits. Beide waren Bildhauer. Manchmal begegnete ich ihnen auf der Straße, wenn sie ihre zwei Deutschen Schäferhunde ausführten. Vor den Hunden hatte ich Angst. Wenn jemand an dem Haus vorbeiging, rannten sie bellend und speicheltropfend zum Zaun. Einmal war einer der Hunde auf der Straße gewesen und hatte Becky ins Bein gebissen.

Als wir uns dem Grundstück näherten, konnte ich das Hundegebell hören und sah, wie sie auf uns zu gerannt kamen.

»Na gut«, sagte ich. »Ich werde ihn bitten. Aber warum sollte er dich als Bedrohung sehen?« Ich lachte.

Normalerweise rannten wir am Haus der Gunthers vorbei, aber diesmal blieb Jonas mitten auf der Straße stehen. »Danke, Elle, dass du das klargestellt hast.«

Die Hunde waren jetzt am Zaun. Ihr wütendes Gekläff hallte laut, und sie warfen sich mit ihrem ganzen Gewicht gegen den Zaun. Sie waren es nicht gewohnt, dass man sie nicht beachtete.

»Lass uns schnell weitergehen«, sagte ich. »Gleich brechen sie durch den Zaun.« Aber Jonas blieb stehen, und die Hunde bellten noch lauter. »Jonas!«

»Ich finde den Weg nach Hause schon allein«, sagte er kalt.
Und entfernte sich schnellen Schrittes von mir.

Oben auf dem Hügel trat Mr Gunther aus seinem Atelier.
»Astrid! Frida!«, rief er seinen Hunden zu. »Herkommen! Jetzt!«
Als ich am nächsten Tag zum Strand kam, war Jonas nirgendwo zu sehen.

»Dad«, sagt Conrad. »Weißt du eigentlich, dass Eleanor eine Kinderverführerin ist? Sie ist in einen Zehnjährigen verliebt.«

Es ist das Ende des Sommers. Mum ist zur Müllhalde gefahren. Leo steht am Spülbecken. Er hat einen Blaufisch gefangen, den er jetzt entgrätet. Die Fische schwimmen zurzeit an der Küste entlang, ganz nah am Ufer.

»Er ist einfach gern mit mir zusammen. Außerdem ist er zwölf, nicht zehn«, sage ich, aber ich merke, wie mir die Röte ins Gesicht steigt.

»Wer ist das?«, fragt Leo. In den letzten Wochen war er mit einer Jazzband auf Tour. Ich muss sagen, ich bin froh, dass er zurück ist. Mum ist viel fröhlicher, wenn er da ist.

»Dieser Junge, Jonas, der hier dauernd rumhängt«, sagt Conrad. »Er ist Elles Freund.«

»Ist doch schön«, sagt Leo und verschwindet in die Speisekammer.

Etwas fällt auf den Boden. Leo flucht.

»Hör auf, solchen Quatsch zu erzählen. Er ist ein kleiner Junge.« Ich schiebe meinen Stuhl vom Tisch zurück und räume meinen Teller ab.

»Das meine ich ja«, sagt Conrad. »Kinderverführerin.«

»Wisst ihr, wo eure Mutter die Frischhaltefolie aufhebt?«, ruft Leo aus der Kammer. »Warum kauft sie eigentlich immer Wachspapier? Das benutzt doch heute keiner mehr.«

Anna sitzt auf dem Sofa und versucht, ihren Puzzlering zusammenzusetzen. Sie sieht auf, weil sie etwas gemerkt hat.

»He, Conrad«, sagt sie. »Bist du eifersüchtig?« Sie lächelt. »Ich glaube, Conrad ist in dich verknallt, Elle.«

Conrad zerknautscht das Gesicht und lacht gekünstelt.

»Was meinst du, Elle?«, sagt Anna. »Wie findest du Conrad? Er möchte, dass du seine Freundin bist.«

»Lass das, Anna«, sage ich. »Das ist ekelhaft.« Gleichzeitig habe ich das verstörende Gefühl, als würde ich etwas wiedererkennen, und das, was sie sagt, würde mich an etwas erinnern, das ich schon weiß, aber vergessen habe.

»Arschgeige«, sagt Conrad wütend zu Anna.

Sie spürt seinen wunden Punkt und holt zum entscheidenden Schlag aus. »Inzest ist noch ein paar Stufen schlimmer als Kinderschändung, Con.«

Conrad springt auf und packt Anna am Arm. »Halt die Klappe. Wenn du nicht sofort die Klappe hältst, breche ich dir den Arm.«

»Was hast du denn?«, sagt Anna und quält ihn weiter. »Ich will ja nur helfen. Du sollst einfach wissen, dass es Sünde ist, bevor du dich auf etwas einlässt, das du hinterher bereust.«

In dem Moment, als Conrad zu einem Schlag gegen Anna ausholt, kommt Leo aus der Küche.

»Conrad!« Zwei Schritte, und Leo ist bei ihm. Er packt seinen Sohn beim Hemd und zieht ihn mit seinen großen, nach Fisch riechenden Händen von Anna weg. »Was ist nur mit dir los?« Er zerrt seinen Sohn über die Veranda und schubst ihn so hart aus der Tür, das Conrad zu Boden fällt. »Steh auf!«

Wir sehen zu, wie Conrad versucht, seine Tränen zu unterdrücken.

»Baby«, sagt Anna mit einem hässlichen Lächeln. Sie setzt sich wieder aufs Sofa, nimmt ihr Buch und vertieft sich hinein, als wüsste sie nicht, dass sie gerade das Haus in Flammen gesetzt hat.

Dixons Strandpicknick am Ende des Sommers ist ein Ereignis, auf das ich mich immer ganz besonders freue. Alle Bewohner von Back Woods versammeln sich in Higgins Hollow um ein riesiges Lagerfeuer. Wir sammeln knusprige, sonnengedörrte Algen als Anmachholz, schleppen Treibholz herbei und sehen dann zu, wie das Feuer die Funken in den Himmel sprüht. Alle tanzen und singen. Bei Einbruch der Dunkelheit zünden wir Wunderkerzen an und springen wie die Glühwürmchen umher. Die Erwachsenen trinken zu viel. Wir beobachten sie von den Dünen aus und spielen Fahnenraub. Die Leute kochen Hummer und Muscheln in großen fleckigen Emailletöpfen, und sie wickeln in Meerwasser marinierte Maiskolben in Silberfolie und legen sie aufs Feuer.

In unserer Familie essen wir am liebsten Hamburger. Meine Mutter besteht auf süßen Pickles, Senf und rohen Zwiebeln, wovon ihr Atem unerträglich scharf riecht. Sie reicht in Scheiben geschnittene und mit Salz bestreute Radieschen herum, als wären sie eine Delikatesse.

Conrad darf dieses Jahr nicht mit zum Fest. Er hat eine Woche Stubenarrest. Er fleht seinen Vater an, mitkommen zu dürfen, und selbst meine Mutter versucht Leo umzustimmen, aber Leo lässt sich nicht erweichen.

»Es stimmt, dass er in letzter Zeit extrem schwierig ist«, sagt Mum.

Anna und ich sitzen auf der Veranda und essen Erdbeereis. Mein Löffel klimpert am Schälchen. Anna stößt mich an: Ich soll leise sein, damit wir sie belauschen können.

»Und muss es in seiner Hütte ständig nach Käsefüßen riechen? Kann er nichts dagegen tun? Meinst du nicht, das Mittel gegen Fußpilz könnte helfen? Ich habe ihm Talkumpuder gegeben, aber er sagt, davon jucken ihm die Füße. Sprich mal mit ihm darüber.«

Ich sehe Leo zu, wie er sich trocken tupft, als wäre er ein

großes weiß lackiertes Auto. Seine Badehose ist ausgeleiert, und sein Bauch schwabbelt, wenn er mit dem Handtuch darüberreibt. Er sieht aus wie ein Riesenbaby. Leo ist kein besonders guter Schwimmer, aber Mum hat sich für ihn ein neues Übungsprogramm ausgedacht.

»Es ist bestimmt nicht leicht für ihn in einem Haus mit lauter Frauen, Leo. Du warst fast den halben Sommer weg. Es ist schwierig, in einer Familie einen Platz zu finden, die nicht die eigene ist. Du solltest ihm zur Seite stehen.«

»Er muss lernen, dass seine Taten Konsequenzen haben.«

»Aber so grenzt du ihn noch mehr aus. Und das macht es für uns alle schwieriger.«

»Es geht nicht um dich und die Mädchen, Wallace. Es geht um meinen Sohn.«

»Lass ihn mit zum Fest kommen. Er wird sich freuen, wenn er mit dir die Bärenjagd machen kann. Das ist doch eine Tradition.«

»Mein Sohn soll nicht denken, dass er ungestraft ein Mädchen schlagen kann.«

»Wahrscheinlich hatte sie es verdient«, sagt Mum.

Am nächsten Morgen liege ich im Bett und gucke zum Oberlicht hinauf. Gelber Pollenstaub hat sich in den Ecken gesammelt. Ein kräftiger Regenguss würde das wegwaschen. Der Himmel ist seit Tagen blau. Ich sehe, wie eine Spinne ihr Netz webt. Eine vertrocknete Motte hängt sanft schaukelnd an einem einzigen Faden. Mein Haar riecht nach Lagerfeuer und Ketchup. Jemand ist unter der Dusche. Das Wasser pladdert auf die trockenen Blätter am Boden. Der Wasserhahn quietscht, als er zugedreht wird. Conrad flucht, vermutlich ist er auf eine Rosenranke getreten. Ich nehme mein Buch und schlage es an der umgeknickten Seite auf. Es dauert immer ein paar Minuten, bist der Warmwassertank wieder aufgefüllt ist.

In unserem Sommerquartier gibt es nur eine Dusche. Sie ist vor unserem Badehaus an einem kleinen Baum befestigt. Zwischen den Latten des verwitterten Zauns, der sie umgibt, krabbeln immer jede Menge Weberknechte. Niemand hängt sein Handtuch an die morschen Knäufe, stattdessen legen wir sie über die niedrigen Äste des Baums. Das seifige Wasser läuft unmittelbar vom Körper auf die toten Blätter und den Pfad, wo die Kiefernnadeln sich im Strudel drehen. Es gibt ein strenges Pinkelverbot für die Dusche, weil sonst der Pfad vom Badehaus wie die hinteren Sitze in einem Greyhoundbus riechen würde.

Nach zehn Minuten nehme ich mein Badehandtuch und meinen Wella-Conditioner. Auf dem Weg steht noch Seifenwasser, das allmählich in den Boden sickert. Ich springe über eine Pfütze, lande aber auf der anderen Seite im Wasser und merke im selben Moment, dass es Pisswasser ist. Empört renne ich den Pfad hinunter zur Schlafhütte meiner Mutter und klopfe an die Tür.

Ein paar Sekunden später kommt sie ganz verschlafen heraus und zieht sich den Bademantel fest um. »Leo schläft noch«, flüstert sie.

»Riech mal«, sage ich und halte mein Bein hoch.

»Eleanor, ich bin nicht in der Stimmung, an dir zu riechen«, sagt sie. »Gestern ist es spät geworden. Ein Gin Tonic zu viel.«

»Conrad hat unter der Dusche gepinkelt.«

»Wenigstens wäscht er sich. Das ist ein Fortschritt.«

»Mom. Es ist widerlich. Ich bin voll reingetreten.«

»Ich spreche später mit ihm. Aber er wird ohnehin schon bestraft, weiß der Himmel, was es nutzen wird.«

»Warum ist er überhaupt hier?«

Meine Mutter seufzt, sie tritt aus der Hütte und zieht die Tür hinter sich zu. »Wenn ihr beiden, du und Anna, netter zu ihm wärt, würde er sich nicht so aufführen.« Sie reibt sich die

Schläfen. »Kannst du mir ein Glas Wasser und ein Aspirin aus der Küche holen?«

»Warum ist er unser Problem? Warum kann er nicht nach Memphis gehen und bei seiner eigenen Familie leben?«

»*Wir* sind seine Familie.«

»Ich nicht.«

»Versuch's bitte, Elle. Leo zuliebe.« Sie wirft durchs Fenster einen Blick in die Hütte und überzeugt sich davon, dass Leo schläft. »Frag ihn, ob er mit zum Schwimmen kommen will. Fordere ihn zu einem Brettspiel auf. Das ist nicht zu viel verlangt.«

»Er mogelt. Und beim Schwimmen schafft er es nicht mal bis zur Mitte des Sees.«

»Versuch es. Mir zuliebe.«

»Gut«, sage ich. »Ich werde ihn fragen, ob er mit zum Strand kommen möchte. Aber wenn er sich blöd aufführt, schuldest du mir hundert Dollar.«

»Die kann ich dir auch gleich geben«, sagt meine Mutter mit einem Seufzer. »Aber danke.«

In der Asche vom Lagerfeuer ist noch ein bisschen Glut. Damit sich niemand die Füße verbrennt, hat jemand aus Treibholzstücken eine kleine Barrikade darum errichtet. Ein Pappteller liegt umgekehrt auf dem Boden, ein paar Maiskolben sind halb vergraben.

»Und?«, fragt Conrad. »Hat es Spaß gemacht?«

»Ja.«

»Wer war da?«

»Die üblichen Verdächtigen.«

Conrad kickt mit den Zehen Sand auf den Pappteller, was ein kleines Zischeln verursacht. »Hat mein Dad die Bärenjagd gemacht?«

»Natürlich.«

Conrad sieht traurig aus. »Wer war der Hund?«

»Ich weiß nicht. Eins der Kinder. Schade, dass du nicht kommen konntest.« Ich zwinge mich, das zu sagen.

Wir legen unsere Handtücher weiter oben auf den Strand. Die Flut kommt herein. Ich setze mich und nehme eine gekühlte Dose Fresca aus meiner Tasche. Als ich an dem Ring ziehe, bricht er ab, und die Dose ist noch zu.

»Gib her«, sagt Conrad, sticht den Verschluss mit der scharfen Kante einer Muschel auf und gibt mir die Dose zurück.

»Danke.«

»Willst du ins Wasser gehen?«, fragt Conrad.

»Ich warte erst, bis mir richtig heiß ist. Vielleicht gehe ich gar nicht rein. Scheint ziemlich doller Wellengang zu sein.«

»Ich dachte, du magst es, wenn es hoch hergeht«, sagt Conrad und lacht über seinen eigenen ungeschickten Witz.

Ich beachte ihn gar nicht und klappe mein Buch auf. Er sitzt neben mir und kratzt an einem Mückenstich am Bein. Nach einer Weile steht er auf und geht ans Wasser. Erleichtert, dass er weg ist, drehe ich mich auf den Bauch. Ich mache die Augen zu und lege meinen Kopf auf die Arme. Ich bin dabei einzunicken, als etwas Nasses auf meinem Rücken landet.

»Guck mal, was ich gefunden habe«, sagt Conrad. »Das habt ihr gestern bestimmt hier liegen gelassen, Jonas und du.«

Ich greife nach hinten und nach dem Ding. Es ist ein gebrauchtes Kondom. Ich schreie auf und springe auf die Füße.

»Was ist nur mit dir los?«, fahre ich ihn an. Ich renne ins Wasser, um mich abzuspülen.

Die erste Welle erwischt mich voll und zieht mich in die Tiefe. Als ich hochzukommen versuche, werde ich immer wieder zurückgerissen. Ich bekomme keine Luft mehr, zwinge mich aber, mich auf den Boden sinken zu lassen, von dem ich mich so fest wie möglich abstoße. Nach Atem ringend, komme ich zur Oberfläche, schwimme zum Ufer und stolpere an Land, bevor eine weitere Welle mich erfasst. Ein paar Erwachsene haben gesehen, dass ich Mühe hatte, und helfen mir an den Strand.

»Es geht schon«, sage ich. »Ist alles in Ordnung.«

Mein Badeanzug ist wie ein Sandsack. Ich schüttle Sand, Steinchen und Seegras heraus. Ein rosa Steinchen fällt mir zwischen die Füße. Conrad sieht mir zu und lacht sich kaputt. Ohne ihn eines Blickes zu würdigen, gehe ich an ihm vorbei.

»Es war ein Witz«, sagt er. »Jetzt hab dich nicht so.«

Ich nehme mein Handtuch und mein Buch und stopfe beides in meine Tasche. »Geh du doch auch mal ins Wasser«, sage ich. »Es ist der perfekte Tag zum Ertrinken.«

»Du schuldest mir hundert Dollar«, sage ich zu meiner Mutter, als ich nach Hause komme.

»Wo ist Conrad?«, fragt sie.

»Tot, wenn ich Glück habe.«

»Zum Abendessen mache ich Clam Chowder«, sagt sie.

Als ich am nächsten Morgen zum Haus komme, sitzt Jonas auf der Veranda. Conrad hat seinen abscheulichen braunen Frotteebademantel an, isst eine Schüssel Cornflakes und liest *Spion gegen Spion*.

»He.« Ich setze mich neben Jonas. »Was machst du hier?«

»Ich wollte mich verabschieden.«

»Oh.«

»Eigentlich wollten wir am Samstag abfahren, aber neulich bei dem Fest hat meine Mutter Elias in den Dünen mit einem Mädchen entdeckt, und sie sagt, was sie gesehen hat, ›hätte ihr nicht gefallen‹. Das bedeutet, sie hat den nackten Arsch meines Bruders gesehen.« Er seufzt. »Jedenfalls fahren wir heute Nachmittag nach Cambridge zurück.«

Conrad legt seinen Comic hin und hört auf zu essen. Ich weiß, dass er uns belauscht, aber es ist mir egal.

»Wann fängt die Schule wieder an?«, frage ich.

»In zwei Wochen, glaube ich.«

»Oberschule, oder?«

»Genau.«

»Na, toll.«

»Ja«, sagt Jonas ein bisschen verlegen. »Schule für Große.«

Wir sitzen schweigend nebeneinander. Zum ersten Mal in all der Zeit, die ich mit Jonas verbracht habe, fühle ich mich beklommen. Der Gedanke an die Schule, an das wirkliche Leben weit weg von Back Woods macht den Altersunterschied zwischen uns plötzlich riesig. Unüberwindbar.

»Ich weiß«, sagt Jonas, der meine Gedanken gelesen hat. »Es ist echt seltsam.« Er bohrt mit den Zehen im feuchten Sand. »Ich dachte, vielleicht könnten wir über den See schwimmen.«

»Ich fahre nachher mit Anna und Mom in die Stadt.«

»Schade, dann nicht.« Jonas steht auf und streckt mir die Hand hin. »Bis zum nächsten Sommer.«

»Warum küsst du ihn nicht zum Abschied«, ruft Conrad von drinnen.

»Halt die Klappe, Conrad«, sage ich und nehme Jonas' ausgestreckte Hand.

»Einen feuchten Zungenkuss«, sagt Conrad höhnisch.

»Beachte ihn gar nicht«, sagt Jonas.

»Weißt du«, sage ich zu Jonas. »Eigentlich ist gerade noch Zeit genug. Eine Sekunde.« Ich renne los und ziehe mir den Badeanzug an. Jonas ist schon im Wasser, als ich zurückkomme. Ich springe hinein und bin schnell bei ihm.

»Es tut mir leid«, sage ich. »Er ist ein echter Vollidiot.«

»Jungen in seinem Alter denken immer nur an das eine«, sagt Jonas.

Ich lache. »Du bist wirklich komisch.«

»Der Sommer war echt toll, Elle. Danke«, sagt Jonas und tritt Wasser.

»Es war mir ein Vergnügen«, sage ich. »Wer länger die Luft anhalten kann? Ein letzter Test.«

»Ist ja kein Test, wenn ich immer gewinne«, sagt Jonas. »Aber ich gebe zu, dass du ein klein bisschen besser geworden bist.«

»Bitte«, sage ich. »Ich bin die Beste im Staat.«

»Eins, zwei, drei?«

Ich nicke. Wir tauchen unter und halten den Atem an. Dann ziehe ich ihn, ohne richtig zu überlegen, an mich heran und küsse ihn.

Ich warte, bis Jonas gegangen ist, dann knöpfe ich mir Conrad vor. »Warum bist du so?«

»Wie bin ich denn?« Conrad blättert die Seiten in seinem Comic um und isst den letzten Löffel von seinen aufgeweichten Cornflakes. Ein Tropfen Milch rinnt ihm aus dem Mundwinkel. Seine Lippen sind zu dick, zu rot. Der Tropfen läuft ihm über das Kinn und am Hals runter, wie eine weiße Schweißperle.

»So widerlich.«

»Du solltest nicht mit einem Zwölfjährigen im Schlepptau rumlaufen.«

»Das geht dich doch gar nichts an.«

»Ich finde es abstoßend.«

»Warum interessiert dich das überhaupt?«

»Es interessiert mich nicht«, sagt Conrad. »Aber es ist für die ganze Familie eine Peinlichkeit.« Er steht auf und stellt sich vor mich. »Hast du ihn an dich rangelassen?«

Meine Mutter und Anna sind draußen auf dem Weg zum Auto. »Schreib Birnen auf«, sagt meine Mutter. »Und Steak. Oh – der Bourbon ist auch fast alle.«

»Hat er dich angefasst?«, flüstert Conrad.

Ich kann mich nicht länger beherrschen. »Mir ist es peinlich, mit dir gesehen zu werden«, sage ich. »Du bist die Peinlichkeit in der Familie. Nicht ich.«

»Verstehe.« Er grinst.

»Es stimmt. Keiner hier will dich. Du bist ein Perversling und kriechst im Gebüsch herum. Mit deinen grässlichen Mitessern. Warum gehst du nicht wieder zu deiner Mom? Ach, stimmt ja«, sage ich. »Die will dich auch nicht.«

Conrad läuft dunkelrot an. »Das ist gelogen.«

»Ach wirklich? Hast du ihre Nummer? Dann rufen wir sie jetzt an.« Ich gehe zum Telefon, es ist schwarz und hat eine Wählscheibe, und nehme den Hörer ab. An der Wand hängt eine Liste mit wichtigen Nummern. Ich fahre mit dem Finger daran entlang und finde die Nummer. Ich wähle.

»Es klingelt.«

»Du miese Tucke«, ruft Conrad und rennt raus. Er weint.

»Heulbaby!«, rufe ich ihm nach.

In der Leitung höre ich eine blecherne, ferne Stimme: »Hallo? Hallo?« Ich lege den Hörer auf die Gabel.

Die Strafe für mein grausames Verhalten gegenüber Conrad folgt auf dem Fuß. Mit Jucken unter den Augenlidern fängt es an. Bis zum Nachmittag ist mein Gesicht mit feuchten Blasen übersät. Mein Hals schwillt an. Ich kriege die Augen nicht mehr auf. Der Arzt erklärt meiner Mutter, es sei eine Sumachvergiftung, die ich nur bekommen haben könne, weil beim Picknick jemand einen mit Sumach berankten Holzscheit aufs Feuer gelegt hat und ich so gesessen habe, dass mir der giftige Rauch direkt ins Gesicht gestiegen ist, in meine Ohren, meinen Mund und die Nase. Meine Mutter hat mir in der Speisekammer, wo es dämmrig ist, ein Feldbett aufgestellt. Sie bedeckt mein Gesicht und meinen Hals mit Tüchern, die sie in einer Kamillenlösung getränkt hat. Ich stelle mir vor, dass ich aussehe wie der Leprakranke aus *Ben Hur*. Mum bringt mir kalten Kamillentee mit einem Strohhalm. Sie stellt mir ein Schälchen Eis neben das Bett. Schlucken ist eine Qual.

Die anderen sitzen im Zimmer und spielen Poker. Ich höre, wie die Spielmarken in den Topf geworfen werden. Anna und Leo streiten, wer besser geblufft hat. Meine Mutter lacht. Conrad lacht. Die Umschläge trocknen und kleben an den schmerzenden Pusteln fest. Ich will rufen, aber meine Stimme ist weg. Mehr Lachen. Ich stampfe mit dem Fuß auf den Boden. Endlich nähern sich Schritte.

»Mum?«

»Ich soll nach dir gucken.« Es ist Conrad.

»Mum soll kommen«, flüstere ich. »Die Umschläge sind festgeklebt.«

»Okay«, sagt er, aber statt zu gehen, setzt er sich auf die Bettkante. Ich spüre Panik in mir aufsteigen. Ich liege hilflos auf der Pritsche und harre der Dinge.

»Hol Mom!«, krächze ich. Ich spüre, dass er mich anstarrt.

»Jetzt warte«, sagt er. Er zieht sanft den Umschlag von meinem Gesicht und legt stattdessen einen feuchten Waschlappen darauf. »Lass die Augen zu. Ich hole sie.«

Anna ruft von drinnen. »Conrad, du bist dran.«

»Komme schon.« Aber er bleibt sitzen. »Ich könnte dir vorlesen, wenn du willst«, sagt er.

»Mom soll kommen.«

Er steht auf. Er scharrt mit dem Fuß. Ich warte, dass er geht.

»Es tut mir leid, das mit dem Kondom«, sagt er. »Ich weiß nicht, warum ich das gemacht habe.«

»Weil du willst, dass alle dich hassen.«

»Das stimmt nicht.«

»Warum benimmst du dich dann die ganze Zeit so idiotisch?«

»Ich will nicht, dass du mich hasst«, sagt er leise.

»Dafür ist es ein bisschen spät, oder?«, sagt Anna von der Tür aus. »Hör auf, meine Schwester zu belästigen, Conrad.«

»Lass mal«, sage ich.

»Du kannst ja nicht sehen, dass er dich angafft wie ein Bekloppter«, sagt Anna.

Ich spüre, dass Conrad erstarrt.

»Komm, du hoffnungslos Verliebter, wir warten.«

»Hör auf, Anna«, sage ich. »Er hat mich nicht belästigt.«

»Wie du willst«, sagt sie. »Ist deine Beerdigung. Und wenn du nicht sofort kommst, Conrad, bist du draußen.«

»Komme gleich«, sagt er.

»Tut mir leid«, sage ich. »Und es tut mir leid, dass ich das mit deiner Mutter gesagt habe.«

Conrad setzt sich wieder auf die Bettkante.

14

1982. Januar, New York.

Ich lege mich ins Bett und warte. Kurz darauf höre ich meine Mutter auf Socken den langen, mit Bücherregalen gesäumten Flur in unserer Wohnung entlanggehen; vor meiner Tür bleibt sie stehen. Sie sollte besser Schuhe tragen. Wenn man so tollkühn ist, auf Strümpfen zu gehen, kann es schnell passieren, dass man rutscht und sich einen Splitter von den alten Holzdielen einreißt, der sich mit einer Pinzette nicht herausholen lässt. Meine Sohlen sind voller kleiner Narben von diesen Unfällen. Inzwischen kann ich die Operation allein durchführen: Man zündet ein Streichholz an und sterilisiert eine Stecknadel, bis sie glühend rot ist, dann ritzt man die Haut über dem Splitter auf und pult ihn heraus.

Als Mum an meiner Tür vorbeigeht, schaltet sie das Flurlicht aus. Stromverschwendung ist ihr ein Graus. Ich warte auf das Klicken ihrer Schlafzimmertür. Im Wohnzimmer klappt Leo sein Buch zu, zieht die Kette an der alten Ming-Vasenlampe und schiebt seinen schweren hölzernen Sessel zurück. Die Schlafzimmertür geht abermals auf und zu, diesmal entschlossener. Leise Nachtstimmen, Wasserrauschen im Badezimmer, der Zahnputzbecher wird auf den Beckenrand gestellt. Ich zähle die Minuten. Ich warte auf das Knarren, wenn Leo sich ins Bett legt. Mein Atem geht regelmäßig. Ich lausche auf das Rascheln der Bettwäsche. Warte. Warte. Jetzt ist alles still. Ich kann es wagen.

Darauf bedacht, auch nicht das geringste Geräusch zu machen, steige ich aus dem Bett und drehe langsam den Türknauf. Alles bleibt still. Ich taste im Dunkeln nach dem Lichtschalter und schalte das Licht wieder an. Ich warte. Nichts. Sie schlafen, oder sie sind zu müde, um noch einmal aufzustehen. Ich schließe meine Tür, klettere wieder in mein schmales Bett und ziehe mir die Decken bis zu den Ohren hoch. Ich habe alles mir Mögliche getan. Es ist einfach sicherer, wenn das Flurlicht an ist.

In einer Nacht im Oktober, ungefähr einen Monat nach unserer Rückkehr vom Cape, wachte ich aus tiefem Schlaf auf. Ein warmer Luftzug auf meinem Oberschenkel hatte mich geweckt. Im ersten Moment dachte ich, ich hätte im Schlaf meine Bettdecke weggetreten, aber als ich sie hochziehen wollte, merkte ich, dass mein Nachthemd bis zum Hals hochgeschoben war und alles, meine Beine, mein Bauch, die Brüste, bloß lagen. Und mein Slip fühlte sich feucht an. Ich dachte, meine Periode hätte zu früh angefangen. Ich wischte mir die Hand am Saum des Nachthemds ab und wollte aufstehen, um zur Toilette zu gehen, als mir auffiel, dass meine Hand nicht dunkel von Blut war. Verwirrt hielt ich sie mir an die Nase. Der Geruch war bitter und mir unbekannt. Ein Geruch von dickflüssigem Schleim. Und dann sah ich in meinem Wandschrank eine Bewegung. Da war jemand, im Schatten versteckt, im Dunkeln. Das Gesicht konnte ich nicht sehen, aber ich sah den Penis, das weiße Fleisch vor dem Dunkel, noch steif. Jetzt wurde er gedrückt, die letzten Samentropfen glänzten auf der Spitze. Ich erstarrte, war wie gelähmt. Ich hatte Angst zu atmen. In den letzten drei Monaten waren in New York vier Frauen vergewaltigt und ermordet worden, und bisher hatte man den Täter nicht gefasst. Das jüngste Opfer war achtzehn Jahre alt. Das Mädchen war nackt und mit auf dem Rücken gefesselten Händen im Fluss gefunden worden. Ganz langsam legte ich mich wieder hin. Wenn er dachte, ich hätte ihn nicht bemerkt, vielleicht würde er dann gehen, ohne mir wehzutun. Ich machte die Augen zu und betete. Bitte geh. Bitte geh. Ich schreie auch nicht. Ich sage es niemandem. Innerlich schrie ich so laut, dass mein Innerstes voll davon war, voll von einem Entsetzen, das ich kaum beherrschen konnte. Minuten vergingen. Dann eine Bewegung. Die Schlafzimmertür wurde leise geöffnet. Ich öffnete meine Augen einen Spalt, um mich zu vergewissern, dass er wirklich ging. Als er die Tür schloss, drehte er sich um. Es war Conrad.

Februar.

Vor meiner Tür höre ich ein winziges Knarren der Bodendielen.

»Eleanor?« Es ist Conrad, der sich vergewissern will, dass ich schlafe. »Eleanor? Bist du wach?«

Er kommt herein und steht im Dunkeln neben meinem Bett. Nach wenigen Sekunden zieht er meine Decke zur Seite und schiebt mein Nachthemd hoch, über meine Oberschenkel. Er zieht seinen Hosenschlitz auf und fasst sich an. Ein leises, weiches Geräusch. Ich liege ganz still. Schlucke. Ich wage es nicht, mich zu rühren. Ich muss so tun, als schliefe ich fest. Conrad glaubt, ich wüsste nicht, dass er in mein Zimmer kommt, mich anguckt und masturbiert. Er glaubt, ich läge in tiefem Schlaf und hätte nicht die geringste Ahnung von dem, was er tut. So als hätte ich eine Schlaftablette genommen. Und er darf es niemals erfahren. Solange er glaubt, seine nächtlichen Besuche seien sein Geheimnis, kann ich mich normal verhalten. Ich kann mit ihm am Esstisch sitzen und an seinem Zimmer vorbei zum Bad gehen. Denn soweit ich weiß, ist nichts geschehen. Vielleicht, wenn ich beim ersten Mal nicht vor Panik gelähmt gewesen wäre. Wenn ich geschrien und um Hilfe gerufen hätte. Doch dann wüssten alle davon, wüssten von der Erniedrigung und dem Schmutz. Als ich beim ersten Mal aufwachte, hatte er schon abgespritzt, auf meinen Slip. Ich hatte seine Penisspitze gesehen. Das konnte man nicht rückgängig machen, auch nicht mit Schreien. Meine ganze Familie hätte dieses eklige Bild im Kopf. Ich wäre für immer davon beschmutzt, wäre jemand, dem man mit Mitleid begegnete. Das ist der Grund, warum ich diese Schande auf mich nehme und ihn nicht verrate.

Ich weiß, dass mein Schweigen ihn schützt. Aber es schützt auch mich: Conrad hat eine Riesenangst, entdeckt zu werden. Dass sein Vater es erfährt und ihn für alle Zeiten verstößt. Deshalb habe ich diese Macht, mit der ich mich schützen kann. Wenn er mir zu nahe kommt, tue ich so, als würde ich gerade aufwachen, dann schleicht er davon, bevor er entdeckt wird, und kriecht wieder in sein Rattenloch. So bin ich sicher. Ich darf nur nicht einschlafen.

März.

Leo und Conrad streiten.

»Verdammt«, brüllt Leo. »Das ist doch nicht zum Aushalten, also wirklich ...« Ich höre, dass er die Wand mit der Faust traktiert. »Es ist eine Schande«, brüllt er. »Verstehst du das? Verstehst du das?«

»Dad, bitte.«

»Räum das Zimmer auf!« Wieder Poltern, Fußtritte.

Ich bin gerade vom Babysitting nach Hause gekommen und muss dringend pinkeln. Ich gucke den langen Flur entlang.

Conrads Zimmertür steht weit offen. Es wird ihm peinlich sein, zu wissen, dass ich alles gehört habe, aber ich muss an seinem Zimmer vorbei, um zur Toilette zu kommen. Ich stelle meine Sachen ab, hänge meine Daunenjacke an den Haken und gehe auf Zehenspitzen den Flur entlang. Ich hoffe, ungesehen an seinem Zimmer vorbeizukommen.

»Dad, wirklich, ich habe mich bemüht. Ich kapier es bloß nicht.«

»Was kapierst du nicht?«, brüllt Leo. »Dass Des Moines die Hauptstadt von Iowa ist? Es ist Geografie, nicht Astrophysik. Wenn du nicht bestehst, fliegst du raus. Ist dir das klar?«

»Ja, Sir.«

»Es gibt keinen zweiten Versuch.«

»Ich habe es nicht absichtlich verpatzt, Dad«, sagt Conrad. Er ist völlig aufgewühlt. »Ich bin einfach schlecht in dem Fach.«

»In Geografie kann man nicht schlecht sein. Nur faul.«

»Das stimmt nicht«, sagt Conrad, seine Stimme droht einzubrechen.

»Willst du damit sagen, dass ich ein Lügner bin?«

»Nein, ich –«

Leo sieht mich in dem Moment, als ich vorbeischleichen will.

»Frag Eleanor, ob sie dir hilft. Dieses Semester hat sie lauter A. Eleanor, komm her.«

Ich bleibe stehen, gehe aber nicht ins Zimmer.

»Ich brauche ihre Hilfe nicht«, sagt Conrad. »Ich schaffe es allein, das verspreche ich.«

»Deine Schwester schneidet gut ab, weil sie sich anstrengt. Sie lernt tüchtig und versucht, unsere Erwartungen zu erfüllen.«

»Ich kann einfach gut auswendig lernen«, sage ich.

»Sie ist nicht meine Schwester«, sagt Conrad. Er wirft mir einen hasserfüllten Blick zu.

»Ich muss aufs Klo«, sage ich.

»Leo?« Meine Mutter ruft aus den Tiefen der Wohnung. »Soll ich dir einen Drink machen?«

Meine Augen sind geschlossen, aber ich höre Conrads Atem. Er beugt sich über mich, um zu sehen, ob ich wach bin. Ich atme gleichmäßig, langsam. Er kommt noch näher und streicht mir über die Haare. Ich rühre mich und tue so, als würde ich gleich aufwachen. Er nimmt seine Hand weg, tritt einen Schritt zurück und wartet, ob ich mich wieder bewege. Ich drehe mich auf die Seite. Das reicht, um ihn zu verunsichern. Er macht die Tür auf. Gerade als er das Zimmer verlassen will, spricht er, so leise, dass es kaum zu hören ist, aber ich höre es trotzdem.

»Irgendwann stecke ich ihn dir rein«, flüstert er. »Und mach dich schwanger. Mal sehen, was dann mit der perfekten Tochter ist.«

Ich muss würgen, bezwinge mich aber. Bleibe reglos liegen.

Lautlos schließt er die Tür hinter sich.

April.

In der Praxis sind lauter Frauen. Ältere Frauen, jüngere Frauen, Schwangere. Mir gegenüber sitzen drei puerto-ricanische Mädchen. »Yo, mamacita«, stichelt eine von ihnen. »Du hast einen Freund?«, und die anderen lachen. Ich hefte meinen Blick auf den Sitz aus orangefarbenem Plastik. Draußen schneit es, in der Kälte sterben die frischen Kirschblüten. Meine Stiefel sind nass. Als ich auf dem Weg von der U-Bahn zur Praxis durch die blütenbesäten Schneewehen gestapft bin, hätte ich beinahe aufgegeben. Aber jetzt sitze ich hier und warte, dass die Nummer auf meinem rosa Schein aufgerufen wird, wie bei Baskin-Robbins, dem Eiscafé.

Die Krankenschwester ruft fünf Frauen auf einmal rein. Ich gebe ihr den Brief mit der gefälschten Unterschrift meiner Mutter auf ihrem Briefpapier, mit dem sie einwilligt, dass ich Verhütungsmittel bekommen darf, obwohl ich erst fünfzehn bin. Die Schwester wirft einen flüchtigen Blick darauf und legt ihn auf einen Stapel von vermutlich ähnlichen Briefen. Zusammen mit den puerto-ricanischen Mädchen und einer Schwangeren werde ich in einen mit Vorhang abgetrennten Bereich geführt. Eine Sozialarbeiterin spricht mit uns über die Risiken der Verhütung und die Möglichkeit, Kinder zur Adoption freizugeben, dann gibt sie jeder von uns einen Schwangerschaftstest. Die Schwangere begehrt auf, das sei reine Verschwendung, aber die Krankenschwester erklärt, dass dies die übliche Vorgehensweise sei. Die drei Mädchen spießen mich die ganze Zeit mit Blicken auf. »Was ist mit dir, Blondie? Gibt dein Daddy dir nicht das Geld für einen richtigen Doktor?« Ich gehe mit dem Test zur Toilette und pinkle auf den Streifen.

Meine Mutter denkt, ich sei mit Becky im Kino und wir sähen uns *Victor/Victoria* an. Sie hat mir sogar Geld für Popcorn und Limonade gegeben. Ich möchte ihr die Wahrheit sagen und sie bitten, mich zu retten, aber das kann ich ihr nicht antun. Es würde ihr das Herz brechen und ihre Ehe zerstören. Sie ist mit Leo glücklich, und ich bin stärker als sie, stark genug, um das hier zu bewältigen. Es ist meine Verantwortung, nicht ihre. Ich war nett zu Conrad, ich habe ihm die Tür geöffnet. »Ist deine Beerdigung«, hatte Anna an dem Tag mit dem Giftsumach gesagt. Und sie hatte recht. Jetzt werde ich überall, wo ich hingehe, von seinem Gewicht erdrückt, von seinem feuchten Atem, dem Geruch seiner Hände, seinem abstoßenden Fleisch.

Nach dem Informationsteil werden wir in einen Umkleideraum geführt und bekommen Papierhemden. »Ziehen Sie alles aus, aber lassen Sie die Schuhe an«, sagt die Krankenschwester. Die Frauen sitzen in dünnen Papierhemden und dicken Schneestiefeln auf einer langen Bank und warten, dass sie an die Reihe kommen. Zwei Stunden vergehen, bevor mein Name aufgerufen wird, dann führt mich die Krankenschwester ins Untersuchungszimmer.

Der Arzt trägt eine Maske, ich sehe sein Gesicht nicht, nur seine abgelenkten Augen.

»Bitten Sie die Patientin, auf den Untersuchungstisch zu klettern und die Beine in die Steigbügel zu legen«, sagt er zur Krankenschwester.

»Ich möchte nur ein Rezept für ein Verhütungsmittel«, sage ich.

Der Arzt wendet sich an die Krankenschwester. »Haben Sie der Patientin erklärt, dass sie untersucht werden muss, bevor sie Verhütungsmittel bekommen kann?«

Die Krankenschwester nickt und sieht mich ungeduldig an. »Natürlich. Sie hat das Formular unterschrieben.«

Als ich auf den Untersuchungstisch steige, reißt mein Hemd. Wie komme ich jetzt wieder in den Umkleideraum, ohne mich den Blicken der anderen auszusetzen? Ich lege mich hin, und die Krankenschwester befestigt meine nassen Stiefel in den Steigbügeln. Im Untersuchungszimmer ist es heiß, aber ich zittere unentwegt.

Es klopft an der Tür.

»Herein«, ruft der Arzt.

Ein junger Asiate in weißem Kittel kommt herein.

»Wir haben zurzeit einen Medizinstudenten aus Kyoto hier, der unsere Methoden der Geburtenkontrolle studieren möchte. Sie haben doch nichts dagegen, dass er zuschaut?«, fragt der Arzt. Er schenkt meinem entsetzten Blick keine Beachtung,

winkt den jungen Mann heran und gibt ihm eine Gesichts-
maske.

Mit eng am Körper anliegenden Armen macht der Mann
eine förmliche Verbeugung, dann senkt er den Kopf und starrt
mir zwischen die Beine.

»Interessant«, sagt er. »Das Hymen ist noch heil.«

»Ja«, sagt der Arzt, und zu mir: »Das fühlt sich jetzt kalt an.«

15

1982. New York, November.

Der Regen rinnt in Strömen an den Fenstern herunter. Mein Zimmer ist wie ein Grab, versiegelt. Dem Gefühl nach ist es fünf Uhr morgens. Ich gähne, setze mich im Bett auf und starre in den Hof hinunter. In der Mitte ist eine große Pfütze entstanden, ein Teich in der Form eines Vierecks. Ein gewachster Pappbecher rollt über das Wasser und zieht ein Stück Plastikfolie hinter sich her, sodass es aussieht wie eine Qualle mit Schwanz. Ich greife nach dem Wecker. In der ersten Stunde habe ich einen Geschichtstest, und weil ich den Stoff noch einmal durchgehen will, habe ich den Wecker früh gestellt. Viertel vor acht. Panik fährt durch mich hindurch, ich habe den Wecker nicht gehört. Ich hetze umher, stopfe hastig meine Dinge in den Rucksack und sage mir laut den Stoff vor: Stempelsteuer-Kongress, Besteuerung ohne Vertretung, »der Schuss, der auf der ganzen Welt zu hören war«. Ich ziehe die Klamotten an, die ich am Abend zuvor auf den Fußboden geworfen habe, und bin schon fast auf dem Weg, als mir die Pille einfällt. Ich renne zurück in mein Zimmer, greife nach dem kleinen ovalen Behälter, der in dem alten Schlittschuh ganz hinten in meinem Wandschrank versteckt ist, und schlucke *Dienstag*.

In der Woche, als ich mit der Pille anfing, hörte Conrad auf, nachts in mein Zimmer zu kommen. Erst dachte ich, es sei Zufall. Sechs Tage nach meinem Termin in der Praxis fuhr er nach Memphis, um die Osterferien bei seiner Mutter und der absonderlichen Rosemary zu verbringen, die ich seit drei Jahren nicht gesehen hatte und die inzwischen wahrscheinlich eine Braut Christi war. In den ersten Wochen nach Conrads Rückkehr lag ich nachts im Bett und zwang mich, wach zu bleiben. Ich wartete auf das Knarren der Dielen, das Rascheln seiner Kleidung, den Reißverschluss. Nichts geschah. Es war, als hätte ich eine Wunderpille genommen.

Als Conrad aus Memphis zurückkam, war er anders. Er war glücklich. Die Zeit in Memphis war schön gewesen. Seine Mutter wollte, dass er im Juni kommt und den Sommer über bleibt.

»Wir wollen zu meinem Onkel nach New Mexico fahren«, erzählte er uns beim Abendessen. »Rosemary hat ausgerechnet, dass es von Memphis nach Santa Fe 999 Meilen sind. Deshalb machen wir einen Umweg von einer Meile, damit wir genau auf eintausend Meilen kommen.«

»Klasse«, sagte Leo. »Meinst du Onkel Jeff?«

»Ja, genau.«

»Ist er noch mit der Stewardess verheiratet?«

»Nancy?«

»Ja. Mit der großen Frisur.«

»Sie haben sich getrennt«, sagte Conrad.

»Deine Mutter konnte sie nicht ausstehen. Sie hat gesagt, Nancy sei nur hinter dem Geld her. Dabei landet man ja nicht gerade in einer Goldgrube, wenn man einen Orthopäden heiratet.« Leo tat sich einen großen Klacks Kartoffelpüree auf. »Kann mir mal einer die Butter geben?«

Conrad sah auch anders aus. Er knöpfte sich sein Hemd nicht mehr bis zum Adamsapfel zu. Immerhin sah er so nicht mehr aus wie ein Serienmörder. Und er hatte angefangen, das Anti-Schuppen-Shampoo zu benutzen, das meine Mutter ihm immer ins Bad stellte. Außerdem war er endlich ins Ringerteam seiner Schule aufgenommen worden. Und es gab ein Mädchen, das er mochte. Leslie. Sie war mitten im Schuljahr in seine Klasse gekommen.

Kurz bevor er im Sommer nach Tennessee fuhr, gingen Conrad, Leslie und ich zusammen ins Kino, wo *E. T.* lief. Wir saßen im dunklen Kinosaal, aßen Popcorn und sahen dem kleinen Jungen zu, der mit einem langen Finger kommunizierte, und zum ersten Mal seit langer Zeit hatte ich das Gefühl, dass alles fast normal war.

Inzwischen sind sechs Monate vergangen, und das sachte Klopfen an der Tür ist ausgeblieben, kein dunkler Schatten ist neben meinem Bett erschienen, ich musste mir keine geflüsterten Drohungen anhören. Ich weiß nicht, ob ihm während des Sommers mit seiner Mutter und seiner Schwester klar geworden ist, wie pervers sein Verhalten war, ob er mit Leslie Petting macht oder ob die Hormone, die ich einnehme, meinen Geruch verändert haben. Jedenfalls wirken die Pillen.

Ich renne im Dauerlauf zur Schule, Regen pladdert auf meinen Schirm, aus den Pfützen spritzt mir schmutziges Wasser an die Beine. Wahrscheinlich verpatze ich den Test. Ich kann mich nicht mehr erinnern, warum Paul Revere so wichtig ist.

Dezember.

»Ach, *hier* bist du«, sagt Mum, schiebt sich durch die dicken Samtvorhänge und setzt sich auf einen der jetzt leeren Metallstühle, auf denen sonst die Bratschenspieler sitzen.

»Du darfst hier gar nicht hin«, sage ich.

»Das war ein schönes Konzert«, sagt sie und übergeht, was ich gesagt habe. »Obwohl der Dirigent kein gutes Rhythmusgefühl hat. An einer so teuren Schule sollten sie jemanden haben, der musikalischer ist.«

»Mom!« Ich blitze sie an und sage lautlos: »Sei still!« Die meisten Orchestermitglieder sind noch hinter der Bühne und packen ihre Instrumente ein. Mr Semple, unser Dirigent, steht in der Nähe und spricht mit den Oboisten.

»Ich sollte mal mit ihm reden. Ihm ist vielleicht nicht bewusst, dass er das Tempo nicht hält.«

»Ich bringe dich um, wenn du das tust.« Ich zerlege meine Querflöte, fädle ein weißes Taschentuch durch den Reinigungsstab und schiebe ihn ins Rohr. Spucketropfen laufen aus dem Mundstück, als ich es umdrehe.

»Und warum spielt ihr einen einzelnen Satz aus dem vierten *Brandenburgischen Konzert,* wenn ihr das ganze fünfte spielen könntet?« Sie holt einen Lippenpflegestift aus ihrer Tasche und schmiert sich die Lippen ein. »Davon abgesehen, Eleanor, warst du der Star. Das Piccolosolo in der *Nussknacker*-Suite war immer schon mein Lieblingsstück. Der helle Lauf die Tonleiter rauf und runter: Bada bada bada bah … blrump, baba badladladladl blum-pah«, singt sie aus vollem Halse.

»Bitte, Mom. Hör auf.« Ich verstaue die Flöte und die Piccolo-Flöte in meinem Rucksack.

»Du weißt, wie wenig ich es mag, wenn du mich ›Mom‹ nennst«, sagt sie.

Leo und Conrad warten draußen im Foyer auf uns.

»Bravo!«, sagt Leo. »Aus dir ist eine großartige Flötistin geworden, mein Fräulein.« Er dreht sich zu Conrad um. »Meinst du nicht auch?«

»Es war nicht schlecht.«

»Nicht schlecht? Ich fand, Eleanor hat hervorragend gespielt.«

»Klassische Musik ist nicht so mein Ding.«

Ein paar Freundinnen kommen auf mich zu und gratulieren mir ganz aufgeregt. »Du warst echt toll.« »Dass du so was kannst!« »Ist doch bestimmt sauschwer, oder?« Ich mag meine Freundinnen, aber ich weiß, dass sie nicht gekommen sind, um mich zu hören. Sie sind hier, weil Jeb Potter, der begehrteste Junge der Schule, im Orchester die Pauke spielt.

Conrad drängt sich in unseren Kreis. »Hi«, sagt er in die Runde. »Wie sieht's aus?« Er legt eine Hand auf meine Schulter. »Ich bin Conrad, Elles Bruder.«

»Stiefbruder«, sage ich.

1983. 1. Januar, New York City.

Wenn ich noch eine Teigtasche esse, platze ich. Wir sitzen um einen großen runden Tisch im Dim-Sum-Restaurant in Chinatown. Das ist unsere Neujahrstradition. Mum und Leo haben einen Kater und sind leicht gereizt. Ein Kellner schiebt einen Servierwagen durch das Restaurant und verteilt kleine weiße Teller mit undefinierbaren Speisen auf den Tischen. Von dem Zigarettenrauch, dem Schweiß und dem Lärm ist die Luft zum Schneiden. Der Kellner stellt ein Bier vor Mum, und Mum trinkt in großen Zügen aus der Flasche.

»Das Gegengift«, sagt sie. »Nicht mal vierundzwanzig Stunden, und schon verstoße ich gegen meinen Vorsatz.«

Ich werfe Anna einen Blick zu und stöhne leise. »Ich bin so fett.«

»Bitte«, sagt Anna. »Ich komme mir vor wie eine Zecke.«

Anna verbringt die Ferien bei uns. Sie schläft in meinem Zimmer, weil Conrad ihr Zimmer hat. Mum hat für Anna das Klappbett aufgestellt, aber die Matratze ist uneben und so dünn, dass man die Sprungfedern darunter spürt. Deshalb habe ich Anna mein Bett angeboten. Nachts liegen wir nebeneinander und reden pausenlos, bis wir einschlafen. Seit ich sie im Internat besucht habe und sie sich mir zum ersten Mal anvertraut hat, sind wir Freundinnen.

»Wer möchte ein Schweinefleischbällchen?« Leo nimmt zwei Teller vom Servierwagen. Conrad will sich bedienen, aber Leo verhindert das. Conrad hat zu viel zugenommen. »Rosemary?«

Rosemary ist über die Ferien auch bei uns. Sie ist immer noch ein Mäuschen mit strähnigem aschblonden Haar und ziemlich klein für ihr Alter. Traurig. Sie ist vierzehn und trägt vernünftige braune Halbschuhe und wollene Faltenröcke. Man könnte meinen, ihre Mutter kaufte ihr die Sachen. Rosemary wollte nicht kommen, aber Leo hat darauf bestanden. Er ist glücklich, seine beiden Kinder bei sich zu haben, aber Mum hält es nicht aus. Sie erfindet lauter Gründe, um in den Supermarkt zu gehen. Zu Weihnachten hat Rosemary uns allen unterschiedliche Keramikglocken von Graceland, dem Geschenkeladen, geschenkt. Leo hat auf dem Saxofon Weihnachtslieder gespielt, und wir haben dazu gesungen. Dann hat Rosemary gefragt, ob sie ihr Solo *Lully Lullay* singen könne. In meinen Ohren klingt ihre Stimme so, als spielte jemand Blockflöte. Rosemary bestand darauf, alle Strophen zu singen, die Augen geschlossen und sich im Rhythmus der Musik wiegend. Schließlich liefen ihr Tränen über die Wangen. Anna kniff mich so fest in den Oberschenkel, dass ich beinah geschrien hätte.

»Als hätte sie ihre Kindheit noch nicht hinter sich gelassen«, sagte Anna später, als wir in den Betten lagen. »Ihre Haut ist durchsichtig. Das liegt wahrscheinlich an der ganzen Religion.«

»Wie sieht es denn im Sommer aus, Rosemary?«, fragt Leo gerade. »Es wäre doch schön, wenn du für ein paar Wochen zu uns kommen könntest. Wir haben dich vermisst.«

Ich kann sehen, dass Mum ihm am liebsten unter dem Tisch einen Tritt versetzt hätte, aber sie lächelt Rosemary zu und nickt zustimmend. Sie trinkt den Rest von ihrem Bier und gibt dem Kellner ein Zeichen.

»Leider geht das nicht. Im Juni bin ich mit meiner Band im Sommerlager«, sagt Rosemary. »Und dann fahren Mom und ich an den Lake Placid.«

»Von Lake Placid hat Mom mir ja nichts gesagt«, sagt Conrad.

»Das ist nur für Frauen. Du bist nicht eingeladen.«

Conrad nimmt ein Fleischbällchen von ihrem Teller und beißt hinein, braune Bröckchen bleiben in seinen Mundwinkeln hängen.

»Musste das jetzt wirklich sein, Conrad?«, fragt Leo.

Februar.

Auf dem Spielplatz ist noch ziemlich viel Betrieb. Obwohl es eiskalt ist und schon dunkel wird, hat Mrs Strauss, die Frau, auf deren Kind ich nach der Schule aufpasse, darauf bestanden, dass ich mit ihrer fünf Jahre alten Tochter in den Park gehe. Dabei muss sie gesehen haben, dass ich völlig durchgefroren bin und meine Nase abzufallen droht. Sie ist eine von den Frauen, die nur freundlich *wirken*. Sie kauft in angeberischen Geschäften wie Bendel's und Bergdorf's ein, würde aber nie zu Bloomingdale's gehen. Die Familie Strauss wohnt auf der Upper East Side in einem modernen Wohnblock aus weißen Backsteinen, und die sandfarbene Markise über der Haustür erstreckt sich über den Gehweg bis zum Bordstein, damit die Bewohner bei Regen trockenen Fußes ins Taxi steigen können. In ihrer Wohnung öffnen sich Schiebetüren zum Balkon, von dem man einen Blick auf den Park hat. Wenn Mrs Strauss und ihr Mann zu faul sind, mit dem Hund rauszugehen, lassen sie ihn auf den Balkon scheißen, und die Scheiße gefriert zu abscheulichen graubraunen Klumpen.

Ich gehe mit Petra über den Spielplatz, vom Klettergerüst zur Rutsche, dann zu den Schaukeln. Die Kinder tragen dicke Wollmäntel und Fäustlinge, sie haben Schals um den Hals und Rotznasen. Die Kinderfrauen sitzen zusammen auf den Parkbänken, kümmern sich nicht weiter um die Kinder und versuchen, die Zeit zwischen Schule und Essenszeit möglichst bequem hinter sich zu bringen.

»Schubs mich an!«, sagt Petra.

Ich habe meine Handschuhe vergessen. Meine Hände verfärben sich blau, als ich die Metallschaukel anstoße und Petra immer höher in den Wind fliegt. Die Bäume sind kahl. In meiner Manteltasche spüre ich das Gewicht der Rolle mit den 25-Cent-Stücken, die ich aus der Schublade in der Küche gestohlen habe, wo Mrs Strauss das Wechselgeld für die Waschmaschine im Keller aufhebt.

Ich steige aus dem Aufzug und winke Pepe zu, unserem Aufzugführer. Ein paar Stockwerke höher läutet jemand nach ihm. Pepe schiebt die schweren Messinggitter des Aufzugs zu, und die äußere Aufzugtür schließt sich hinter mir. Ich stehe im Flur und krame in meiner Tasche nach dem Wohnungsschlüssel. Schon auf dem Flur höre ich, wie Leo und Conrad sich anschreien. Sie sind so laut, dass bestimmt jeder in unserem Haus sie hört. Conrad brüllt, sein Vater würde das nicht verstehen, er habe das für jemanden in der Schule »aufgehoben«, es sei nicht sein Stoff.

Ich lasse mich auf den schwarz-weiß gekachelten Fußboden sinken und lehne mich an die Wohnungstür. Auf keinen Fall betrete ich jetzt die Wohnung.

»Das gibt einen Monat Hausarrest«, brüllt Leo.

»Das kannst du nicht machen! Ich habe Karten für die

WWF in Madison Square Garden. André the Giant kommt«, schreit Conrad. »Ich gehe mit Leslie.«

»Gib Elle die Karten.«

»Ich habe sie von meinem Weihnachtsgeld gekauft, das Mom mir geschenkt hat.« Inzwischen hat Conrad angefangen zu schluchzen. »Du bist ein gemeines Arschloch. Ich hasse dich!«

Später, als ich am Schreibtisch sitze und meine Mathehausaufgaben mache, kommt Conrad zur Tür. »Hier, blöde Zicke«, sagt er und wirft die Karten in mein Zimmer.

»Was hab ich dir getan?«, sage ich. »Ich kann Sport nicht ausstehen.«

März.

Ich werde vom Geräusch von Papier wach. Ein schmales Taschenbuch wird durch den Spalt meiner geschlossenen Tür geschoben, die jetzt einen Hakenriegel hat. Ich sehe mit Entsetzen zu, wie *Von Mäusen und Menschen* langsam nach oben geschoben wird. Unter dem Riegel bleibt es stecken und bewegt ihn rauf. Das Buch verschwindet. Die Klinke meiner Tür wird runtergedrückt.

»Mum?«, rufe ich, bevor er die Tür aufmachen kann. »Bist du das?«

Ich höre, wie er über den Flur davonschleicht, dann verriegele ich die Tür wieder.

April.

Seit wir bei unseren Großeltern in Connecticut angekommen sind, hat der Nieselregen nicht nachgelassen. Aprilregen bringt Blumen und Segen, behauptet meine Großmutter, aber gerade wird man eher an Herzeleid erinnert und weniger an zartes Frühlingsgrün. Anna und ich verbringen zwei Wochen bei unseren Großeltern. In letzter Zeit hat Granny Myrtle manchmal Herzflattern und ist ein bisschen wacklig auf den Beinen. Sie könnte Hilfe im Haus gebrauchen. Anna hat Frühjahrsferien von der Universität in Kalifornien und möchte möglichst lange bei ihnen sein.

»Wer weiß, ob ich je aus Kalifornien zurückkomme. Und dann sind die beiden womöglich tot«, sagt sie, als sie mich anruft, um mir von dem Plan zu erzählen.

»Wie schön. Wir werden dich so vermissen.«

»Du auf jeden Fall«, sagt Anna.

»Ich weiß. Ich vermisse dich jetzt schon.«

Jetzt liegen Anna und ich auf unseren Betten, wo wir die letzten drei Tage damit zugebracht haben, die Bücher zu lesen, die Granny Myrtle für uns aus der Bibliothek geholt hat. »Da habt ihr was zu lesen, bis dieses scheußliche Wetter aufhört«, sagt sie und gibt jeder von uns ein dickes Buch, *Krieg und Frieden* für Anna, *Sturmhöhe* für mich.

Ich halte mir das Buch vor die Nase und schnüffle daran. Ich mag den Geruch von Büchern aus der Bibliothek, sie riechen wichtiger als andere Bücher, ein bisschen altertümlich, wie die Stufen zu einem Marmorpalast oder wie ein Vauxhall Senator.

Anna gähnt und streckt sich. »Das Buch ist mir zu dick. Und zu russisch. Dieser Stil, er ist so männlich und forsch. Ich gucke mal, ob ich was anderes finde.«

Ich bleibe allein zurück und sehe den Regentropfen zu, die an der Scheibe hinabrinnen. Ich starre in die Nebelwelt hinaus. Im Dunst sieht der Holzapfelbaum wie ein Gespenst aus, dessen schwarze Äste ans Fenster klopfen. Und wenn es einen Monat lang regnete, mir wäre es egal. Ich bin froh, hier zu sein, in Sicherheit, zusammen mit meiner lustigen, scharfzüngigen, ironischen Schwester. Wo ich ohne Angst einschlafen kann und weiß, dass meine Großmutter, und sei sie noch so zart, mich mit ihrer Liebe umfängt und frische Waffeln bäckt und mir unbedingt die Haare am Küchenbecken waschen will, wie sie es seit meiner Kindheit tut, und den süßen Paraffingeruch von Johnson's Baby Shampoo unter dem warmen Wasser ausspült, wofür ich meinen Kopf in einem unbequemen Winkel zurücklehnen und meinen Nacken an das kalte Porzellan des Beckens pressen muss. Trotzdem werde ich auch hier jede Nacht wach, weil mein Unbewusstes auf der Hut ist. Ich liege im Dunkeln, getröstet von Annas leisem Schnarchen, und schlafe wieder ein.

»Du siehst echt scheiße aus«, sagte Anna, als sie ankam.

»Ich konnte in letzter Zeit nicht gut schlafen«, sagte ich.

»Und ich dachte, jemand hätte dir auf beide Augen geboxt.«

Als Conrad anfing, nachts in mein Zimmer zu kommen, wollte ich Anna anrufen und es ihr erzählen. Aber ich wusste, dass Anna es Mum erzählen würde, selbst wenn ich ihr das Versprechen abnähme, es nicht zu tun. Anna ist nicht wie ich. Sie liebt die Konfrontation. Ihr ist es piepegal, was andere denken. Sie braucht nicht die Zuneigung der Menschen um sich herum. Anna ist eine Kämpferin. Bei ihr wäre Conrad nicht unentdeckt geblieben. Und sie hätte nicht verstanden, warum ich es zugelassen habe, dass es die ganze Zeit passiert ist. Dass ich mich vor der Schande und Demütigung nicht anders zu schützen wusste, als sie zu leugnen. Aber wenn ich Anna davon erzählte, würde sie ihm an die Gurgel springen, sie würde alles ans Tageslicht zerren und mich ihm auf andere Weise ausliefern.

Conrad würde erfahren, dass ich die ganze Zeit von seinem schmutzigen Geheimnis gewusst habe. Als es aufhörte, dachte ich: Eigentlich ist ja nichts Schlimmes passiert. Er hat sich selbst angefasst, nie mich. Niemand muss das je erfahren. Aber in letzter Zeit haben seine Besuche wieder angefangen, und ich wünschte, ich hätte ihr davon erzählt, als es noch möglich war.

Anna kommt wieder ins Zimmer, in der Hand *Der große Gatsby*, die Ausgabe, die meinem Großvater gehört.

Ich sehe auf. »Hast du das nicht schon hundertmal gelesen?«

»Das ist eine Erstausgabe«, sagt sie ehrfürchtig.

»Hat er dir erlaubt, sie zu nehmen?«

»Ich wollte ihn nicht stören. Er ist oben in seinem Zimmer.« Sie legt sich wieder aufs Bett. »Außerdem will ich es gar nicht lesen. Ich will es nur halten und streicheln. Vielleicht ergibt sich daraus ja eine intime Beziehung.«

»Manchmal bist du ein echter Idiot.« Ich lache.

»Das stimmt«, sagt Anna. »*Das ist das Beste, was ein Mädchen auf dieser Welt sein kann, ein hübscher kleiner Idiot.*«

»Kann eins von euch Mädchen mal beim Abendessen helfen?«, ruft Granny Myrtle aus der Küche. »Die Kartoffeln müssen geschält werden.«

»Ich gehe«, sage ich zu Anna. »Bleib du hier und lass dich von deinem Buch befühlen.« Zu meiner Großmutter sage ich: »Kann ich lieber die Mohrrüben schaben? Im Kartoffelnschälen war ich noch nie gut.« Ich habe am Schluss immer kleine fünfeckige Klumpen, an denen die meiste Schale noch dran ist. Und dann ist Granny Myrtle enttäuscht, und das will ich nicht.

»Lauf doch mal schnell los und hol die Post«, sagt Granny. »Ich war heute noch gar nicht unten.« Sie geht zum Spülbecken und fängt an, die Kartoffeln zu schälen. Hauchdünne Schalen fallen elegant ins Becken. Ich umarme sie von hinten, reibe meine Wange an ihrer und mache leise, gurrende Geräusche.

»Ach, du dummes Kind«, sagt sie. Aber sie lächelt. »Meine Gummistiefel stehen vorne im Flur, falls du sie brauchst. Und pass auf den Steinstufen gut auf. Sie sind glitschig.«

Der Nieselregen ist in heftigen Regen übergegangen. Blitze durchzucken den Himmel und erleuchten die Grabsteine auf dem Friedhof. Sekunden darauf der Donner.

Mai.

Als ich aufwache, bin ich völlig durchgeschwitzt und liege im Bett mit dem Rücken zu Tür. Ich muss bei meiner Wache eingeschlafen sein. Eine Straßenlaterne wirft den Schatten eines Baums an die Decke über mir. Äste wie Hexenfinger. Ich sehe ihn nicht, aber er ist hinter mir, neben meinem Bett. Er beobachtet mich. Überlegt. Ich ändere meine Haltung ein wenig, murmle etwas, als wäre es im Traum, und warte, dass er geht. Aber er bleibt stehen. Eine Fingerspitze berührt meinen Fußknöchel, fährt über mein Bein, hält beim Saum meines Nachthemds an. Sie drückt sich in meinen Oberschenkel. Feucht, weich. Da merke ich, dass es nicht sein Finger ist. Bevor ich es verhindern kann, zucke ich zurück. Zu schnell, zu wach.

»Elle?«, flüstert er zur Probe. »Elle?«

Ich rolle mich zusammen, die Schultern nach vorn, die Knie an die Brust gezogen, und wimmere wie in einem Albtraum. »Es ist kein Pfau«, murmele ich. Mein Arm holt aus, ins Leere. »Dein Haus ist hier.«

Conrad tritt zurück ins Dunkle. Er wartet, bis ich still bin. Als sich mein Atem normalisiert, geht er aus dem Zimmer. Die Tür schließt sich mit einem Seufzen.

16

1983. Juni, New York.

Acht Uhr morgens, und schon jetzt ist es in der Stadt schwül und drückend. Der Geruch von staubigen grauen Gehwegen, Hundepisse und Öl auf Asphalt hängt in der Luft und mischt sich mit süßem, feinem Lindenduft. Gleich fahren wir nach Back Woods. Das Auto parkt in zweiter Reihe, wir sind spät dran. Ich helfe Leo beim Packen. Er möchte möglichst bald los, bevor der Verkehr zu dicht wird. Wir haben sechs Stunden Fahrt vor uns. Aber Mum muss noch die Katze einfangen, und Conrad, der dafür zuständig ist, unser Gepäck nach unten zu bringen, bewegt sich so langsam, als würde er durch Honig schwimmen.

»Kannst du deine kurzen Beine mal etwas schneller bewegen?«, sagt Leo.

»Arsch«, sagt Conrad.

Leo sagt nichts.

Meine Mutter lehnt sich aus einem Fenster unserer Wohnung im vierten Stock. »Elle, soll ich deine Munddusche einpacken? Und lauf doch bitte zum Supermarkt und hol mir einen Karton, den ich während der Fahrt als Katzenklo benutzen kann.«

Als endlich alles gepackt ist, kommt Mum aus dem Haus und trägt den Picknickkorb und den Katzenkorb.

»Sie hatte sich unter dem Bett versteckt.« Sie stellt den Katzenkorb auf den Rücksitz und gibt mir den Picknickkorb nach hinten. »Kannst du den bei deinen Füßen abstellen, Elle? Leo

217

will mittags nicht zum Essen halten. Ich habe einen Apfel und drei Nektarinen eingepackt. Es gibt Sandwiches mit Erdnussbutter und Mayonnaise und welche mit Roastbeef.« Sie setzt sich auf den Beifahrersitz, nimmt ein Werbeflugblatt vom Armaturenbrett und fächelt sich damit Luft zu.

»Warum haben wir eigentlich kein Auto mit Klimaanlage?«, fragt Conrad.

»In ein paar Stunden kannst du im See schwimmen.«

Leo schlägt hinten die Klappe zu.

Ich drehe mein Fenster runter, damit wenigstens eine kleine schwüle Brise hereinkommt. Ich kann es kaum erwarten, nach Back Woods zu kommen. Anna verbringt den Sommer in einem Kibbuz in Nordkalifornien, ich habe also die Schlafhütte für mich allein. Außerdem bin ich für einen Segelkurs angemeldet. Und in diesem Sommer kommt auch Jonas. Letztes Jahr hatten seine Eltern einen Studienaufenthalt in Florenz. Seine Mutter schreibt eine Biografie über Dante. Ich freue mich wahnsinnig, ihn zu sehen. Ob er wohl sehr verändert ist? Vielleicht habe ich ihn weit überholt.

In dem dichten Verkehr geht es nur langsam vorwärts. Irgendwo auf Rhode Island läuft unsere Kühlung heiß. Fluchend fährt Leo an den Rand.

»Ich muss mir sowieso die Beine vertreten«, sagt Mum.

Kurz vor uns ist ein anderer Wagen mit einer Panne liegen geblieben. Und davor ragt eine riesige Plakatwand auf, auf der ein Mann im Zebraanzug eine Autohandlung anpreist. Beim Anblick der vorbeischleichenden Autos bin ich leicht verärgert, als hätten wir unseren legitimen Platz im Verkehr verloren.

»Ich habe eine leere Milchflasche mit Wasser aufgefüllt, für alle Fälle«, sagt Mum. »Sie steht hinter Conrad.«

»Gib mir das Wasser, bitte, Con.« Leo löst seinen Sicherheitsgurt. »Ich muss die Motorhaube aufmachen, damit der Motor abkühlen kann.«

Conrad wirft einen Blick über die Schulter. »Sie ist zu weit hinten. Ich komme da nicht ran.«

»Dann steig aus und hol sie von hinten raus.«

»Du steigst doch sowieso aus.«

»Ich hole sie«, sage ich, bevor Leo etwas erwidern kann. Ich drehe mich auf der Rückbank um, strecke meinen Arm über lauter Papiertüten mit Lebensmitteln, über Koffer, einen Korb mit Birnen und kriege die Wasserflasche zu fassen. »Ich hab sie«, stöhne ich.

»Elle, du bist ein Engel«, sagt Leo. »Wir sprechen uns noch, Conrad.« Leos Stimme ist voller Verachtung.

»Wir sprechen uns noch.« Mit unterdrückter Stimme mokiert Conrad sich über seinen Vater. Mich sieht er hasserfüllt an. »Arschkriecherin.«

Zwischen uns miaut die Katze meiner Mutter und traktiert den Käfig mit ihren Krallen.

Als wir in Back Woods ankommen, ist es fast Mitternacht. Das Sommerquartier war den ganzen Winter verschlossen. Unsere Kanus stehen gestapelt auf der Veranda. Alles ist mit Pollen übersät und voller Spinnweben. Ein größeres Tier hat sich Zugang zum Haus verschafft und ein paar Teller von den Borden geworfen. Überall liegen Scherben. Wie jedes Jahr haben sich Mäuse in der Besteckschublade eingerichtet. Mäusedreck zwischen Gabelzinken, Nachgeburt auf Teelöffeln. Der Heißwasserboiler muss angestellt werden. Nicht eine der Taschenlampen funktioniert. Keiner hat Lust, die Betten zu machen.

Ich pinkle ins Gebüsch, gehe zu meiner Schlafhütte und werfe mich auf die blanke Matratze. Ich bin sehr glücklich, hier zu sein. Ich höre das Rauschen der Wellen und das Krächzen der Frösche, das Rascheln des warmen Windes in den Bäumen. Es ist Vollmond, ich sehe ihn durch das Oberlicht. Ein Zweig bricht. Ich höre Geräusche am Seeufer und im nächsten Moment ein Platschen, dann einen Laut wie von einem Baby. Ich stehe auf, schleiche mich zur Fliegengittertür und starre eine Weile ins Dunkle, bis meine Augen sich daran gewöhnt haben. Eine große Waschbärenmutter und vier Junge sind im flachen Wasser und fischen. Einen Moment lang hält das Muttertier inne, hebt die Nase in die Luft, wittert mich. Dann wendet sie sich wieder ihrer Aufgabe zu, fährt mit der Pfote durchs Wasser und holt einen Fisch heraus.

Ich gehe ganz leise raus. Das Muttertier, jetzt auf der Hut, erstarrt. Ich mache einen Schritt nach vorn. Sie wendet mir ihr spitzes Gesicht zu und faucht. Blitzschnell verschwinden die Waschbären zwischen den Bäumen. Sind nicht mehr zu sehen. Nur die Wellen auf dem See bleiben. Der Mond scheint so hell, dass ich die Kieselsteine auf dem Boden sehen kann. Ich ziehe mich aus und wate bis zum Bauchnabel ins Wasser, dann tauche ich ein. So bin ich hier noch nie geschwommen, nachts, nackt, in der Stille. Es hat etwas Luxuriöses, Geheimnisvolles.

Ich komme aus dem Wasser, schüttle mich und nehme meine Sachen vom Ast. Ich eile die Stufen zu meiner Schlafhütte hinauf und schließe die Tür hinter mir.

Eine Hand kommt aus der Dunkelheit und legt sich auf meinen Mund.

»Ich habe dir zugesehen«, flüstert Conrad.

Mir wird speiübel, Panik erfasst mich. Ich will schreien, aber es kommt nur ein gequältes Stöhnen heraus.

»Du solltest jeden Abend nackt schwimmen.« Er fährt mit der Hand über meinen Körper und seufzt. »Deine Haut ist so weich, so glatt.«

Er stößt mich auf die Matratze.

Ich wehre mich, aber er hat mich fest im Griff.

»Du wusstest, dass ich zugucke«, sagt er.

»Bitte, Conrad«, bettle ich.

»Du machst mich absichtlich geil. Es gefällt dir. Du lässt

mich nachts in dein Zimmer. Du sagst nie, ich soll gehen. Ich weiß, dass du nur so tust, als würdest du schlafen.«

Ich schüttele den Kopf, ich schlage um mich, verzweifelt. »Das ist eine Lüge«, flüstere ich.

»Ich habe meinen Freunden erzählt, dass du dich von mir anfassen lässt.«

Er stößt in mich hinein. Ich spüre einen stechenden Schmerz, als er das Hymen verletzt. Mich aufreißt. Ich denke an die Waschbärenmutter, die jetzt auf dem Baum meine leisen Schreie hört. Als er kommt, weine ich.

Ein Hüttensänger fliegt über den Himmel, von Baum zu Baum. Ich liege im Wald auf dem moosigen Boden beim Bach und habe mich eng zusammengerollt. Als Conrad weg war, bin ich ins Badezimmer gerannt und habe mich mit heißem Wasser gewaschen. Wollte ihn von meinem Körper abschrubben. Es hat nichts genützt. Ich bin nicht mehr ich selbst. Ich kann nicht nach Hause. Ich kann nicht hierbleiben. Ich werde nicht zulassen, dass er mir das hier kaputt macht. Der See gehört mir. Der Wald gehört mir. Ich muss schlafen. Die Nacht hasst mich. Ich bin der wandelnde Tod.

Stunden später komme ich zur Besinnung. Mein Körper ist eiskalt, taub, meine Zähne klappern, meine Sachen sind schweißgetränkt und kleben an mir. Ich weiß nicht, wo ich bin, ich bin im Dunst eines Traums gefangen. Ich möchte hierbleiben, aber das geht nicht. Ich wasche mir im kühlen Bach das Gesicht, fahre mir durch die Haare. Mein Körper ist mir zuwider. Ich muss nach Hause. Ich kann nie wieder nach Hause.

Ich nähere mich heimlich dem Sommerquartier und verstecke mich im Gebüsch beim Vorratsraum. Ich möchte mich unsichtbar machen, am Haus vorbeischleichen, ein Loch finden, hineinkriechen, meine Augen fest zumachen, nichts mehr sehen, nur schwarze Punkte. Leos Wagen ist weg. Meine Mutter ist allein in der Küche und bereitet das Essen vor. Ich sehe ihr von meinem grünen Versteck aus zu. Sie summt und füllt einen großen Topf mit Wasser. Ich mache einen Schritt in ihre Richtung. Sie hebt den Kopf, hat etwas gemerkt, wie ein Reh, als spürte sie eine Gegenwart. Sie dreht den Wasserhahn zu, tritt ans Fenster und sieht hinaus. Ich warte, bis sie sich abwendet, dann komme ich aus dem Gebüsch und betrete das Haus durch die Hintertür.

»Da bist du ja!«, sagt sie. »Ich habe dich den ganzen Tag nicht gesehen und wollte mir schon Sorgen machen.«

»Ich bin zu Fuß in die Stadt gegangen.«

»Dein Freund Jonas ist vorhin hier gewesen.«

»Wo sind die anderen?«

»Leo und Conrad sind zum Supermarkt gefahren. Ich hatte das Bier vergessen. Es gibt heute Blaubarsch-Tacos.«

»Ich will nichts essen. Ich habe furchtbare Bauchschmerzen.«

Meine Mutter schneidet einen Kohl in schmale Streifen, ein Haufen blassgrüner Knochen.

»Mum?«

»Mmhmm«, sagt sie, ohne sich umzudrehen.

»Ich muss dir was erzählen.«

»Kannst du mir mal den Sauerrahm geben?« Sie wischt die Klinge des Messers mit einem Trockentuch ab und nimmt ein Bündel gewaschener Petersilie, schüttelt es ab.

»*Mom.*«

»Nenn mich bitte nicht so. Du weißt, dass ich das nicht leiden kann.«

Ich höre das Auto auf der Einfahrt.

»Ah, gut«, sagt sie. »Sie sind wieder da. Dann kann ich ja den Fisch auf den Grill legen.« Sie gießt ein bisschen Olivenöl in eine gusseiserne Pfanne und wirft eine Handvoll zerquetschten Knoblauch hinein. »Gut. Also erzähl«, sagt sie.

Die Autotür schlägt zu.

»Ich glaube, ich habe Fieber.«

Sie fühlt meine Stirn mit dem Handrücken. »Du bist ein bisschen heiß, das stimmt.« Sie geht zum Becken und gießt ein Glas Wasser ein. »Nimm das. Ich hole dir ein Aspirin, sobald der Fisch auf dem Grill liegt.«

Ich gehe den Pfad hinunter zu meiner Hütte und bleibe davor stehen. Ich habe Angst hineinzugehen. Angst, vor dem, was ich da finden werde.

Das Seltsame ist, dass nichts anders ist als vorher. Es gibt keine Spur von Gewalt, keinen Angstgeruch. Der gelbe Fußboden ist hell und freundlich. Mum hat mir frische Laken und geblümte Kissenbezüge hingelegt. Nichts ist verändert, außer mir.

Ich komme vier Tage nicht aus meiner Hütte, bin zittrig und ständig den Tränen nah, schaffe es aber, Conrad fernzubleiben. Nachts schließe ich ab und stelle einen Stuhl vor die Tür. Mum denkt, ich hätte mir den Magen verdorben. Ich stecke mir den Finger in den Hals und gebe alles Essen, das sie mitbringt, wieder von mir. Ich täusche Durchfall vor und ziehe immer wieder die Spülung. Mum hält die anderen von mir fern. »Das fehlte noch, dass du die anderen ansteckst.« Sie bringt mir kalte Kompressen und Schüsseln mit Hühnerbrühe und Reis. Meine Mutter ist kein warmherziger Mensch, aber sie ist eine ausgezeichnete Krankenschwester. Jonas kommt jeden Tag vorbei, aber sie schickt ihn wieder weg.

Am Montag fängt unser Segelkurs an, und an dem Morgen bin ich wie durch ein Wunder wieder gesund. Meine Mutter ist skeptisch, und ich verspreche ihr, anzurufen, sollte mir wieder schlecht werden. Die Meeresluft werde mir guttun, erkläre ich ihr. Sie fährt mich zum Jachtklub und setzt mich an der Anlegestelle ab.

»Leo kommt um fünf und holt dich ab.«

»Ich dachte, du holst mich ab.«

»Leo ist sowieso unterwegs, weil er mit Conrad nach Orleans fährt, sie wollen ihm eine neue Badehose kaufen. Anscheinend ist die alte am Bauch zu eng.«

»Wozu braucht Conrad eine Badehose? Er geht doch kaum ins Wasser. Ich möchte lieber nicht mit Leo fahren, für den Fall, dass mir schlecht wird.«

Meine Mutter seufzt. »Also gut. Fünf Uhr.«

Ich schaue dem Wagen hinterher, dann gehe ich zum Bootssteg. Mein Körper fühlt sich fremd an, schwach, durchsichtig. Aber ich bin froh, von unserem Sommerquartier weg zu sein, von ihm weg, in Sicherheit.

Ein paar andere Jugendliche stehen schon am Steg und warten auf den Segellehrer. Hinter ihnen sitzt Jonas, lässt die Beine ins Wasser baumeln und skizziert etwas, das seine Aufmerksamkeit erregt hat.

»He«, sagt er, als hätten wir uns gestern erst gesehen.

»He. Was machst du denn hier?«

»Ich lerne segeln.«

Ich bleibe einen Meter vor ihm stehen, weil ich befürchte, er könne die Schande an mir riechen, aber er springt auf, lächelt übers ganze Gesicht und umarmt mich. Ich bin schockiert, wie sehr verändert er ist – zwar ist er immer noch braun und schlaksig und hat kein Hemd an, aber er sieht viel älter als vierzehn aus. Er ist bestimmt einen Meter achtzig groß und sehr attraktiv. In der Umarmung bin ich plötzlich seltsam scheu und wünschte, ich hätte mir die Haare gewaschen.

»Du siehst so anders aus«, sage ich und schiebe ihn von mir. »Die gleichen schauerlichen Shorts.«

Er lacht. »Nur zehn Nummern größer, aber sonst, stimmt, alles so wie vorher. Und bei dir?«

Mir bleibt die Lüge erspart, weil der Segellehrer eintrifft und uns zuruft, wir sollen uns Rettungsjacken nehmen und in die Boote steigen, drei pro Boot. In der Bucht liegen fünf Segeljollen. Sie sehen aus wie Drops, und ihre Segel sind grün, türkis, orange, rot und lila gestreift.

»Ich hoffe, du hast nichts dagegen, dass ich den Kurs mitmache«, sagt Jonas, als wir in die Boote klettern. »Deine Mutter hat gesagt, du hättest dich eingetragen. Deine Postkarten habe ich bekommen. Danke.«

»Was meinst du damit? Ich bin natürlich froh, dass du da bist«, sage ich. Und so ist es auch.

»Du siehst auch anders aus«, sagt Jonas.

»Ich hatte eine Magen-Darm-Geschichte.« Ich bin eine Unberührbare.

Er überlegt einen Moment. »Nein«, sagt er. »Ich glaube nicht, dass es am Durchfall liegt.«

»Igitt.«

»Genau.«

»Wahrscheinlich bin ich dicker geworden.«

»Das auch nicht. Du bist noch hübscher als vorher.«

»Und du bist noch lachhafter als vorher.« Ich lache. Aber ich bin froh, dass er das denkt.

Ein älteres Mädchen steigt ins Boot und zwängt sich zwischen uns. »Ich heiße Karina«, sagt sie. »Ich habe den Kurs letztes Jahr gemacht.« Sie greift nach dem Großschot und schiebt uns zur Seite.

Wir segeln in die kabbelige Bucht hinaus. Vor uns kentert eins der Boote. Jemand stellt sich auf das Schwert und holt das Boot wieder auf. Das nasse Segel klatscht gegen den Mast. Die Jugendlichen hieven sich aus dem Wasser, pitschnass und fröhlich, und wringen ihre T-Shirts aus. Sie ziehen den Baum ein und greifen nach der Leine. Unser Segellehrer sitzt in einem kleinen Skiff mit Außenbordmotor und fährt zwischen den Booten umher.

»Klar zum Wenden! Leewärts! Auf den Baum achten! Schote dichtholen.«

»Ist das Mandarin oder Altgriechisch?«, fragt Jonas. »Ich komme da nicht ganz mit.«

Wir lachen, aber nach einer Stunde führt Jonas unser Boot wie ein alter Käpt'n und macht die aufdringliche Karina überflüssig. Er ruft mir zu: Segel trimmen! Geschwindigkeit machen! Ausreiten! Unsere Segel flattern, wir wenden und verlieren an Tempo. Nichts davon ist wichtig. Ich bin froh, atmen zu können. Froh, mit Jonas hier zu sein. Vor Conrad in Sicherheit. Ich schaffe das, denke ich, als das Boot weiter hinaus segelt. Ich komme darüber hinweg. Niemand braucht es zu erfahren. Ich lege mir ein Messer unters Kissen. Wenn er mich wieder anfasst, bringe ich ihn um. Der Gedanke gibt mir neue Kraft. Ich schließe die Augen und spüre den salzigen Wind auf dem Gesicht.

17

Juli.

Sonntag. Wir nehmen uns einen Tag frei vom Sommerquartier. Jonas und ich haben beschlossen, ein Picknick am Strand zu machen. Wir wollen mit dem Kanu über den See fahren und von dort zum Meer laufen, dann kann Jonas auf dem Rückweg noch ein bisschen angeln. Als er bei uns ankommt, bin ich in der Küche gerade dabei, Sandwiches mit Schinken und Munsterkäse zu machen. Ein Glas mit Pickles in Dillessig und eine Thermoskanne mit Eistee habe ich schon in den Korb getan. Ich lege noch eine Tüte Kirschen, Papierservietten und eine Tüte mit Pizzastücken hinein. Jonas lehnt an der Theke und sieht mir zu, wie ich die Brote in Wachspapier einwickle und mit Kniffen perfekt verschließe.

Die Fliegengittertür geht auf und zu. Conrad setzt sich an den Tisch auf der Veranda. Ich stürze in den Vorratsraum, stecke den Kopf in den Kühlschrank und tue so, als suchte ich etwas.

Die Tür zu meiner Schlafhütte ist jede Nacht verriegelt, und bei Tage fühle ich mich sicher, solange ich nicht mit Conrad allein bin. Solange ich ihn nicht ansehe. Ich bin wie ein Pferd mit Scheuklappen. Conrad tut so, als wäre nichts passiert, aber er ist ungewöhnlich aufmerksam. Er schiebt mir am Tisch einen Stuhl zurecht, füllt mein Wasserglas nach.

»Was für ein höflicher junger Mann«, sagt meine Mutter lächelnd.

»Hallo, Conrad«, sagt Jonas.

»Was habt ihr vor?«, fragt Conrad.

»Nichts Besonderes. Elle macht ein Picknick für uns, wir gehen damit zum Strand.«

»Was macht sie denn?«

»Sandwiches mit Schinken und Käse.«

»Vielleicht komme ich mit.«

»In Ordnung«, sagt Jonas.

Das Senfglas fällt mir aus der Hand und zerbricht auf dem Fußboden. Um mich herum ist überall gelber Dijon-Senf.

Ich hocke mich hin und sammle die Scherben auf.

»Alles in Ordnung? Hast du dich geschnitten?«, fragt Jonas. Er kommt in die Vorratskammer, um mir zu helfen.

»Alles in Ordnung«, murmle ich. »Einfach nur überall Scherben und Senf.«

»Conrad will mitkommen.«

»Wir passen nicht zu dritt ins Kanu.«

»Ich kann auch später angeln. Die Barsche werden dann immer noch da sein.«

»Du hättest mich fragen sollen.«

»Was sollte ich sagen? ›Warte mal eben, ich frage Elle, ob es ihr recht ist … Tut mir leid, sie sagt Nein‹? Das wäre doch peinlich gewesen, mindestens.«

»Ich brauche feuchtes Zeitungspapier und einen Besen«, sage ich zornig.

»Ist wirklich alles in Ordnung?«

»Bestens«, sage ich und drehe mein Gesicht von ihm weg. »Hör auf zu fragen.«

Wir gehen im Gänsemarsch den Pfad entlang, der vom Haus zum Strand führt, erst Conrad, dann Jonas, dann ich.

Jonas unterhält sich mit Conrad. Ich gehe langsamer, lasse ihnen einen Vorsprung. Als sie außer Sicht sind, krümme ich mich und würge. Ich habe mich geirrt. Ich bringe es nicht fertig. Ich kann nicht in seiner Nähe sein. Kann nicht lächeln, nur mit einem Bikini bekleidet, am Strand sitzen und schwimmen, und alles in dem Wissen. In dem Wissen, dass er es weiß. Das Panikgefühl in mir ist wie eine Schlange, die aus meinem Mund zu gleiten droht.

Von vorne ruft Jonas nach mir.

»Ich habe mir den Zeh gestoßen«, rufe ich. »Ich komme gleich nach.«

Ich möchte umkehren, zurücklaufen und mich in meiner Hütte einschließen. Aber stattdessen schließe ich die Augen und zwinge mich, wieder ruhig zu werden und weiterzugehen. Ich bin diesen Pfad so oft gegangen, dass ich jede Wurzel, jeden Baum kenne. Ich weiß, dass ich nach der nächsten Biegung die weinberankten Bäume und Büsche sehen werde, die süßen Concord-Trauben, die über Lorbeerbüsche klettern und an Rebstöcken hängen, die aus der Zeit von vor hundert Jahren stammen, als dieser Hügel Ackerland war. Ich weiß, dass nach den Weinranken der Pfad breiter und steiler wird, und wenn er den höchsten Punkt des Hügels erreicht hat, führt er in einer Vertiefung zwischen den Dünen nach unten, wo eine alte Feuerwehrstraße parallel zum Meer verläuft. Jenseits davon, oben auf der nächsten Düne, kommt man zu einer Holzhütte, die halb vermodert ist, aber noch steht. Sie wurde im Krieg als Ausguck gebaut, von dem aus man nach deutschen U-Booten spähte. Hier haben Anna und ich mit unseren Puppen gespielt. Hier werde ich stehen bleiben und auf das weite Meer hinausgucken, auf mein Meer. Ich kenne das alles hier. Dies ist mein Ort, nicht seiner.

Der Strand ist breit und schön. Es ist Ebbe. Conrad steht schon bis zu den Knien im Wasser und watet tiefer hinein. Sein Rücken leuchtet weiß über seiner hässlichen roten Badehose. Seine Schultern sind voller Pickel. Ich blicke übers Wasser und hoffe auf eine Haiflosse. Ich laufe die steile Düne hinunter und lasse mein Handtuch hinter mir wie ein Segel flattern.

Ich setze mich in einiger Entfernung neben Jonas.

»He.« Er klopft auf den Platz neben sich, aber ich beachte ihn nicht.

Conrad taucht unter eine Welle und wird umgeworfen. Seine dicken Beine ragen aus dem Wasser wie Riesenfinger, die das Friedenszeichen machen, dann richtet die nächste Welle ihn wieder auf.

»Habt ihr euch gestritten?«

»Nein. Es ist das Übliche: Er ist ein Ekel, und ich hasse ihn.«

»Warum tust du dann so, als wärst du sauer auf mich?«

»Ich tue nicht so. Du hast mir den Tag kaputt gemacht. Aber ist jetzt auch egal.«

»Ich habe den Tag nicht kaputt gemacht, Elle. Es ist ein schöner Tag, perfekt. Guck doch mal, das Wasser. Sogar Conrad ist froh, hier zu sein.«

»Na, dann ist ja alles gut.« Ich stehe auf. »Ich gehe am Strand spazieren. Macht ihr zwei es euch schön. Es sind sowieso nicht genug Sandwiches für drei da.«

»Du kannst meine haben, wenn du versprichst, dich nicht länger so bescheuert aufzuführen.«

»Sprich nicht so laut«, sage ich irritiert und renne zum Wasser hinunter. Ich verabscheue mich. Conrad hat alles kaputt gemacht, den See, den Papierpalast, mich. Aber ich werde es nicht zulassen, dass er sich zwischen mich und Jonas drängt und das Einzige, das noch meins ist, mit seiner schwarzen Tintenfischtinte schwärzt.

Conrad steht mit dem Rücken zum Strand und hüpft über die heranbrandenden Wellen. Ich bücke mich zum feuchten Sand hinunter und nehme einen schwarzen Feuerstein in die Hand – mein Herz, denke ich, und werfe den Stein mit aller Kraft in Conrads Richtung, ziele auf seinen Kopf. Der Stein trifft nicht und fällt mit einem Meter Abstand neben Conrad ins Wasser. Ich werfe wie ein Mädchen, und das ärgert mich.

Es ist eine Schwäche, die andere sehen können. Ich suche nach einem besseren Stein. Immer wenn eine Welle zurückläuft, erscheinen Hunderte von kleinen Löchern im Sand, wo sich Krebse eingebuddelt haben, um sich den scharfen Blicken der Möwen zu entziehen. Ich finde den perfekten Stein: grau, so groß wie eine Mandarine, mit einer erhabenen weißen Linie um die Mitte. Als ich aufstehe, sieht Conrad zu mir hinüber. Ich stecke mir den Stein in die Tasche und gehe weiter am Wasserrand entlang, bis ich so weit entfernt bin, dass er, als ich mich umdrehe, nur ein bedeutungsloser Fleck ist.

Als ich vom Strand zurückkomme, sitzt Jonas auf den Stufen zu meiner Schlafhütte. Er hält etwas in der Hand.

»Guck.« Es ist ein Baumfrosch, so groß wie ein Knopf.

»Süß.« Ich gehe an ihm vorbei und mache die Tür zu meiner Hütte auf. »Ich bin mir sicher, dass du Froschpisse auf der Hand hast. Sie pissen, wenn man sie anfasst.«

»Das stimmt«, sagt Jonas. »Es ist eine instinktive Angstreaktion.«

»Dann sehen wir uns wahrscheinlich am Montag.«

»Elle, warte. Es tut mir leid.« Er setzt den Frosch auf den Boden und sieht zu, wie er davonhüpft.

»Was tut dir leid?«

»Ich weiß es nicht. Du bist so sauer auf mich. Sei bitte nicht sauer. Bin ich nicht genug bestraft worden? Conrad hat über nichts anderes als Wrestling und Van Halen gesprochen, zwei Themen, die mich kein bisschen interessieren.«

Er sieht aus wie ein kleiner Junge. Ich komme mir so schäbig vor. Nichts von alldem ist seine Schuld, aber ich kann es ihm auch nicht erklären, weil nichts ausgesprochen werden kann.

»Es hätte der schönste aller Tage sein können«, sage ich und setze mich neben ihn. »Es tut mir leid, dass ich so eklig war.«

Drei Wochen nach Beginn des Segelkurses werden Jonas und ich von Sunfish zu Rhodes befördert. Wir bekommen ein kleines Abzeichen zum Aufbügeln. Jonas ist ein begabter Segler, und ich bin eine tüchtige Zweite Steuerfrau, und wenn wir zusammen draußen sind, bin ich mit mir selbst im Reinen. In das Boot passen sechs Leute, aber unser Lehrer möchte, dass wir allein zurechtkommen und als Zweiermannschaft segeln können. Deshalb sind Jonas und ich heute auf uns gestellt. Es nieselt schon den ganzen Morgen, wir tragen gelbe Ölkleidung und sind weit draußen in der Bucht. Der Wind ist unberechenbar, er wechselt dauernd die Richtung. Der Ausleger hat mich so oft erwischt, dass Jonas aufgehört hat, darüber zu lachen.

»Das macht doch keinen Spaß«, rufe ich.

»Finde ich auch. Lass uns umdrehen.« Er trimmt die Segel, aber der Wind macht nicht mit. Unser Boot hüpft bei schlaff hängendem Segel in den Wellen umher.

»Wir sollten jemanden rufen, der uns reinzieht«, sage ich. Unser Lehrer würde uns holen, wenn es nötig wäre.

»Kommt gar nicht infrage. Das erste Mal, dass wir als Mannschaft draußen sind. Der Wind frischt bestimmt gleich auf.«

Stattdessen fängt es so heftig an zu regnen, dass meine Ohren sich mit dem Wasser füllen, das von meinem Haar rinnt. Ich kann den Steg nicht mehr sehen. Durch den Dunst erkennen wir, wie unser Lehrer ein anderes Boot an Land schleppt.

»Ich rufe ihn rüber.«

»Lass uns noch fünf Minuten warten.«

»Ich erfriere hier langsam.«

Jonas steht auf und macht sich am Fock zu schaffen.

»Also gut. Fünf Minuten.« Ich ziehe den Kragen hoch und hocke mich in den Rumpf.

Jonas lehnt am Mast und blickt in den Regen, als suchte er dort eine Antwort.

»Was denkst du?«, sage ich.

Eine Möwe fliegt aus dem Nebel herbei und landet auf dem Bug. Sie legt den Kopf schräg und sieht Jonas unverwandt an. Jonas wendet als Erster den Blick ab.

»Ich möchte nicht, dass du am Ende auf mich sauer bist«, sagt er.

»Bin ich nicht.«

Er setzt sich neben mich und atmet enttäuscht aus. »Hast du mal mit Conrad, also, was gehabt?«

»Mit ihm gehabt?« Ich spucke die Wörter aus. »Gehabt – was? Was soll das denn heißen? Warum fragst du mich das?«

»Bloß weil er an dem Tag am Strand, nachdem du weggegangen bist, was gesagt hat.«

Ich richte mich auf. »Was? Was hat er gesagt?«

»Er hat gesagt, du würdest ihm erlauben, dich anzufassen. Du würdest mit ihm herumspielen. Er hat gesagt, ich solle mir keine Hoffnungen machen.«

Ein hysterisches Lachen entweicht mir. Dann verschließen sich meine Luftröhren. »Das ist so was von widerlich.«

Er lacht erleichtert. »Na ja, technisch gesehen seid ihr nicht verwandt, aber bei dem Gedanken ist mir ziemlich schlecht geworden.«

»Was ist nur mit ihm? Ich hasse ihn aus tiefstem Herzen. Ich würde ihm nie erlauben, mich anzufassen, eher würde ich sterben«, sage ich mit zitternder Stimme.

»Ich konnte mir das auch nicht vorstellen.«

Ich versuche mit aller Kraft, nicht vor Jonas zu weinen, aber die Tränen laufen mir gegen meinen Willen übers Gesicht.

»Elle, lassen wir das. Er hat sich einfach vor mir aufgespielt, auf seine idiotische Art.« Er nimmt den Zipfel seines T-Shirts und wischt mir den Regen und die Tränen aus dem Gesicht.

»Dann kann ich mir ja wieder Hoffnungen machen, ja?«

»Ich bin zu alt für dich«, sage ich, obwohl ich mir nicht sicher bin, dass ich das wirklich glaube.

»Ich weiß, dass du das denkst, aber du siehst das falsch.«

»Und du bist viel zu gut für mich.« Und das stimmt wirklich.

Er holt ein zerdrücktes Pfefferminz-Fondant aus seiner Tasche und bricht es durch. »Lunch?«

Alles, was er tut, hat etwas so Rührendes, die Geste bricht mir fast das Herz, und ich fange wieder an zu weinen.

»Was ist? Magst du kein Pfefferminz?«

Ich stoße einen Schluchzer aus, halb Lachen, halb Schmerz. Conrad hat mir alles gestohlen. Ich werde meine Unbefangenheit nie wiederfinden. Ich werde nie wieder rein sein. Ich hatte mir immer vorgestellt, dass das erste Mal mit jemandem sein würde, den ich liebe. Mit jemandem wie Jonas. Jetzt weine ich und kann nicht aufhören, alles, die Scham und das Entsetzen, das ich in mir unterdrückt habe, kommt in riesigen Wellen aus mir heraus.

»Elle. Hör auf, ja? Es tut mir leid, dass ich damit angefangen habe. Ich bin ein kompletter Idiot.«

Ich versuche aufzuhören zu weinen und wieder zu Atem zu kommen, aber je mehr ich mich anstrenge, desto mehr muss ich weinen. Der Meeresdunst rollt über uns hinweg, er ist so dicht, dass er mein Schluchzen dämpft und uns zu verschwommenen Gestalten verwandelt.

»Es macht ihm Spaß, mich zu kränken. Das wissen wir ja schon. Ich hätte nicht damit anfangen sollen. Hör bitte auf zu weinen.«

Ich möchte ihm alles erzählen und mich von der Bürde befreien, aber das geht nicht. Er ist kaum vierzehn Jahre alt, und das Krähenmassaker in mir muss ich allein aushalten. Mit der

Zeit werden die inneren Wunden heilen und verschorfen. Und nächstes Mal werde ich vorbereitet sein, mit mehr als nur der Pille. In der Ferne höre ich eine Warnglocke.

»Wir sollten zum Hafen segeln«, sage ich zwischen Rotz und Tränen und Schluchzern.

»Elle, ich komme da nicht mit. Bitte, hör auf zu weinen. Es ist ja nicht die Wahrheit.« Er ist verstört, verwirrt. »Ist etwas geschehen, das du mir nicht erzählst?«

Ich starre auf meine durchweichten Segelschuhe. Im Boot haben sich zwei Zentimeter Regenwasser angesammelt. Ich tippe mit dem Fuß hinein, dass es spritzt, und wische mir mit dem Gummiärmel meiner Regenjacke übers Gesicht.

Ich spüre Jonas' prüfenden Blick auf mir, während er versucht, die Situation einzuschätzen.

»Hat Conrad dir wehgetan?«

»Nein«, flüstere ich.

»Schwörst du das bei deinem Leben?«

Ich nicke, aber mein Gesichtsausdruck verrät mich, denn plötzlich sackt Jonas neben mir zusammen, als wäre ihm die scharfe Klinge der Enthüllung in die Knochen gefahren.

»Oh nein.«

»Du darfst es nie jemandem sagen. Nie. Niemand weiß davon.«

»Elle, ich verspreche dir, dass er dich nie wieder anrühren wird.«

Ich lache, aber es klingt bitter, hohl. »Das habe ich mir auch geschworen, als er das erste Mal in mein Zimmer gekommen war.«

Unter unserem Boot zieht ein großer Schatten vorbei. Einen Moment zögert er und verschwindet dann im Nebel. Während unser Boot sanft schaukelt, erzähle ich Jonas alles von Anfang an.

18

August.

Die schönsten Tage des Sommers sind die nach schweren Regenfällen. Weiße Kumuluswolken schweben auf tiefem Blau, die Luft ist so frisch, man möchte sie trinken. Heute ist ein solcher Tag. Der Regen vom Vortag hat den Himmel reingewaschen. Ich wache in süßem Vergessen auf, vielleicht lächle ich sogar, dann kommt die Erinnerung zurück, und ich wünsche sie fort. Vor meiner Hütte knackt ein Zweig, die Stufen stöhnen leise. Das Gesicht meiner Mutter erscheint an der Fliegengittertür.

»Warum ist die Tür verriegelt?«, sagt sie und schüttelt den Griff.

»Manchmal klemmt sie.« Ich springe auf und öffne den Riegel.

»Leg das bitte weg.« Sie deponiert einen Stapel frischer, gefalteter Bettwäsche auf meinem Bett. »Leo möchte gern mit Großvaters altem Boot rausfahren.« Das Segelboot meines Großvaters hat den ganzen Sommer auf einem Anhänger in unserer Auffahrt unter den Kiefern gestanden und ist jetzt mit Kiefernnadeln bedeckt. »Wir wollen gegen elf aufbrechen, um die ausgehende Flut zu nutzen. Trödel also nicht.«

»Ich möchte lieber nicht mitkommen, wenn das okay ist. Ich habe keine rechte Lust dazu.«

»Leo möchte, dass wir einen Familientag verbringen. Wir packen ein Picknick ein und segeln bis zum Point.«

Der Point ist das Ende des Capes mit seinem geschwungenen, spitz zulaufenden Sandstreifen, der sich wie eine schützende Umarmung um den breiten Hafen legt, die letzte Barriere zwischen menschlichen Siedlungen und dem offenen Ozean. Von der Anlegestelle am Strand in der Stadt kann man zum Point hinaussegeln und dort ankern, man kann im lauen klaren Wasser der geschützten Bucht schwimmen, den Krabben im Seegras zusehen und, wenn die Ebbe kommt, Muscheln suchen. Geht man nur drei Minuten um den Point herum, hat man vor sich das weite Meer, nur Wasser von hier bis Portugal, auf dem man gelegentlich eine Jacht sieht, die den Schutz des Hafens sucht. In der Ferne kann man Fischerboote erkennen, die in den reichen Gründen der Stellwagen Bank nach Thunfisch und Heilbutt fischen, und ein paar Wale, die Luftsprünge veranstalten.

»Warum muss ich mitkommen? Mach du doch den Ausflug mit Leo. Wir passen sowieso nicht alle ins Boot.« Das Segelboot hat Platz für zwei, höchstens drei. Und Leo ist so riesig, er ist praktisch zwei Menschen in einem.

»Wir nehmen zwei Boote. Conrad kommt auch mit.«

»Auf keinen Fall. Mit Conrad segeln, das mache ich nicht.« Sie seufzt. »Elle, ich bitte dich darum.«

»Es ist eine bescheuerte Idee. Conrad ist wie eine große dicke Katze.«

»Sei nicht so hässlich. Das passt nicht zu dir.«

»Es stimmt aber.«

»Warum bist so widerspenstig? Was hat Conrad dir getan?« Meine Mutter schüttelt verständnislos den Kopf.

»Also gut. Aber nur, wenn Jonas mitkommen kann.«

»Es soll ein Familientag sein, das habe ich doch schon gesagt.«

»Mal im Ernst, Mum. Überleg doch. Wenn wir in der Bucht kentern, kann Conrad nicht helfen. Und bei starkem

Wellengang kann ich das Boot nicht allein aufrichten. Also entweder quetschen wir uns zu viert in ein Boot, dann sinkt es mit Sicherheit, oder Jonas kommt mit und hilft mir beim Segeln.«

»Also gut«, sagt sie. »Der Tag ist zu schön zum Streiten.«

Conrad und Leo versuchen, den Anhänger ans Auto zu koppeln, bekommen aber die Anhängerkupplung nicht richtig zu fassen. Ich höre sie über ihre eigene Ungeschicklichkeit laut lachen, und die Normalität von alldem ist mir unbegreiflich, befremdlich.

»Man sollte nie einen Saxofonspieler mit Männerarbeit beauftragen«, sagt Leo, als er mich sieht. »Komm, hilf uns mal. Conrad, du hältst die Kupplung fest, und Elle steckt den Dorn rein.«

Ich zögere und will mich weigern, aber mir fällt keine Ausrede ein.

»Jetzt, Elle«, sagt Leo. »Der Anhänger verkuppelt sich nicht von selbst.« Er gibt mir den Dorn. »Halt fest, Conrad und ich heben die Kupplung an.«

»Dann wären wir ja so weit, meine Süßen«, sagt meine Mutter lächelnd. Sie stellt die Kühltasche auf den Rücksitz.

Conrad und Leo bringen den Anhänger in Position. Als Conrad sich aufrichtet, schlägt er mir versehentlich den Dorn aus der Hand. Er bückt sich und hebt ihn auf. »Es tut mir leid, Elle.« Seine Stimme ist so leise, dass ich sie kaum höre.

Jonas wartet am Ende der Einfahrt zu seinem Haus auf der Böschung. Er wirkt entspannt und ist wie immer hemdlos, aber in seinen Augen liegt eine Wachsamkeit, eine Angespanntheit.

»Steig ein, Jonas«, sagt Mum. »Mach mal Platz, Conrad.«

Jonas steigt ein. Er lehnt sich weg von Conrad ans Seitenfenster und tut so, als betrachte er die vorbeiziehenden Bäume.

Das habe ich bei ihm noch nie gesehen: dass er den Blick abwendet, dass er körperlich zurückweicht. Und ich weiß, dass es an mir liegt, ich habe ihm die Wendigkeit des Weißwedelhirschen, das ungezähmt Quicklebendige genommen, denn ich habe ihn gezwungen, mein Geheimnis zu teilen, habe ihm meine Lüge aufgebürdet. Es ist, als hätte ich auch ihn seiner Jungfräulichkeit beraubt.

»Vielleicht brauchen wir den Spinnaker«, sage ich zu ihm, »damit wir vor dem Wind segeln können.«

Im Wald ist es wunderbar still, und es geht eine laue Brise, aber als wir zur Bucht kommen, hat der Wind aufgefrischt. Die Wellen rollen kreuz und quer an Land und zerren an den vor Anker liegenden Booten. Fast niemand ist draußen.

Wir versuchen das Boot zu Wasser zu lassen, aber es wird ans Ufer zurückgedrückt, noch bevor das Schwert eingetaucht ist. Das Boot fällt Conrad gegen das Schienbein, er schreit vor Schmerz auf. Meine Mutter sieht uns vom Strand aus zu und ruft nutzlose Anweisungen hinüber.

»Das klappt so nicht, Leo«, sage ich. »Die See ist zu kabbelig.«

»Wahrscheinlich hast du recht. Aber jetzt sind wir schon so weit. Setzt ihr drei euch mal rein. Ein letzter Versuch.«

»Ich würde lieber verzichten.« Conrad ist offensichtlich nervös.

»Komm mit uns. Es macht bestimmt Spaß«, sagt Jonas. In seiner Stimme schwingt ein harter Ton mit, der mir neu an ihm ist.

Im nächsten Moment findet Leo eine Lücke zwischen zwei Wellen und gibt dem Boot einen kräftigen Stoß, es krängt, und wir nehmen sofort Fahrt auf. Der Wind füllt die weißen Segel. Conrad sitzt im Bug und hat die Beine über die Reling gehängt, sodass sie über die Oberfläche gleiten wie zwei dicke rosa Köder.

»Ich kann seinen Anblick nicht ertragen«, sagt Jonas mit unterdrückter Stimme.

»Du musst so tun, als wäre alles in Ordnung. Du hast es versprochen.«

»Warum?«, flüstert Jonas. »Wie kannst du überhaupt mit ihm reden?«

»Ich kann es nicht. Aber ich muss, wir wohnen zusammen.«

»Du musst es nicht. Wenn deine Mutter das wüsste –«

»Meine Mutter wird es niemals erfahren.«

»Du kannst doch nicht zulassen, dass er einfach so weitermacht, Elle.«

»Sei still!«, zische ich. »Zieh die Beine ein«, rufe ich zu Conrad hinüber. »Sonst wirst du noch von einem Hai gebissen.« Jonas wendet sich von mir ab und presst wütend die Lippen zusammen. Die Wellen umspülen unser kleines Boot, das rasch an Tempo gewinnt.

Conrad zieht die Beine hoch und setzt sich in den Schneidersitz. Seine Fußsohlen sind voller Schwielen, und an seinen Fersen sehe ich dünne Risse, wo er die abgestorbene Haut abgezogen hat. Er sieht zu mir hinüber und lächelt.

»Du hattest recht. Ist echt cool hier.«

Er spuckt sein Kaugummi ins Meer. Es versinkt im Schaum unserer Heckwelle. Ich nehme eine Dose Fresca aus der Kühltasche. »Willst du eine?« Ich werfe Conrad die Dose zu.

»Danke.« Er zieht den Aluminiumverschluss ab und wirft ihn ins Wasser.

»Das solltest du nicht tun«, ruft Jonas. »Ein Vogel könnte sich daran verschlucken.«

»Genau. Als hätte mich jemand gesehen«, höhnt Conrad.

»Darum geht es nicht«, sagt Jonas. »Ich sehe dich ja.«

»Das überlebe ich.«

»Arsch«, murmelt Jonas unterdrückt.

Das Ufer rückt in immer weitere Ferne. Ich kann kaum

noch meine Mutter am Strand ausmachen. Eine große Welle hebt uns in die Höhe, und wir landen krachend im Wellental.

»Verdammt«, brüllt Conrad, der jetzt pitschnass ist. »Ich dachte, wir hätten dich mitgenommen, weil du segeln kannst.«

»Du kannst ja übernehmen«, sagt Jonas und lässt die Ruderpinne los.

»Penner.« Conrad steht auf und rutscht zentimeterweise auf uns zu.

Ich spüre, dass unser Boot in eine Schieflage kommt. »Jonas, bitte sei kein Idiot. Das Boot läuft aus dem Ruder.«

Er sagt nichts, nimmt aber wieder die Pinne.

Wir werden von einer neuen Welle hochgehoben und fallen gelassen.

»Wir sind zu weit draußen«, sage ich. »Du musst die Leinen lockern, sonst sind wir bald über den Point hinaus.«

»Ist gut«, sagt Jonas. »Ich mache eine Wendung.« Er rafft die Leinen und bereitet die Wendung vor. »Conrad, setz dich. Pass auf, der Baum«, ruft er.

Conrad zeigt ihm den Finger. Mir lächelt er zu, und ich sehe seine kleinen Mäusezähne.

Im nächsten Moment trifft ihn der Baum, und ich sehe, wie Conrad wankt und über Bord geht. Eine Sekunde später kommt er mit rudernden Armen hinter dem Boot an die Oberfläche.

»Halt an«, schreie ich Jonas zu. »Halt das Boot an.«

Jonas fiert die Großschote, und das Boot verliert an Fahrt. Unter dem Bug liegt eine Rettungsweste, ich versuche sie loszubinden, aber meine Finger verheddern sich an dem nassen Knoten.

»Hilfe!«, schreit Conrad, als sich unser Boot immer weiter von ihm entfernt. »Holt mich raus!« Er ist in Panik, schnappt wild nach Luft.

241

»Zieh das Sweatshirt aus, es ist zu schwer«, rufe ich. Ich bin immer noch dabei, den Knoten aufzubinden.

»Verdammt, du Zicke. Wirf das Ding her.«

»Das versuche ich doch«, rufe ich. Aber ich setze mich hin, ich bin wie betäubt. Jonas legt seine Hand auf meine und hält sie still.

Bei der nächsten Welle wird Conrad aus dem Wasser gehoben, sein Gesicht ist vor Angst kalkweiß. Er streckt die Hand nach mir aus.

Buch drei

Peter

19

1989. Februar, London.

Ich renne den Elgin Crescent entlang zur U-Bahn-Station Ladbroke Grove, um den letzten Zug nach Mile End zu schaffen. Es ist spät, und die feuchte Abendluft dringt mir in die Knochen. Beim Laufen stoße ich den Atem in kleinen weißen Wolken aus. Ich habe zu viel getrunken und muss dringend pinkeln. Gerade als ich mich zwischen zwei Autos hinhocken will, taucht ein gedrungener Mann vor mir auf und verlangt mein Portemonnaie. Er hat einen geschorenen Kopf und eine tätowierte Swastika am Hals. Die Pubs haben gerade geschlossen, und die Straßen füllen sich mit Menschen, aber ich werde einem Mann, der ein Messer in der Hand hat, nichts verweigern. Ich gebe ihm das Geld in meiner Tasche.

»Deinen Ring«, sagt er.

»Der ist nichts wert«, sage ich.

»Den Ring, du Hure«, sagt er und schlägt mir mit der Faust in den Magen. Ich krümme mich vor Schmerz. In meinem Kopf läuft ein Spruchband ab, auf dem steht: »Sei kein Idiot«, aber irgendwie schaffe ich es nicht, den Gedanken umzusetzen.

Der Mann packt meine Hand und versucht, mir den Ring abzuziehen.

»Du Arsch«, sage ich und spucke ihm ins Gesicht.

Er wischt sich die Spucke ab, dann schlägt er mir ins Gesicht, dass meine Zähne wackeln.

Ich habe das verdient.

1983. August, Back Woods.

Erst nach drei Tagen wird Conrads Leiche ein paar Meilen weiter an der Küste angeschwemmt. Eine Frau aus dem Ort, die mit ihren Kindern an den Strand gegangen ist, findet sie. Erst denken sie, es sei ein Seelöwe. Seine Ohren sind von Krabben angeknabbert worden. Ich liege zusammengerollt unter einer Wolldecke in meiner Hütte und versuche, Leos Wehklagen nicht zu hören, als die Tür aufgeht und Jonas zitternd und bleich hereinkommt. Ich krieche aus meiner Höhle hervor und schlinge meine Arme um ihn. Ich lege meinen Kopf an seine Schulter. Sein Gesicht kann ich nicht sehen, aber ich weiß, dass er weint. Wir weinen beide.

»Es tut mir leid«, sage ich. »Es tut mir so sehr leid.«

Ganz lange bleiben wir so sitzen und halten uns in den Armen, Jonas' Herzschlag an meinem.

»Niemand wird es je erfahren«, sagt Jonas schließlich. »Wir leisten einen Schwur.«

»Niemand«, sage ich. In meiner Kommode ist eine Sicherheitsnadel. Wir stechen uns in die Daumen, jeder drückt einen Tropfen Blut heraus, den wir mit dem des anderen vermischen.

Jonas wischt sich die Hand an den Shorts ab. Er greift in die Tasche, holt einen Silberring mit einem grünen Glasstein heraus und legt ihn mir in die Hand. Ich umschließe ihn fest mit den Fingern. Der Ring fühlt sich kalt an, und die Fassung sticht in meine Lebenslinie. »Ich liebe dich, Elle«, sagt er.

Ich setze mir den Ring auf und lege meine Hand in seine.

Ich liebe ihn auch.

Im Sommer danach kommt Jonas nicht nach Back Woods. Er sei in einem Sommercamp im Norden von Maine, sagt seine

Mutter mit kühler Stimme, als ich bei ihr anrufe. In diesem Sommer schreibt Jonas mir einen Brief. Die Kriebelmücken seien eine Plage, schreibt er, aber er lerne, ein Kanu aus Birkenrinde zu bauen. Er habe einen Riesenelch gesehen. Ob ich wüsste, dass eine bestimmte Sorte von Bären »Faultiere« genannt würden. Im See gebe es Schnappschildkröten. Er vermisse mich über die Maßen, schreibt er, aber es sei besser so. Und obwohl ich weiß, dass er recht hat und dass ich es bin, die uns das angetan hat, bin ich völlig zerstört und fühle mich von der Welt verlassen. Als hätte er sich für das Sommercamp und gegen mich entschieden, und nicht, als wäre er meinetwegen ins Sommercamp gefahren.

1989. Februar, London.

Ich stürze, Blut läuft mir aus dem Mund und tropft auf den Gehweg.

»Ich hab die Schnauze voll, du blöde Sau«, sagt der Mann.

Ich ziehe mir Jonas' Ring vom Finger und will ihn dem Mann geben, als jemand aus dem Schatten tritt.

»He, hör sofort auf damit.«

»Mach die Fliege, du Arsch«, sagt der Mann, dann stürzt er vor mir zu Boden.

Ein Mann steht neben ihm und macht ein erschrockenes Gesicht. In der Hand hält er einen Radheber. »Den hatte ich im Kofferraum«, sagt er mit einem Blick auf den verbeulten Rover hinter sich. Der Mann ist groß und schlaksig, vielleicht Ende zwanzig, und trägt trotz der eisigen Februarkälte nur ein altes ausgebeultes Cordjackett und einen Wollschal. Die Briten tun gern so, als gäbe es kein Wetter. Wenn es aus Kübeln zu gießen anfängt, klappen sie einfach den Kragen hoch. Ich

247

richte mich auf und bemerke, dass seine braunen Lederschuhe handgefertigt aussehen.

»Besser, wir verschwinden hier«, sagt er. »Der Typ wird ziemlich schlechter Laune sein, wenn er wieder zu sich kommt. Kann ich Sie begleiten?«

»Sollten wir nicht die Polizei holen?«

»Ah.« Er lächelt. »Sie sind Amerikanerin. Das erklärt, wieso Sie so dumm sind und nachts allein durch London laufen.«

Ich bin zwar noch nicht ganz wieder zu Atem gekommen, gebe aber schnippisch zurück: »Vielleicht bin ich bei dem da sicherer.«

»Auch gut. Ganz wie Sie möchten.« Er nimmt eine Schachtel Rothmans aus der Tasche, zündet sich eine Zigarette an und legt den Wagenheber in den Kofferraum, den er dann zuschlägt. »Sicher, dass ich Sie nicht irgendwohin bringen kann? Oh, verdammt.« Er zieht einen Strafzettel unter dem Scheibenwischer hervor.

Der Mann mit dem bulligen Gesicht auf dem Pflaster ist noch bewusstlos, beginnt aber jetzt zu stöhnen. Ich sehe fasziniert seinem weißen Atem zu, der wie Zigarettenrauch aus seinem offen stehenden Mund strömt. Am liebsten würde ich dem Mann einen Tritt geben.

»Sind Sie ein Axtmörder?«

Er lacht. »Sonst schon, aber heute Abend ist es mir zu kalt dafür.«

»Wenn Sie mich nach Hause fahren könnten, das wäre toll.«

»Peter.« Er streckt die Hand aus.

1983. August, Memphis, Tennessee.

Die Beerdigung findet in Memphis statt. Im Schatten eines Magnolienbaums neben einer ausgehobenen Grube begegnet meine Mutter zum ersten Mal Leos früherer Frau. Ich sehe, wie Schweißperlen von der Stirn des Geistlichen in seinen steifen weißen Kragen laufen und eine Träne über Leos Wange rollt. Er fängt an, auf dem Saxofon zu spielen, aber als der Sarg seines Sohnes ins Grab gesenkt wird, bricht er ab. Meine Augen sind trocken. Ich müsste weinen, ich will auch weinen, aber ich kann es nicht. Ich habe kein Recht zu weinen. Die frühere Frau sieht mich mit hasserfüllten Augen an, und ich bin überzeugt, sie kennt die Wahrheit. Sie trägt durchsichtige Strümpfe und spitze, hochhackige Schuhe. Sie hält Rosemary eng an ihr dünnes schwarzes Baumwollkleid gedrückt. Rosemary, blass und mit vorquellenden Augen, lächelt mir zu und winkt, als hätte sie mich gerade bei einem Baseballspiel auf der Tribüne gesehen. Als ihre Mutter taumelt, stützt Rosemary sie und wendet den Blick von mir ab.

Nach der Beerdigung geht Leo mit mir, Mum und Anna zum Lunch in ein chinesisches Restaurant, wo alle Gerichte Palmherzen enthalten. Keiner von uns sagt ein Wort. Um drei Uhr setzen wir ihn zur Trauerfeier bei seinem früheren Haus ab. Es ist ein schäbiges, weiß gestrichenes Holzhaus mit einem Eingang, dessen Vordach von zwei Säulen gestützt wird. Korinthische Säulen, sagt Leo ohne jeden Zusammenhang. Sie wirken zu elegant für das Haus, zu hoffnungsvoll, und das macht mich traurig. Im Vorgarten stehen zwei Kräuselmyrten, die abgefallenen Blüten auf dem Boden darunter sehen aus wie rosa Papier. Der Schirmhalter neben der Haustür hat die Form eines Alligators mit aufgerissenem Maul. Ich kann mir nicht vorstellen, dass Conrad hier gewohnt hat.

Mum drückt Leo die Hand. »Soll ich nicht doch mitkommen?«

»Lieber nicht. Ich will mir Zeit für sie nehmen.«

Mum nickt. »Wann soll ich dich abholen?«

»Ich nehme ein Taxi zum Motel«, sagt er.

Von unserem Mietauto aus sehen wir ihn in das Holzhaus hineingehen. Ich höre das Surren eines Ventilators, ein Schluchzen. Die Fliegengittertür schlägt hinter ihm zu.

Wir sind schon beinahe beim Motel, als Mum abbiegt und vor einer Einkaufszeile anhält.

»Nur kurz«, sagt sie. Sie gibt mir und Anna je fünf Dollar. »Gönnt euch was.«

Wir stehen in der drückenden Nachmittagshitze, und Mum geht in Fred's Pharmacy.

Anna sieht mich fragend an. »Was sollen wir von zehn Dollar in einer Einkaufszeile in Memphis kaufen?«

»Ein Eis?«

»Auf keinen Fall brauche ich noch mehr Kalorien. Das wäre mein Tod.«

»Passend.«

»Wie meinst du das?«, fragt sie. »Möchtest du dick sein?«

»›Das wäre mein Tod.‹«

Sie sieht mich verständnislos an.

»So einfühlsam«, sage ich.

»Oh. Stimmt. Mist.« Einen Moment lang guckt sie mich ausdruckslos an. Dann fängt sie an zu lachen. Und dann lache ich auch, ein schrilles, hysterisches Lachen, das nicht aufhören will, bis endlich die Tränen fließen.

»Kinder?« Mum kommt auf uns zu, in der Hand eine kleine Papiertüte. Ihr schönes Gesicht ist müde und besorgt. »Lasst ihr mich teilhaben? Lachen würde mir guttun.«

»Es muss in der Woche vor Conrads Tod gewesen sein«, höre ich meine Mutter sagen, die in ihrem Zimmer telefoniert. »Seitdem haben wir nicht mehr miteinander geschlafen.«

Seit ein paar Tagen sind wir wieder in New York. In der Stadt ist die Hitze erdrückend. In den Straßen hängt der Geruch von vergärendem Abfall, wie Bananenkotze. Bei jeder kleinsten Tätigkeit entstehen sofort Schweißflecken unter den Achseln. Aus Klimaanlagen tropft schales Wasser. In unserer Wohnung ist es heiß und stickig, es riecht nach Mottenkugeln und leicht süßlich von den Küchenschaben, die in den Wänden nisten. Keiner von uns will in der Stadt sein, aber Leo kann nicht wieder rausfahren. Er gibt sich selbst die Schuld an dem Unfall: Trotz des starken Wellengangs an dem Tag hatte er darauf bestanden, dass wir segeln gehen. Gegen Abend wird der Kreislauf seiner Gedanken, seiner Schuldgefühle immer lauter. Er läuft im Wohnzimmer auf und ab, ein Whiskyglas in der Hand, und redet auf meine Mutter ein. Wie eine Schallplatte, die einen Riss hat, geht er alle »Was wenn's« durch, auf der Suche nach einer Antwort, die er nicht findet. Warum hatte ich nicht darauf bestanden, dass Conrad eine Schwimmweste trug? Warum war der Rettungsring mit einem Doppelknoten vertäut? Wie kam es, dass niemandem etwas aufgefallen ist? Hat Conrad die Welle bemerkt, die ihn in die Tiefe gerissen hat? Wusste er, was geschah?

»Nein«, sage ich mit zugeschnürter Kehle. »Er hat es nicht kommen sehen.«

Anna hat ihr altes Zimmer wieder, jetzt, nach Conrads Tod, und jedes Mal, wenn Leo an dem Zimmer vorbeigeht, sieht er sie an, als wäre ihre Gegenwart ein Verrat.

»Das ist nicht auszuhalten, ich muss so schnell wie möglich zurück ins Internat«, sagt Anna zu mir. »Es ist, als wohnten wir in einer Leichenhalle, zusammen mit einem wütenden Ziegenbock.«

Das klingt unsinnig, aber ich weiß, was sie meint.

»Frag mich das nicht«, brüllt Leo. »Ich ertrage das nicht. Ich ertrage das nicht.«

»Es ist doch nicht meine Schuld«, sagt meine Mutter weinerlich.

Die Tür zu ihrem Zimmer ist geschlossen, aber ihre lauten Stimmen dringen bis zu mir hinein. Jetzt höre ich ein lautes Krachen und das Geräusch von splitterndem Glas.

»Lass es wegmachen«, brüllt Leo.

»Hör auf«, schreit meine Mutter. »Hör auf damit! Die Lampe war von meiner Großmutter.«

»Was geht mich deine Großmutter an.«

»Bitte. Ich liebe dich.«

Die Schlafzimmertür geht auf, und Leo stürmt an mir vorbei aus der Wohnung hinein in den heißen Abend. Meine Mutter weint in ihrem Zimmer. Ich zwinge mich, ihr zuzuhören, bis ich es nicht eine Sekunde länger ertrage und den Kopf unter mein Kissen stecke.

Fünf Wochen später kündigt Leo uns an, dass er auszieht. Er packt seine Taschen, sein Saxofon und küsst meine Mutter zum Abschied.

»Geh nicht. Bitte geh nicht«, fleht sie.

Sie hält ihn am Arm fest. Sie ist einsam, schon jetzt, noch ehe er gegangen ist. Als sich die Tür hinter ihm schließt, steht sie am Fenster und guckt hinunter, bis er aus dem Haus kommt und sich die Straße entlang von ihr entfernt. Man sieht es ihr schon an.

1984. Mai, New York.

Das Baby stirbt bei der Geburt. Die Nabelschnur reißt, das Baby kann nicht atmen, es erstickt im Fruchtwasser. Sie versuchen alles, um es zu retten. Sie zerren an ihr, am Geburts-kanal, Ärzte rufen Anweisungen, Schwestern rennen hin und her. Es ist ein Junge. Winzig und blau, wie ein Kind von Picasso. Leo ist gegangen, ohne uns eine Nummer dazulassen, er erfährt also nicht, dass auch sein zweiter Sohn ertrunken ist.

Mein Vater und ich fahren zusammen zum Krankenhaus, um Mum abzuholen. Er schiebt ihren Rollstuhl zum Bordstein, wobei er sorgfältig darauf achtet, jede Unebenheit auf dem Gehweg zu meiden. Das Taxi wartet schon. Eine Layette-Tasche mit gewaschenen und gefalteten Babysachen hängt über der Rückenlehne. Als wir losfahren, fällt meiner Mutter nicht auf, dass mein Vater die Tasche am Rollstuhl hängen gelassen hat, und ich sehe durch das Rückfenster, wie sie hin und her schwingt und schließlich still hängt.

Die Sonne bescheint die blühenden Kirschbäume auf der Fifth Avenue.

»Ich liebe diese Jahreszeit«, sagt meine Mutter. »Wir sollten ein Picknick machen. Wir können Gurken-Sandwiches machen.« Ihre Augen liegen in tiefen Höhlen.

»Jetzt bringen wir dich erst mal nach Hause«, sagt mein Vater. »Elle hat eine Suppe gemacht, und ich habe eine Avocado und einen Kopfsalat in den Kühlschrank gelegt. Sobald du dich ein bisschen sortiert hast, gehe ich noch einmal runter und hole eine Flasche Bourbon. Den können wir alle gebrauchen.«

»Ich muss Leo finden. Er muss das erfahren.«

»Ja«, sagt mein Vater. »Ich kümmere mich darum.«

Sein Tonfall ist verändert, er spricht mit einer Bestimmtheit und einer Zärtlichkeit, die ich an ihm nicht kenne. Während uns das Taxi nach Hause fährt, kommt mir der Gedanke, dass ich zum ersten Mal in meinem Leben Eltern habe.

Auf der Rückseite des Fahrersitzes klebt ein Kaugummi,

der eingetrocknete Daumenabdruck ist noch zu sehen. Ich sehe, dass meiner Mutter die Tränen übers Gesicht laufen. Ich möchte sie umarmen, aber ich tue es nicht.

Der Taxameter tickt langsam. »Glaubst du, es wäre so gekommen, wenn er geblieben wäre?«, fragt meine Mutter. Ihr Haar liegt flach am Kopf, ihr ausdrucksstarkes schönes Gesicht ist rot und verquollen.

Mein Vater nimmt ihre Hand. »Das ist Unsinn«, sagt er. »Sie haben alles versucht. Niemand hat Schuld.«

»Jemand muss Schuld haben«, sagt sie.

Und ich weiß, dass sie recht hat.

20

1989. Februar, London.

Auf dem Weg nach Mile End bitte ich Peter anzuhalten, ich kann es nicht länger aufschieben. Wir sind in London, und das bedeutet, dass nach elf alle Lokale in der Stadt geschlossen sind.

»Können Sie nicht noch fünf Minuten warten?«, fragt er.

»Wenn ich warten könnte, würde ich nicht vorschlagen, dass ich mir vor einem völlig Fremden die Hosen runterziehe und in den Rinnstein pinkle.«

»Klar. Verstehe. Bestens.« Peter biegt in eine schmale Straße ein und hält. »Also dann.«

Ich hocke mich hinter einen Baum und hoffe, dass niemand aus der Häuserreihe hinter mir rausguckt. Meine Oberschenkel leuchten weiß im Licht der Straßenlaterne. Ich stöhne, mein Bauch tut nach den Schlägen des Widerlings vorhin immer noch weh. Auf dem gefrorenen Boden unter mir entsteht eine Pfütze. Ich rücke zur Seite, damit nichts über meine Schuhe läuft. Was für eine Erleichterung! Als ich aufstehe und mir Slip und Jeans hochziehe, guckt Peter vom Auto aus zu. Er lacht, als ich es bemerke, und legt in gespieltem Schock die Hand vor die Augen.

In meinem Kopf summt es – das ungehemmte, süße Prickeln des Tages. Es weicht nicht von mir. Beim Schwimmen quer durch den See habe ich Jonas von mir abgewaschen, aber er ist da, in meinem Kopf, als ich in meinem nassen Badeanzug und dem Handtuch um die Hüften in der Küche stehe und darauf warte, dass das Wasser kocht. Ich sehe mich selbst, wie ich kraulend von ihm wegschwimme und ihn am Ufer zurücklasse. Sein unglückliches Gesicht. In der Mitte des Sees, wo das hellgrüne Wasser schwarz wirkt, habe ich angehalten, um Atem zu schöpfen; ich wollte mich nicht zu Jonas umdrehen, der noch da stand, und ich wollte nicht zu Peter und in mein Leben zurückschwimmen.

»Du musst ja ganz verschrumpelt sein«, sagt meine Mutter und nimmt die alte schwarze Dose Hu-Kwa-Tee vom Bord. »Ihr wart Stunden weg. Wir wollten schon einen Suchtrupp schicken.«

»Das hätte wahrscheinlich nicht viel genützt.« Ich lache. »Außerdem waren es nicht Stunden. Wir sind noch mal zum Meer gegangen. Das Nachmittagslicht ist so herrlich.«

»Heute Nacht ist Vollmond«, sagt sie.

Hinter uns im Zimmer spielen Peter und alle drei Kinder Parcheesi. Ich werfe einen Blick hinüber, um zu sehen, ob Peter zuhört, aber er hat gerade einen Pasch geworfen und ist dabei, eine Barrikade zu errichten.

»War jemand da?«, fragt meine Mutter.

»Die Biddles hatten ihr Lager auf der rechten Seite, bei den Higgins, aufgeschlagen. Und ich habe einen lila Rock gesehen, ziemlich weit weg. Ich bin mir sicher, dass es Pamela auf ihrem täglichen Spaziergang war. Ansonsten war es ziemlich leer. Die Schilder mit den Regenpfeifern sind auch endlich weg.«

»Na, Gott sei Dank.« Sie öffnet die Teedose mit einem Löffelstiel. »Hier.« Sie gibt mir die Dose und nimmt den Kessel vom Herd, bevor das Wasser gekocht hat. »Das Wasser ist bestimmt heiß genug.«

»Meine Güte, Wallace«, sagt Peter. »Warte, bis das Wasser gekocht hat. Sonst kannst du mir auch gleich einen Becher warmer Pisse geben. Und komm mir bloß nicht mit deinem Lapsang-Souchong-Quatsch. Widerliches Zeug.«

»Er ist über einem Piniennadelnfeuer geräuchert«, sagt Mum.

»Noch schlimmer.«

»Wie er sich aufspielt, dein Mann hier«, sagt Mum, aber ich weiß, dass es ihr gefällt. Sie stellt den Kessel wieder auf den Herd und sucht den englischen Tee.

Finn steht auf und schmiegt sich an mich. »Am Strand habe ich ein Haifischei gefunden.«

»Ein Haifischei?«, frage ich zweifelnd.

»Hier.« Er holt ein kleines schwarzes Säckchen aus der Hosentasche, das an beiden Enden Hörner hat. »Gina hat gesagt, es ist das Eiersäckchen von einem Sandhai.«

»Das denken alle, warum, weiß ich nicht, aber in Wirklichkeit ist es die Seemaus von einem Dornhai. Darin reift der Embryo heran.«

Ich gebe Finn das Säckchen zurück. »Leg es auf das Bord, damit es nicht kaputtgeht.«

»Vielleicht sollte ich an Halloween als Seemaus gehen«, sagt Maddy.

»Ausgezeichnete Idee«, sagt Peter. »Aber es könnte etwas schwierig sein, in einem Sack durch die Straßen zu laufen. Komm und spiel die nächste Runde mit, Weib.«

»Ich bin nicht in Stimmung für Parcheesi. Ich muss mir unbedingt den nassen Badeanzug ausziehen.«

»Auf jeden Fall. Sonst kriegst du noch eine Blasenentzündung.« Meine Mutter kommt mit einer Zehnerpackung Toilettenpapier aus der Speisekammer. »Bring das mal ins Bad, bitte. Da ist kein Klopapier mehr. Weiß der Kuckuck, wie ihr das immer so schnell aufbraucht. Wie die Heuschrecken.«

»Deine Tochter hat eine Blase von der Größe einer Erbse, sie ist schuld«, sagt Peter.

»Stimmt nicht«, sage ich. »Ich glaube, du hast in deinem ganzen Leben noch nie neues Klopapier aufgehängt.«

Peter richtet sich an die Kinder. »Bei unserer ersten Verabredung hat eure Mutter sich vor mir die Hosen runtergezogen und auf die Straße gepinkelt.«

»Eklig«, sagt Jack.

»Es war keine Verabredung«, sage ich. »Du hattest mir angeboten, mich zu meiner Unterkunft zu fahren. Und ich hatte die Wahl, auf die Straße zu pinkeln oder in dein Auto. Wahrscheinlich wäre das niemandem aufgefallen, denn im Auto roch es widerlich. Nach vergammeltem Fleisch.«

»So war es nicht.« Peter lacht. »Du warst scharf auf mich. Als ich dich unter dem Baum hocken sah, mit deinem weißen Slip, war mir das klar.«

»Nicht die Spur davon.«

»Könnt ihr bitte aufhören?« Jack macht ein Würgegeräusch.

»Außerdem hatte ich dir gerade das Leben gerettet.«

»Euer Vater war sehr heldenhaft«, sage ich. Jetzt kichern die Kleinen.

»Dixon und Andrea haben uns zum Grillen eingeladen«, sagt meine Mutter. »Sie wollen spontan ein BBQ machen. Ich habe gesagt, wir kommen zwischen sechs und halb sieben rüber.«

»Oh nein«, stöhne ich.

»Bevor ich's vergesse – ich habe gesagt, wir bringen eine rote Zwiebel mit.«

»Können wir nicht einfach in aller Ruhe hier essen? Ich habe mich noch nicht von gestern erholt.«

»Wir haben nichts im Haus«, sagt Mum. »Niemand ist einkaufen gegangen.« Das sagt sie betont vorwurfsvoll.

»Ich weiß, dass wir eine Packung Pasta haben. Und eine Tiefkühlpackung Erbsen.«

»Außerdem habe ich keine Lust zum Kochen.«

»Ich koche. Heute Abend soll es Regen geben.«

Peter hebt den Blick vom Spielbrett. »Wenn du zu Hause bleiben willst, gehe ich mit den Kindern.«

»Es ist nur … wir sind kaum einen Tag aus Memphis zurück und hatten seitdem die ganze Zeit Menschen um uns. Ich brauche ein bisschen Ruhe.« Und Zeit zum Nachdenken.

»Dann kriegst du die auch«, sagt Peter.

Ich gehe zu ihm, lege ihm die Hände auf die Schultern und küsse ihn. »Du bist ein guter Mensch.«

»Lenk mich nicht ab«, sagt er. »Das hier ist ein wichtiges Spiel.« Er schmeißt eine von Finns gelben Spielfiguren raus.

Ich stehe vor dem Haus und sehe meiner Familie zu. Finn lässt die Würfel aus dem Becher rollen. Meine Mutter gießt kochendes Wasser in die alte braune Teekanne. Dampf steigt aus der Tülle. Sie lässt den Tee ziehen, bevor sie ihn durch ein Teesieb in einen angeschlagenen Becher gießt. Sie wirft einen kritischen Blick in die Zuckerdose, runzelt die Stirn und geht in die Vorratskammer.

Peter schiebt sich den Hemdsärmel hoch und spannt den Bizeps an. »Seht ihr das?«, sagt er zu den Kindern. »Seht hin. Niemand legt sich mit jemandem wie mir an.« Er streicht Maddy übers Haar.

»Lass das, Daddy.«

»Knurr.« Er nimmt sie fest in die Arme und gibt ihr einen Kuss auf den Kopf, und dazu brummt er.

»Ich meine es ernst«, sagt sie lachend.

Jack steht auf, geht zur Küchentheke und nimmt eine Pflaume aus der Obstschale.

»Gibst du mir meinen Tee, bitte, Jack?«, sagt Peter. »Deine schusselige Großmutter hat vergessen, ihn mir zu bringen.«

»Das habe ich gehört«, sagt meine Mutter in der Vorratskammer.

Ich gehe den Pfad hinunter und spüre die spitzen Kiefernnadeln unter meinen bloßen Sohlen. In der Luft ist ein Hauch von Regen spürbar. Auf den Stufen zu der Kinderschlafhütte liegt ein feuchtes Handtuch. Ich nehme es und hänge es an einen Ast. Die Kinder haben das Licht in der Hütte angelassen. Ich gehe hinein und schalte es aus, damit sich keine Motten und Junikäfer auf der Fliegengittertür sammeln. In der Hütte herrscht Chaos. Als Anna und ich hier geschlafen haben, sah es genauso aus: ein wildes Durcheinander von Bikinis, Lippenbalsam, Sandalen und Auseinandersetzungen. Ich sammle die schmutzigen Sachen vom Boden auf und werfe sie in den Wäschekorb, ich lege Maddys Pullover in ihre Schublade und hänge einen feuchten Badeanzug an einen Haken. Ich weiß, dass es gegen sämtliche Erziehungsregeln verstößt, laut denen Kinder ihre Zimmer selber aufräumen sollten, aber gerade jetzt empfinde ich es als beruhigend, diese einfachen Tätigkeiten auszuführen. Das Rezept meiner Mutter für solche Momente: »Wenn dir die Dinge über den Kopf wachsen, räume dein Wäschefach auf.«

Jacks kratzige, hafergraue Wolldecke ist halb vom Bett gerutscht, die Kissen klemmen zwischen Matratze und Wand. Ich ziehe sein Bett ab. Etwas fällt runter. Ich taste auf dem Boden zwischen den Spinnweben herum und ziehe ein schwarzes Heft hervor. Sein Tagebuch. Mein verschlossener Sohn, der mich in letzter Zeit kaum zur Kenntnis nimmt, der mich meidet und mich ausschließt. Hier habe ich alle Antworten in der Hand.

Der Reisewecker auf dem Bücherbord tickt im Sekundenrhythmus. Ich schließe die Augen und hebe das Heft an die

Nase, atme den Geruch von Jacks Wesen ein, von seinen Gedanken, seinen Sehnsüchten. Er würde es nie erfahren. Aber ich könnte es nie vergessen. Wissen kann Macht sein, aber auch Gift. Ich lege das Heft wieder dahin, wo ich es gefunden habe, und schiebe das Bett an die Wand, ich ziehe die Laken glatt. Ich will nicht von noch mehr Geheimnissen belastet sein.

1984. Oktober, New York.

In unserer düsteren, schwermütigen Wohnung wird gekocht. Wenn ich Glück habe, gibt es Hamburger, Mais und Rahmspinat. Aber meine Erwartungen sind nicht sehr hoch. Am Abend zuvor hat meine Mutter ein Hühnchen gebraten, das noch in Zellophan verpackt war. In letzter Zeit ist sie sehr unkonzentriert.

»Ich bin zurück«, rufe ich.

Sie steht in der Küche, eine Schürze über dem Jeansrock, und verrührt Hühnerleber und klein geschnittene Zwiebeln in einer gusseisernen Pfanne. Auf dem schmalen Küchentisch stehen schon eine Schüssel Reis und eine Flasche Ketchup. An der Wand hängen glasierte Tongefäße. Gewürze und ein Glas mit getrockneten scharfen Chilischoten, die nie benutzt werden, stehen auf dem Bord. Ein fleckiger Topflappen ist auf den Boden gefallen.

»Die Probe hat länger gedauert«, sage ich und bücke mich nach dem Topflappen.

»Gibst du mir mal die Dose mit dem Oregano?«

Ich mache den Vorratsschrank auf. Die Scheiben in der Tür sind weiß übermalt, damit wir den Inhalt nicht sehen müssen: eine Packung Weizenschrot, drei Dosen Brühe, Katzenfutter, eine Dose kalorienarme Suppe mit abgelaufenem Datum. Ich schiebe ein Glas Senf zur Seite und hole das Oregano heraus.

»Ich habe mit Anna telefoniert«, sagt sie. »Sie hat aus Los Angeles angerufen. Anscheinend geht es ihr gut. Aber ich verstehe trotzdem nicht, wie Kommunikation eine Wissenschaft sein kann. Als würde man Essen zu einem Studienfach machen. Oder Spazierengehen. Wasch dir die Hände, dann können wir essen.«

In der Wohnung ist es dunkel. Ich gehe den Flur entlang und schalte die Lichter an. Seit Leo im Jahr zuvor ausgezogen ist, drehen sich Mums Gedanken die ganze Zeit darum, wie sie Strom sparen kann. Ich erkläre ihr, dass es mehr Geld kostet, die Lichter an- und auszuschalten, als sie einfach brennen zu lassen, aber das hält sie für dummes Geschwätz.

Es dauert eine Weile, bis das Wasser warm läuft, und im nächsten Moment ist es zum Verbrennen heiß. Ich trockne mir die Hände an der Jeansjacke und bringe den Rucksack in mein Zimmer. Die Katze hat sich auf meinem Bett zusammengerollt. Quer durch den Innenhof sehe ich, wie meine Mutter in der Küche den Tisch für uns zwei deckt. Sie legt Messer und Gabel neben die Teller, stellt ein Weinglas daneben. Ich bin schon wieder auf dem Weg in die Küche und laufe noch einmal zurück, um das Licht in meinem Zimmer auszuschalten. Es ist eine Kleinigkeit, aber ihr ist es wichtig.

Merkwürdig, dass es mir nicht gleich aufgefallen ist, aber mein Tagebuch liegt offen auf meinem Schreibtisch. Ich nähere mich ihm vorsichtig, als könnte es mich anfallen und beißen. Ich nehme es in die Hand. Mit klopfendem Herzen, ungewiss, was sie gelesen hat, blättere ich durch die Zeit.

Heute ist letzter Schultag. Jippie! Morgen gehen Becky und ich zu Gimbel und kaufen neue Badeanzüge. Ich benutze mein Taschengeld dafür, Mum sagt, sie gibt noch

*fünfzehn Dollar dazu. Becky hat mir erzählt, dass diesen
Sommer im Rathaus jeden Mittwoch Transzendentale
Meditation angeboten wird, sie will den Kurs machen.*

Ich blättere ein paar Seiten vor.

*Morgen Back Woods!!! Kann es kaum er-
warten, Jonas zu sehen.*

*Sommeraufgaben:
Zwölf Bücher lesen
Jeden Tag Flöte üben
Vegetarierin werden?
Segeln lernen
Fünfzehn Pfund abnehmen*

Und darunter:

*Ich habe solche Angst. Wenn er es jetzt wieder macht. Und
wieder in mein Zimmer kommt. Ich hasse ihn. Am liebsten
würde ich sterben … Mum darf das nie erfahren, niemals.
Ihr ganzes Leben würde kaputtgehen, wenn sie es wüsste.
Ich hasse ihn.
Ich hasse ihn.
Ich hasse ihn.*

Ich blättere um.

*Ich habe meine Tage noch nicht bekommen. Was, wenn
ich schwanger bin? Bitte, lass mich nicht schwanger sein.*

Danach ist die Seite leer, nur Tränenspuren, die Tinte verwischt.

Conrads Leiche ist heute am Strand gefunden wor-
den. Die Frau hat gesagt, seine Augen waren offen.
Ich kriege keine Luft. Warum habe ich ihm nicht
den Rettungsring zugeworfen? Mir ist schlecht.

Danach nur leere Seiten.

Ich schalte das Licht im Zimmer aus und starre aus dem Fenster. In einer der oberen Etagen fängt jemand an zu singen. Tonleitern rauf und runter hallen durch den Hof. Meine Mutter macht das Küchenfenster zu und gießt sich ein Glas Wein ein. Sie trinkt es in einem Zug aus. Sie gießt sich neu ein. Sie weiß es. Der Hof ist seit einiger Zeit nicht gefegt worden, überall liegen Flyer und Tüten, dazwischen zwei leere Katzenfutterdosen. Einer der Portiers füttert die streunenden Katzen, ein klarer Regelverstoß. Ein Regenschauer grüner Erbsen kommt aus dem Nichts. Sie prasseln auf den Beton wie Hagelkörner. Das haben Anna und ich früher auch gemacht, haben Erbsen, Brokkoli, Möhren, Fischstäbchen, alles, was wir nicht essen wollten, in den Hof geschmissen, wenn Mum nicht geguckt hat. Falls sie es gewusst hat, hat sie nie etwas gesagt.

Als ich in die Küche komme, hebt sie nicht den Blick. Die Luft in dem Raum ist schal, drückend. Ich schiebe das Fenster wieder ein paar Zentimeter hoch. Sie hat mir aufgetan: Reis und Hühnerleber-Zwiebel-Gemisch. Hinter der Küchentür höre ich das Rumpeln des Lastenaufzugs, der über uns hält.

Mum stellt ihr Weinglas auf den Tisch und zieht einen Stuhl für mich heran. Wir sitzen schweigend am Tisch. »Ich habe heute in deinem Schrank nachgeguckt«, sagt sie schließlich. »Ich dachte, ich gebe deine Schlittschuhe in die Altkleidersammlung. Sie sind dir zu klein.« Sie schüttelt den Kopf, als wollte sie das Bild in ihrem Kopf beiseiteschieben. »Wie konnte das passieren?« Ihre Stimme ist voller Verzweiflung.

»Es tut mir so leid. So sehr leid.« Eine salzige Träne landet auf meinem Reis und verschwindet in dem weißen Berg. »Ich wusste nicht, was ich tun sollte.« Ich kann nur flüstern.

»Warum hast du mir nichts erzählt?« Sie blickt forschend in mein Gesicht.

»Ich wollte nicht, dass du mich hasst.« Ich starre auf den Küchenboden.

»Ich könnte dich niemals hassen. Ich hasse *ihn*.«

»Es tut mir so leid, Mum.«

»Es war nicht deine Schuld. Ich habe ihn in dein Leben gebracht. Wenn ich gewusst hätte, dass er dir wehtut ... Ich bin froh, dass er weg ist.« Sie nimmt meine Hand und drückt sie fest. »Himmel, ich hätte es sehen müssen. Wie konnte ich es nicht sehen?« Meine Fingerspitzen werden rosa, dann weiß. In ihrem Gesicht ist etwas, das ich dort lange nicht gesehen habe. Etwas Stählernes. Ein Lichtblitz.

»Wenn ich ihn je wiedersehe, bringe ich ihn um, das schwöre ich.«

»Was?«

»Ich sollte einen Haftbefehl gegen Leo beantragen. Ich sollte die Polizei informieren.«

18.15

Ich schalte das Licht in der Hütte aus und schließe die Tür schnell hinter mir, bevor die Mücken reinkommen. Der See ist still, die Oberfläche tintenschwarz, die Abendluft vertreibt die letzte Wärme des Nachmittags. Ich gehe in unsere Hütte und ziehe den Badeanzug aus. Vom Haus her höre ich Peters Lachen. Später, nach diesem Abend, rief Leo meine Mutter an, aus einer Bar, betrunken. Er flehte sie an, es wieder mit ihm zu versuchen, schwor, dass er sie liebe. Sie sei die Liebe seines Lebens. Sie hat aufgelegt.

21

1989. März, London.

Bei unserer dritten Verabredung gehen Peter und ich zum ersten Mal miteinander ins Bett. Erst führt er mich in ein verstecktes indisches Restaurant in der Brick Lane aus, wo die dampfige Luft nach Nelken riecht. »Westbourne Grove ist für Touristen. Dies hier ist ein echtes indisches Restaurant«, erklärt er mir. Anschließend lädt er mich auf einen Drink in seine Wohnung ein, und ich überrasche mich selbst, als ich zusage. Ich gehe selten mit Männern aus, und schon gar nicht lasse ich mich zu ihnen in die Wohnung einladen, aber Peter ist Finanzjournalist, und aus einem unlogischen und altmodischen Grund vertraue ich ihm, weil er über Geld schreibt. Als könnte jemand, der etwas so Langweiliges tut, nicht gefährlich sein.

Wir fahren im nicht endenden wollenden Regen zu ihm, die Autofenster beschlagen von innen, wir sind umgeben von Dieselgeruch und Wärme. Peter wohnt in Hampstead, praktisch am entgegengesetzten Ende von London. An einem Zebrastreifen hält er und lässt einen alten Mann über die Straße. Er öffnet das Fenster einen Spalt und zündet sich eine Zigarette an. Der Mann, den Kragen hochgeschlagen, einen kaputten Schirm in der weißen faltigen Hand, schlurft langsam über den Zebrastreifen. Peter hat den Blick auf das blinkende gelbe Licht am Übergang und auf den strömenden Regen gerichtet, als er zum ersten Mal meine Hand nimmt.

»Ich hoffe, du hast nichts dagegen.« Er klingt fast ein bisschen schüchtern, und das überrascht mich.

Wir biegen in eine schmale Straße ein, kommen nach einer Haarnadelkurve zu einem hübschen gepflasterten Platz und halten vor einer Häuserreihe im georgianischen Stil.

Der Regen hat mich schon durchweicht, bevor ich richtig aus dem Auto gestiegen bin. Von allen Seiten strömt das Wasser auf uns nieder, bildet Pfützen, steht vor der Haustür. »Verrückt, dieser Regen«, sage ich.

»Welcher Regen?« Peter lacht, und wir rennen zum Haus.

Peters Wohnung ist sehr schön – und viel größer, als ich sie mir vorgestellt habe: hohe, stuckverzierte Decken, lange schmale Fenster mit Blick über den dunklen Park, die Scheiben alt mit kleinen Unebenheiten, die Messingknäufe an den Kassettentüren eierförmig, alte Holzdielen. Ein Kamin, in dem man Feuer machen kann. Im Eingangsflur hängen an Holzhaken mehrere Cord- und Tweedjacketts, ein mit Schlamm bespritzter Barbourmantel. Darunter stehen wunderschöne Lederschuhe und Stiefel mit den Spitzen zur Wand.

»Ich entschuldige mich jetzt schon«, sagt Peter und legt den Schlüssel auf eine Truhe im Flur. »Es ist nicht sehr aufgeräumt.« Überall liegen Zeitungen, die Aschenbecher sind voll, über einer Sessellehne liegt ein Nadelstreifenanzug.

»Meine Mutter«, erklärt er, als mein Blick über die schweren Samtvorhänge, die Porträts der Vorfahren, die türkischen Läufer und Brücken wandert. »Sie hat Geschmack.«

»Du hast recht. Es ist ein Saustall«, sage ich.

»Ich hatte ehrlich gesagt nicht mit Besuch gerechnet.«

»Gut.«

»Was seid ihr Amerikaner doch für seltsame Wesen.«

»Keine Stiche an den Wänden.«

Peter lacht. »Unterschätz mich nicht. Komm, ich zeige dir das Schlafzimmer.«

Ich zögere. Einerseits möchte ich, andererseits will ich so schnell wie möglich weglaufen. Ich gehe mit ihm ins Schlafzimmer. Überraschenderweise ist Peters Schlafzimmer, anders als das Wohnzimmer, aufgeräumt, das Bett ist gemacht, die Decken sind mit ordentlichen Kniffen untergeschlagen.

»Du bist sehr schön«, sagt er. Seine Stimme klingt ehrlich, offen, er ist sich seiner selbst sicher. »Jetzt wollen wir dir mal die nassen Sachen ausziehen.«

Ich zucke zurück, als er die Knöpfe an meiner Bluse aufmacht. Seit Conrad sind sechs Jahre vergangen. Von ein paar trunkenen Küssen abgesehen, habe ich seitdem niemanden an mich herangelassen.

Peter will den Reißverschluss an meiner Jeans aufziehen, aber ich hindere ihn daran.

»Entschuldigung, ich dachte –«, sagt er.

»Es ist nicht ... ich mache das lieber selbst.« Meine Hände zittern, als ich meine Bluse zu Ende aufknöpfe und mir die Jeans ausziehe. Ich stehe in Slip und BH vor Peter. Der Regen ist noch stärker geworden und strömt in breiten Bächen an den großen Fenstern hinunter. Eine ungeöffnete Packung Rothmans und eine halb gegessene Birne liegen auf der antiken Herrenkommode hinter Peter. Ich öffne den Verschluss an meinem BH und lasse ihn auf den Boden fallen. Er tritt näher und nimmt meine Brüste in die Hände. Ich zittere am ganzen Körper.

»Du frierst.« Er hebt mich hoch und trägt mich zum Bett.

Er lässt sich Zeit, seine Finger streichen über meinen Körper, meine Kurven, unsere langen Gliedmaßen schlingen sich umeinander, der Regen trommelt an die Fenster, ich schmecke den Tabak, spüre seine kräftigen, muskulösen Arme. Ich kneife die Augen fest zu und spanne mich an, als er in mich eindringt. Mein scharfer Atem verrät mich.

»Soll ich aufhören?«, flüstert er.

»Nein.«

»Wir können aufhören«, sagt er.

»Es hat nur ein bisschen wehgetan.«

Peter verharrt. »Bist du Jungfrau, Elle?«

Ich wünschte, ich könnte die Wahrheit sagen. Stattdessen sage ich: »Ja.«

Und so fangen wir mit einer Lüge an.

1989. Dezember, New York.

Der Subway-Bahnhof an der 86. Straße ist öde und schmuddelig, Papierfetzen liegen auf den Schienen, die Bahnsteigeinfassung ist schwarz vom Gummiabrieb. Vier Ausgänge führen zu den Ecken der breiten hässlichen Straße hinaus. Anna und ich steigen an der Nordwestecke nach oben, wo der Wind uns eisig ins Gesicht fährt und an den Zipfeln meiner Daunenjacke zerrt. Ich habe vergessen, wie kalt es in New York sein kann. Auf dem Gehweg wärmt sich ein Kastanienverkäufer an der Glut seines Röstofens. In der Abendluft riechen die dicken Kastanien süß und köstlich.

Wir biegen in die Lexington Avenue ein und stelzen in unseren Absatzstiefeln um die schmutzigen Schneewehen herum. Es ist sechs Uhr, das Tageslicht ist verschwunden, und das trübe Licht der Straßenlaternen erhellt die Dunkelheit.

»Sie ist ja ein echter Albtraum«, sagt Anna.

Wir kommen vom jährlichen Weihnachtsteetrinken mit Dad in seiner Wohnung im Greenwich Village, wo wir seine neue Freundin kennengelernt haben. Sie heißt Mary Kettering und ist eine Rothaarige aus Mount Holyoke, hat einen schmalen Mund und eine sehr spitze Nase. Als sie uns zur Begrüßung anlächelte, verzog sich ihr Mund zu einer säuerlichen Linie, in der sich ihr Wesen vollständig enthüllte.

Ich trage eine Papiertüte voller Geschenke, die eingepackt sind, aber am Gewicht merke ich, dass es auch diesmal Bücher sind. Unser Vater tut so, als hätte er sie speziell für uns ausgesucht, aber wir wissen, dass es Freiexemplare aus seinem Verlag sind. Jedes Jahr schenkt er uns bedeutungslose Bücher mit bedeutungsschweren Widmungen in blauer Tinte. Er hat eine elegante, auffallende Handschrift und kann gut formulieren, so viel steht fest.

»Es beruht auf Gegenseitigkeit, sie konnte uns auch nicht ausstehen«, sage ich.

»Die Untertreibung des Jahres«, sagt Anna. »Wir hätten ihr nicht mehr zuwider sein können. Und als sie anfing, von den Hamptons zu reden ...« Anna steckt sich den Finger in den Hals und tut, als müsste sie würgen. »Und South Hampton, nicht mal Watermill. Wie kann er sie nur küssen? Igitt. Sie sieht aus wie ein grässliches Vogelskelett.«

»Was für ein Ekel du bist.« Ich lache. Seit ich in London lebe, vermisse ich meine Schwester mehr, als ich sagen kann. »Vielleicht wäre sie netter zu uns gewesen, wenn du nicht jedes Mal die Augen verdreht hättest, wenn sie den Mund aufmachte«, sage ich und stapfe durch die Schneeberge.

Unser Vater, das muss man ihm lassen, hat diese Unbehaglichkeiten einfach ignoriert und schien wirklich glücklich darüber, uns zusammengebracht zu haben. Am Schluss goss er sich die Teetasse mit Bourbon voll, legte *Rock the Casbah* auf seinen neuen Plattenspieler und tanzte dazu in peinlichen kleinen Schritten. Er trug eine alte Cordhose und war barfuß, sodass wir seine behaarten Füße sehen konnten. Dicke Büschel auf allen Zehen. Ich war wie gebannt davon. Mary tippte mit ihren belgischen Lederschuhen im Rhythmus zur Musik.

»Sie ist einfach eine weitere Schauergeschichte in Dads langer Reihe von Schauergeschichten«, sagt Anna.

»Vielleicht ist sie netter, als wir ahnen.« Ich rutsche auf einer vereisten Stelle aus und fliege hin.

»Damit will Gott dir zeigen, dass du unrecht hast«, sagt Anna und lacht.

Die Tüte mit den Geschenken ist aufgerissen, die Bücher liegen im Schneematsch.

Auf Händen und Knien sammle ich die Geschenke wieder ein. »Warte! Hilf mir mal.«

Anna ist gut zehn Meter weiter. »Lass sie doch liegen. Wir frieren uns hier nur kaputt. Außerdem wollen wir seine blöden Bücher gar nicht.« Sagt sie und marschiert in Richtung unseres Wohnblocks.

»Im Ernst?«, rufe ich hinter ihr her. »Gut. Ich sage ihm, dass du seine Geschenke nicht wolltest.«

»Meinetwegen«, ruft sie über die Schulter zurück. »Soll er sie doch Mary geben. Oh, là, là, was für eine Freude das sein wird. Entzückte Gesichter. Eine gebundene Ausgabe von *Bartlett's Familiar Quotations.*«

Eine Frau mit einem Windhund, der einen Hahnentritt-überzug und kleine Stiefel trägt, bleibt stehen und guckt mir dabei zu, wie ich die Geschenkpakete einsammle. Dann balanciert der Hund neben mir auf seinen zitternden Hinterbeinen und macht seinen Haufen in den Schnee.

Ich hole Anna ein, als sie das Foyer unseres Wohnblocks betritt.

»Nett von dir«, sage ich. »Danke für die Hilfe.«

Wir bringen einen Schwall des eisigen Windes ins Foyer, und Mario, der neue Portier, eilt herbei und schließt schnell die Schwingtüren hinter uns. Die bunten Lichter an dem künstlichen Weihnachtsbaum blinken. Auf dem Marmorka-minsims leuchten die dicken, orangefarbenen Glühbirnen einer Menora.

»Meine Damen«, sagt Mario und begleitet uns zum Aufzug. »Frohe Weihnachten.«

271

»Frohe Chanukka«, sagt Anna darauf.

Mario sieht sie verwirrt an.

»Wir sind Juden«, sagt Anna.

Wir steigen in den Aufzug und fahren nach oben.

»Juden? Was sollte das denn?«

»Könnten wir doch sein. Er weiß das doch nicht.«

»Wieso bist du so ein Ekel?«, sage ich.

»Weil er mich anwidert«, sagt sie.

»Mario?«

Annas Blick sagt: ›Du kapierst aber auch gar nichts.‹ »Ich meine Dad.«

Wir trampeln den Schnee von unseren Stiefeln ab und lassen sie auf der Matte vor der Wohnung stehen. Die Tür zu unserer Wohnung ist wie immer nicht verschlossen. Im Flur ist es stockfinster. Mum sitzt auf einem Stuhl, hinter ihr im Wohnzimmer brennt eine Lampe, die getigerte Katze liegt auf Mums Schoß.

»Du siehst aus wie Anthony Perkins«, sagt Anna und zieht den Mantel aus. »Wir haben dir Ingwerkekse mitgebracht.«

»Geht bitte nicht weiter«, sagt Mum.

»Meinst du, sie wird als Geisel gehalten?«, fragt Anna mich in einem Bühnenflüstern. Mit normaler Stimme sagt sie: »Mum, warum benimmst du dich so komisch?« Sie hängt ihren Mantel in den Schrank und will an meiner Mutter vorbei, aber sie hindert sie daran.

»Euer Vater hat angerufen, nachdem ihr gegangen seid. Offenbar hatte seine neue Freundin eine große Tüte Marihuana in einer Kaffeedose versteckt, und nach eurem Besuch war sie verschwunden.«

»Mary raucht Pot?«, sagt Anna. »Das soll wohl ein Witz sein.«

»Ich wünschte, es wäre ein Witz. Im Ernst«, sagt Mum. »Ich will das nicht, aber euer Vater hat mir das Versprechen abgenommen. Zieht euch bitte aus und leert eure Taschen.«

»Du musst den Verstand verloren haben«, sagt Anna und lacht. »Ich bin doch keine fünf.«

Mum seufzt. »Ich weiß, es ist lachhaft. Aber er hat es Mary versprochen und bittet mich, ihre Bitte zu respektieren.«

»Ich nehme nie Drogen«, sage ich.

»Sag ihr, sie soll sich ihren Stoff in die Muschi schieben«, sagt Anna.

»Anna.«

»Du kennst sie nicht, Mum. Sie ist widerwärtig. Sie hat kleine spitze Zähne.«

»Das kann ich mir gut vorstellen.« Meine Mutter setzt die Katze auf den Fußboden und steht auf. »Jedenfalls, ich habe eurem Vater versprochen, dass ich darauf bestehen würde, euch zu durchsuchen. Und jetzt habe ich darauf bestanden. Ich habe ihm nicht versprochen, es auch zu tun. Ich mache mir jetzt einen Eggnog und gehe ins Bett.«

»Warte«, sage ich, »hat er dich wirklich gebeten, uns zu durchsuchen? Am Heiligabend? Das ist doch das Letzte. Aber hier, kannst du haben.« Ich ziehe mich aus, auch die Unterwäsche, und werfe meiner Mutter die Sachen in den Schoß.

Sie gibt sie mir mit einem entnervten Seufzen zurück.

»Ich bin zu alt für so etwas«, sagt sie.

»*Du* bist zu alt dafür? Was soll ich denn sagen, ich bin dreiundzwanzig? Sag Dad, ich werde nie wieder mit ihm sprechen.«

»Du brauchst ein Waxing«, bemerkt Anna und verschwindet den Flur hinunter in ihrem Zimmer.

Ich rufe Peter von meinem Zimmer aus an. In London ist es fast Mitternacht, aber ich weiß, dass er wach ist und versucht, einen Artikel für den Abgabetermin fertig zu kriegen.

»Meine Mutter hat mich gerade durchsuchen wollen. Frohe beschissene Weihnachten.«

»Wie bitte?«, sagt Peter.

»Dads neue Freundin hat uns beschuldigt, ihr gebunkertes Marihuana geklaut zu haben.«

Peter lacht. »Hat deine Mutter was gefunden?«

»Scheiße, Peter, das ist nicht lustig.«

»Und ob das lustig ist. Aber wenn ihr in eurer Familie die Dinge so handhabt, muss ich mir das mit der Reise zu Silvester noch einmal überlegen.«

»Du brauchst nicht herzukommen«, sage ich. »Ich komme mit dem nächsten Flieger nach London zurück. Ich habe die Nase voll von den Leuten hier.«

»Aber das ist eine entsetzlich schlechte Idee. Denn dann musst du bei meiner Mutter Räucherlachs mit Dillmayonnaise essen, die nach Erbrochenem schmeckt. Und zur Mitternachtsmesse musst du auch mit. Und in einem eiskalten Zimmer mit Steinwänden und mittelalterlichen Fenstern schlafen. Allein. Denn meine Mutter erlaubt es nicht, dass wir zusammen schlafen.«

»Ich dachte, deine Mutter findet mich inzwischen sympathisch.«

Peters Eltern sind sehr vornehm. Sein Vater ist Parlamentsabgeordneter. Wenn sie nicht in ihrem Landhaus in Somerset sind, wohnen sie in einem großen Haus in Chelsea mit Blick auf die Themse. Sie gehen auf die Jagd und trinken Pimm's zum Lunch. Sie machen forsche Spaziergänge übers Moor und tragen Tweedklamotten. Seine Mutter ist der Typ Schlachtross mit Perlen. Nach meiner fünften Verabredung mit Peter bestand sie darauf, dass er mich bei ihr vorführte. Wir saßen in einem großen Wohnzimmer mit glänzendem Holzfußboden, Mahagoni mit Einlegearbeit aus Obstholz, wie sie mir erklärte, und tranken Sherry. Über dem offenen Kamin mit Marmorumrandung hing ein geschmackvolles abstraktes Gemälde. Seit einiger Zeit interessiere sie sich für »moderne Kunst«, sagte sie. Ich saß mit übereinandergeschlagenen Beinen auf einem grünen Samtsofa und musste an Becky Sharp in *Vanity Fair* denken. Als ich zugab, dass ich noch nie auf einem Pferd gesessen hatte, konnte Peters Mutter ihre Verachtung kaum verhehlen. Aber als ich erzählte, ich würde am Queen Mary College einen Master in französischer Literatur machen und hätte vor, in die Universitätslehre zu gehen, verzieh sie mir halbwegs. »Besser wäre es natürlich, Sie studierten Germanistik. Mehr Tiefgang, weniger vulgäre Exzesse«, sagte sie und schenkte nur sich selbst Sherry nach.

»Sie mag dich«, sagt Peter am Telefon. »Sehr sogar, wenn man bedenkt, dass du Amerikanerin bist. Trotzdem hat sie mir deutlich zu verstehen gegeben, sehr deutlich sogar«, sagt Peter mit Nachdruck, »dass es in ihren Augen unschicklich ist, eine Beziehung mit einer jungen Frau anzufangen, die man auf der Straße aufgegabelt hat. Du könntest ja sonst wer sein.«

»Haha.«

»Komm, jetzt beruhige dich. In vier Tagen bin ich da, dann klären wir das alles. Ich muss schon sagen«, sagt Peter und lacht, »ich freue mich sehr darauf, mich mit deinem Vater zu bekiffen.«

»Du wirst meinen Vater nicht kennenlernen«, sage ich. »Ich werde nämlich nie wieder mit ihm sprechen oder ihn gar besuchen.«

»Und ich dachte, das wäre der Sinn meines Besuchs«, sagt Peter. »Damit ich bei ihm um deine Hand anhalten kann.«

»Oh verdammt, warum musst du aus allem einen Witz machen? Ich warte an der Sperre.« Ich lege auf, strecke mich auf dem Bett aus und blicke zur Decke. Ich sehe die Risse im Putz. Stellen, an denen die Farbe abblättert. In einer Wohnung über uns werden Zwiebeln und Knoblauch gebraten, der Geruch zieht in den Innenhof. Mein schmales Bett, in dem ich schlafe, seit ich fünf bin, ist zu kurz für mich. Auf dem Regal über meinem Schreibtisch, neben der Schildkröte, die mein Vater für mich geschnitzt hat, als ich klein war, steht ein Satz *Encyclopedia Britannica*, den meine Mutter aus einer Mülltonne gerettet hatte, als ich zehn war. Die Lexika waren veraltet und deshalb weggeworfen worden. »Wissen bleibt Wissen«, hatte meine Mutter gesagt. Ich stehe auf und nehme Band vier, Botha bis Carthago, vom Bord. Zwischen den Seiten liegt ein vielfach gefaltetes und über und über beschriebenes Blatt Papier. Ein einzelner Satz, in endloser Wiederholung. Teils Strafe, teils Beschwörung: »Ich hätte ihn retten sollen.« Ich falte das Blatt wieder zusammen und stelle den Band zurück aufs Regal. Auf der Straße wirbelt der Wind den trockenen Schnee in Wolken vom Boden auf. Ich gehe den Flur entlang zu Annas Zimmer. Die Tür ist angelehnt. Anna sitzt am Schreibtisch und dreht sich einen Joint.

22

1989. Dezember, New York.

Peters Flugzeug landet pünktlich, aber ich komme hoffnungslos zu spät. Die Subway nach JFK endet in Rockaway, und wir müssen auf dem Bahnsteig auf den nächsten Zug warten. Der Schneeregen geht in Flocken über, und ich spüre, wie meine Augenwimpern vereisen. Das ist der Grund, warum ich so ungern jemanden vom Flughafen abhole. Es ist eine Geste, die in den meisten Fällen schiefgeht. Jetzt ist Peter sauer, dass ich nicht da bin, und läuft wütend in der Halle auf und ab, nachdem er den achtstündigen Flug und die Einreiseprozedur überstanden hat. Und obwohl ich den langen Weg nach JFK auf mich genommen habe und mir mein Gesicht von Tausenden von spitzen Schneenadeln zerstechen lasse, bin ich gleichzeitig voller Schuldgefühle und Empörung. Hätte ich bloß gesagt, er solle ein Taxi nehmen.

Als ich in der Halle für International Arrivals ankomme, bin ich verschwitzt, außer Atem und geladen. Ich sehe ihn, bevor er mich entdeckt, er sitzt auf seiner Reisetasche, lehnt mit dem Rücken an der schmutzigen Wand und liest ein Buch. Als er mich sieht, lächelt er.

»Genau rechtzeitig«, sagt er und gibt mir einen dicken Kuss. »Oh, wie ich dich vermisst habe, meine Schöne.«

Ich bereite Peter auf unsere dunkle Wohnung vor, auf den Stromsparfimmel meiner depressiven Mutter, auf ihre schwerfälligen Bewegungen, dass es aussieht, als würde sie von ihrem eigenen Gewicht niedergezogen.

»Muss ja ein rundum frohes Weihnachtsfest gewesen sein«, sagt er.

Aber als wir zu Hause ankommen, brennen in der Wohnung alle Lichter, ein Kunstholzscheit knistert lautlos im Kamin, eine kratzige Schallplatte spielt einen Bossa nova.

»Mum? Wir sind da«, rufe ich.

»In der Küche«, ruft sie mit singender Stimme. »Stellt eure Stiefel draußen ab, wenn sie nass sind.«

Ich schüttle leicht verwirrt den Kopf. »Vielleicht hat *sie* Marys Stoff gestohlen.«

Peter wirft mir einen ironischen Blick zu, und wir gehen in die Küche.

Meine Mutter steht am Kühlschrank. Sie hat sich das Haar hochgesteckt. Sie trägt Lippenstift und eine rote Seidenbluse.

»Peter.« Sie küsst ihn auf beide Wangen. »Du hast es geschafft. Wie war der Flug?«

»Bestens. Ein bisschen holprig, nichts weiter.«

»Hier ist schon den ganzen Tag Schneesturm. Wir dachten, dein Flugzeug würde vielleicht umgeleitet.«

»Wo ist Anna?«, frage ich. »Sie hat gesagt, sie würde hier sein.«

»Anna ist ausgegangen, eine Studienfreundin hat angerufen.«

»Tut mir leid«, sage ich zu Peter. »Ich wollte so gern, dass sie hier ist, wenn du ankommst.«

Mum nimmt einen silbernen Shaker und drei Martinigläser aus dem Gefrierfach. »Olive oder Zitronentwist.«

»Twist, vielen Dank«, sagt Peter.

»Ein Mann nach meinem Herzen.« Sie gießt ihm ein.

Ein Aperitif aus Käse, Paté und einer Schale mit eingelegten Gurken steht auf dem Tisch. Mum hat das spezielle Käsebrett aus Rosenholz mit dem albernen gekrümmten Messer aus dem Schrank geholt, das sie und mein Vater vor einer Million Jahren zur Hochzeit geschenkt bekommen haben.

Sie hebt ihr Glas. »Auf das neue Jahr. Es ist gut, den Namen endlich mit einem Gesicht verbinden zu können. Du hast mir nicht gesagt, dass er ein so attraktiver Mann ist, Elle.« Fast klimpert sie mit den Wimpern. »Prosit.«

Mir kommt es vor, als wäre ich in einen Schwarz-Weiß-Film geraten, in dem die Menschen in Räumen mit drei Meter hohen Decken wohnen und beim Lunch eine Pelzstola tragen. Gleich streckt Cyd Charisse ihr Bein im schwarzen Seidenstrumpf hinter der Tür hervor, und ein Hausmädchen serviert Snacks, während ein kleiner weißer Hund durchs Zimmer läuft.

Peter und Mum stoßen miteinander an. Ich hebe mein Glas, aber die beiden trinken schon. Meine Mutter nimmt Peters Arm. »Lasst uns ins Wohnzimmer gehen. Ich habe ein Feuer gemacht. Elle, bringst du die Horsd'œuvres mit? Ich habe bei Zabar ein Stück Stilton gekauft. Ich fand, damit kann man nichts verkehrt machen.«

Peter geht mit ihr aus der Küche, und ich bleibe zurück.

»Oh, dein Vater hat angerufen. Zweimal sogar«, ruft sie mir über die Schulter hinweg zu. »Diesmal musst du ihn zurückrufen. Es ist gut, mal wieder einen Mann im Haus zu haben, Peter«, höre ich sie sagen, als sie ins Wohnzimmer gehen.

Alle Anstrengungen, Peter einen herzlichen Empfang zu bereiten, macht sie meinetwegen, das weiß ich. Und natürlich will ich nicht, dass Peters erster Gedanke der an Flucht ist. Aber als ich das laute Lachen meiner Mutter höre, wenn Peter etwas sagt, möchte ich ihr am liebsten an die Gurgel springen.

»Ich mag sie«, sagt Peter später, als er seine Reisetasche in mein Zimmer trägt. »Sie ist nicht so, wie du sie beschrieben hast.«

»Eine narzisstische Zicke?«

»Du hast gesagt, dass sie sehr traurig sei und dass sie einen Stromsparfimmel habe. Du hast nicht erwähnt, dass sie eine attraktive Frau ist.«

»Stilton? Weil du Engländer bist? Seit Weihnachten haben wir von Sardinen und Erdnussbutter und Dosensuppe gelebt. Glaub mir, das hier ist nicht das normale Leben.«

»Also liegt es an meinem britischen Charme?«

»Nein. Sie hat Männern gegenüber eine chauvinistische Einstellung. Und am Heiligabend musste ich vor ihr meine Unterhose ausziehen. Und meine Geschenke waren hässliche Handschuhe und ein Korkenzieher. Vielleicht hat sie Weihnachtsschuldgefühle.«

Peter bleibt stehen und sieht sich die Bücher auf den Regalen im Flur an. Er zieht ein altes Schulbuch von mir heraus. »*Das Rentier in der Tundra Alaskas.* Genau das Richtige zum Einschlafen.« Er schlägt das Buch auf und blättert die Seiten durch. »Ah, gut. Du hast die wichtigen Passagen unterstrichen. Das spart Zeit.«

»Meine Mutter ist dagegen, Bücher wegzuschmeißen.«

Er stellt das Buch wieder ins Regal. »Ich finde sie sehr beeindruckend. Elegant. Ich bin überrascht, dass sie nicht noch einmal geheiratet hat.«

»Wenn du möchtest, kannst du ja bei ihr im Zimmer schlafen. Ihr Bett ist größer als meins.«

»Ach komm.«

»Jetzt bringe ich endlich einen Mann nach Hause, und das Einzige, was ihr in den Sinn kommt, ist, mit ihm zu flirten. Was heißt das überhaupt? In den letzten Jahren hat meine Mutter kaum die Energie gehabt, sich die Haare zu waschen, nachdem sie erst Leo und dann das Kind verloren hatte. Sie wandert schon so lange in einem so niedergeschlagenen Zustand durch die Wohnung, dass ich vergessen habe, wie attraktiv sie mal war. Die meiste Zeit des Tages verbringt sie im Nachthemd. Sie zieht sich nur an, um zum Supermarkt zu gehen und Sachen zu kaufen, die gerade abgelaufen sind.«

»Klingt wie ein Leben am Rande des Abgrunds.« Peter lacht.

»Hör auf«, sage ich und gehe weiter den Flur hinunter.

Er kommt mit in mein Zimmer und will mich in den Arm nehmen, aber ich schüttle ihn ab.

»Elle. Ich bin bei heftigem Sturm über den Atlantik geflogen, um meine schöne Freundin zu besuchen. In die ich, nebenbei bemerkt, unsterblich verliebt bin. Außerdem bin ich fix und fertig. In den letzten zwölf Stunden habe ich außer einem Stück alten Käse nichts gegessen. Und meine Socken sind nass.« Er setzt sich aufs Bett und zieht mich auf seinen Schoß. »Sei nett.«

»Stimmt. Du hast recht.« Ich lege den Kopf an seine Schulter. »Ich sollte froh sein, dass du sie aufgeheitert hast. Und das bin ich auch. Die letzten Tage waren einfach beschissen. Und ich habe dich vermisst.«

»Ich weiß. Deshalb bin ich ja hier.« Er legt sich auf mein altes, schmales Bett. Seine Beine ragen einen halben Meter über die Kante. »Hmm«, sagt er. »Vielleicht muss ich doch bei deiner Mutter schlafen.«

»Ich hasse dich, Peter.«

»Ich weiß. Alle Frauen hassen mich. Das liegt an meinem besonderen Charme.«

Ich muss gegen meinen Willen lachen.

1990. 1. Januar, New York.

Neujahrstag, und wenn der heutige Tag ein Omen für die Zukunft ist, dann wird es ein wahrhaft beschissenes Jahr. Wir haben unter null Grad, und nach unserem jährlichen Dim-Sum-Lunch in einem lauten, stickigen Chinarestaurant, wo ich zu viele Dampfbällchen mit unidentifizierbarer fleischähnlicher Füllung gegessen habe, die ich nicht wollte, und meine Mutter mit dem Kellner Streit wegen der Rechnung angefangen hat, ist mir kotzübel. Jetzt redet Peter auf mich ein, ich solle meinen Vater anrufen.

»Es ist Neujahr. Der beste Moment für einen Olivenzweig«, sagt er, als wir aus dem Restaurant kommen, mitten in einen Schneesturm hinein.

»Oder die Friedenspfeife. Vielleicht sollten wir auch einfach das Kriegsbeil begraben.« Ich zittere in dem eisigen Wind. »Scheiße. Jetzt habe ich einen meiner Handschuhe liegen gelassen.«

»Wahrscheinlich wird der gerade für einen der Gäste zubereitet«, sagt Peter.

Zwanzig Minuten später quetschen wir uns in eine Telefonzelle, die wenige Straßen von der Wohnung meines Vaters entfernt steht. Am liebsten würde ich Peter treten. Ich bedecke die Muschel mit der Hand.

»Was für eine schreckliche Idee«, zische ich.

»Das ist eine Sache zwischen dir und Mary«, sagt mein Vater.

»Wie kann es zwischen mir und Mary sein?«, sage ich erbost.

»Ihr müsst das untereinander klären.«

»Zwischen mir und Mary ist nichts. Ich habe sie nur das eine Mal gesehen.«

»Ich weiß«, sagt mein Vater. »Ich möchte, dass das anders wird. Sie bedeutet mir viel.«

»Und ich?«

»Elle –«

»Sie hat dir weisgemacht, dass deine Töchter drogensüchtig sind und Leute bestehlen.«

Einen Moment lang sagt er nichts. »Hör zu. Mary hat einen Fehler gemacht. Das weiß ich. Auch ich habe einen Fehler gemacht, und das tut mir sehr leid. Können wir das jetzt bitte hinter uns lassen?«

»Also gut. Aber wenn du glaubst, auf dieser Welt gibt es

einen Ort, an dem ich mich jemals im selben Zimmer aufhalten werde wie diese hühnerlippige Frau, dann hast du dich schwer geirrt.«

»Mach es bitte nicht noch schlimmer.«

»Und versuch es nicht so hinzudrehen, dass ich schuld bin.«

Er seufzt. »Mary und ich sind verlobt. Wir wollen im März heiraten.«

»Du hast sie gerade erst kennengelernt.«

»Ich weiß, es ist ein bisschen schnell, aber Mary sagt, es gebe keinen Grund zu warten. Wir lieben uns.«

»Das ist doch ...« Ein Klümpchen fettiges Dim-Sum steigt mir vom Magen auf.

»Ich möchte deine Zustimmung.«

»Was bist du doch für eine Pfeife.« Ich knalle den Hörer auf die Gabel.

»Na, das hat ja gut geklappt«, bemerkt Peter.

Ich starre auf den Hörer. Jemand hat das Word ›Fotze‹ auf die Rückseite geritzt, daneben ist ein Smiley-Gesicht.

»Sie wollen heiraten.«

»Aha.«

»Warum habe ich bloß auf dich gehört? Ich hätte sofort aufhängen sollen, als er ihren Namen erwähnte.«

»»Versuch es nicht so hinzudrehen, dass ich schuld bin««, sagt Peter.

»Machst du dich über mich lustig? Ist das deine Reaktion? Mein Vater hat mir gerade gesagt, dass er eine Frau heiratet, die Anna und ich ein einziges Mal gesehen haben. Und die schrecklich ist. Und komplett durchschaubar. Und eine falsche Zicke.«

Von meinem Atem beschlägt das Glas vor mir. Mit meinem Handschuh wische ich ein kleines Viereck hinein und blicke auf die Straße. »Und wieder einmal entscheidet er sich nicht für uns.« Ich weiß, dass ich gleich anfangen werde zu weinen, was mich noch wütender macht. Das Einzige, was ich von meinem Vater geerbt habe, ist Schwäche. Der Nachmittagshimmel nimmt die Farbe von Feuerstein an. Ein Windstoß pustet eine kleine Trompete mit der Aufschrift »Frohes Neues Jahr« über den Gehweg. Ich sehe zu, wie sie von der Kante rollt und verschwindet.

»Elle, du bist diejenige, die aus der Sache ein Entweder-Oder macht.«

»Was soll das denn heißen?«

»Sie hat euch beschuldigt, nicht er. Er ist in einer schwierigen Situation. Er liebt seine Kinder. Aber offenbar liebt er auch diese Frau.«

»Du kennst ihn nicht einmal«, brause ich auf. »Ich brauche jemanden, der auf meiner Seite ist, keinen unparteiischen Zeugen.«

»Ich verstehe, dass es dir jetzt wie Betrug vorkommt, aber wenn du dich wieder beruhigt hast, wirst du verstehen, dass es hier nicht um dich geht.«

»Ich soll mich beruhigen? Sehr nützlich.«

Peter will etwas sagen, lässt es aber. Dann sagt er: »Du hast recht. Es tut mir leid. Können wir jetzt bitte diese Telefonzelle verlassen. Es gefällt mir zwar sehr, so eng an dich gepresst zu sein, aber allmählich fängt es an, wie in einem chinesischen Bordell zu riechen.«

»Woher weißt du, wie es da riecht.« Ich schiebe die Falttür auf und gehe los.

Peter folgt mir in die eisige Kälte. Inzwischen hat es angefangen zu schneien. »Elle. Bleib stehen.« Er packt meinen Ärmel. »Bitte. Ich liebe dich. Bei diesem Streit geht es nicht um uns.« Er zieht mich in einen Hauseingang aus dem Wind. »Ich verteidige deinen Vater, weil ich möchte, dass ihr beiden euch wieder vertragt, und damit ich ihn sehen kann, bevor ich wieder nach London fliege. Darum geht es mir. Ein völlig egoistischer Standpunkt. Aber so ist es. Ich möchte so bald nicht wieder in diese eisige Stadt zurückkehren müssen.«

Ein Taxi nähert sich. Peter tritt an die Bordsteinkante und hält es an. »Lass uns nach Hause fahren. Wir können uns in dein erbärmliches kleines Bett legen und unsere guten Vorsätze fürs neue Jahr fassen.« Das Taxi hält neben uns. »Mein Vorsatz ist es, eine Auseinandersetzung mit dir nicht gewinnen zu wollen.«

»Fahr du zurück. Ich komme nach.«

»Elle –«

»Es ist alles gut. Zwischen uns ist alles gut. Aber du hast recht: Ich muss mich beruhigen. Und dazu muss ich mich bewegen.«

»Und schon habe ich meine erste Auseinandersetzung mit dir gewonnen.« Peter nimmt die Enden meines Schals, schlingt sie mir um den Hals und zieht mir die Mütze tiefer ins Gesicht. »Komm ganz bald.«

Ich blicke den Rücklichtern des Taxis hinterher, wie sie in einem Schneewirbel verschwinden. Die Straße ist menschenleer. Kein vernünftiger Mensch will bei diesem Wetter draußen sein. Auf meinen Wangen sind Tränen zu winzigen Eisperlen gefroren. Ich senke den Kopf und gehe die Bank Street in Richtung des Wohnblocks meines Vaters entlang.

In seiner Wohnung im zweiten Stock brennen alle Lichter. Ich drücke auf den Summer und warte. Durch das geschliffene Fenster der Mahagoni-Eingangstür des alten Mietshauses sehe ich einen Kinderwagen, dahinter das Fahrrad meines Vaters, das abgeschlossen an einem Heizkörper mit abblätternder Farbe steht. Der Hausflur sieht freundlich aus. Ich drücke wieder auf den Summer. Meine Zehen gefrieren in den Stiefeln langsam zu Eisklumpen. Ich stampfe mit den Füßen auf, um das Blut in Bewegung zu bringen, und drücke wieder. Nichts. Ich weiß, dass er zu Hause ist, aber wenn er im Schlafzimmer ist, bei geschlossener Tür, kann er den Summer nicht hören.

Ich weiß, dass es in dem griechischen Café um die Ecke ein öffentliches Telefon gibt, weil ich es vor einiger Zeit schon einmal benutzt habe.

Ich gehe die mit Streusalz bedeckten Stufen hinunter und die Straße entlang. Die meisten der alten Häuser sind hell erleuchtet und wirken freundlich. Im Vorbeigehen sehe ich Wohnzimmer mit Stuckdecken, unaufgeräumte Küchen, unverputzte Backsteinwände. In der Luft hängt der Geruch von Holzfeuer und Zufriedenheit. Mein Atem ist eine weiße Wolke im grauen Schneewirbel. Abfalltonnen, bis oben hin voll mit leeren Champagnerflaschen und Pizzakartons, haben Schneehauben. Es ist unglaublich kalt.

Bis zu dem Café ist es nur ein Block, aber als ich dort ankomme, ist mein Gesicht vor Kälte erstarrt.

»Tür zu«, sagt ein Mann, ehe ich richtig drinnen bin.

Das Café ist halb leer. Auf den mit rotem Plastik bezogenen Bänken in den Nischen sitzen ein paar traurige Gestalten und essen Schinkenspeck mit Spiegeleiern gegen ihren Kater. An der Theke trinken zwei alte Männer Kaffee.

Das Telefon ist ganz hinten bei den Toiletten. Ich gehe an den Nischen vorbei, an einem Stapel verschmierter Kinderhochstühle und dem Zigarettenautomaten. Ein Typ telefoniert, offenbar streitet er sich. Sein schütteres, fettiges Haar trägt er zu einem dürftigen Pferdeschwanz zusammengebunden. Auf der Kante neben ihm liegen Zehncentstücke gestapelt. Ich ziehe den Handschuh aus, nehme die Mütze ab und suche nach meinem Portemonnaie. Er steckt ein paar Münzen in den Schlitz und dreht mir den Rücken zu. Ich lehne mich an die kalte Wand und warte, dass er fertig wird.

Die Kellnerin stellt einen Teller mit einem Stück Bananenkuchen auf die Theke und füllt Kaffee in eine Tasse nach. Der Manager steckt sich den Bleistift hinters Ohr und tippt eine Rechnung ein.

»Entschuldigen Sie«, sage ich zu dem Mann am Telefon, als ich sehe, dass er mehr Münzen in den Schlitz stecken will. »Dauert es noch lange?«

»Ich bin am Telefonieren, Lady.«

»Bei mir geht es ganz schnell. Zwei Sekunden.«

Er bedeckt die Muschel mit der Hand. »Es dauert so lange, wie es dauert.« Er dreht sich wieder um und spricht weiter. »Tut mir leid«, sagt er. »Eine Verrückte.«

An der Wand neben mir hängt ein billiger, auf Antik gemachter Coca-Cola-Spiegel. Ich sehe mich flüchtig an. Mein statisch geladenes Haar bauscht sich in einer Wolke um meinen Kopf, meine Wangen sind vom Wind und der trockenen Wärme gerötet. Ich sehe aus wie eine Obdachlose. Hinter mir zischt das Wasser in der Kaffeemaschine.

Gerade beschließe ich, dass mein Vater das alles nicht wert ist, als der Mann am Telefon in den Hörer schreit: »Leck mich doch, du alte Fotze« und den Hörer aufknallt. Was für ein Tag! Er drückt mehrmals auf den Geldrückgabeknopf und prüft das Fach, bis er sicher ist, dass er nicht versehentlich zehn Cent zurücklässt.

»Sie haben es wirklich eilig, was?« Er lässt sich Zeit mit dem Zuknöpfen seiner Jacke und versperrt mir den Weg.

»Arsch«, rufe ich hinter ihm her, als er zur Tür geht. Ein paar Gäste heben die Köpfe, aber die meisten essen einfach weiter.

Es klingelt sechsmal, dann nimmt jemand ab. Mary.

»Hallo, Elle. Frohes neues Jahr.« Ihre Stimme ist süß wie Sirup. Selbst durchs Telefon spüre ich, wie sie verlogen lächelt.

»Frohes neues Jahr, Mary. Kannst du mir bitte meinen Vater geben?«

»Dein Vater ruht.«

»Ich muss mit ihm sprechen.« Ich sehe sie in ihrem wiesengrünen Twinset vor mir, sehe die kleinen, berechnenden Augen.

»Ich möchte ihn lieber nicht stören.«

»Ich bin ganz in der Nähe. Ich habe bei euch geklingelt, aber keiner hat aufgemacht.«

»Aha.«

»Kannst du ihn mir bitte geben?«

»Ich glaube, das ist keine gute Idee. Du hast ihn sehr aufgeregt. Er wollte ohne Schuhe aus dem Haus rennen. Ich war krank vor Sorge.«

»Gib ihn mir einfach, bitte.« Ich kann meine Verärgerung nicht aus der Stimme raushalten.

»Ich glaube, ihr beide müsst erst wieder zur Ruhe kommen.«

»Wie bitte?«

»Du warst vorhin sehr schroff zu ihm.«

»Es geht hier um mich und meinen Dad.«

»Nein«, sagt sie. Und diesmal gibt sie sich keine Mühe, ihre Giftigkeit zu verschleiern. »Hier geht es um dich und mich.«

Ich atme tief durch und versuche, meinen Hass auf sie zu bezähmen und Herr meines Schmerzes zu werden, wegen der vielen gebrochenen Versprechen meines Vater, auch wegen des Versprechens, das er uns nach seiner endgültigen Trennung von Joanne gegeben hatte.

Es war im August. Anna hatte einen Ferienjob als Haushaltshilfe in Amagansett, Conrad war in Memphis, und ich sollte bei meinem Vater wohnen, während meine Mutter und Leo auf Frankreich-Tournee waren. Dad hatte sich für den Sommer in Dixons Wohnung eingemietet.

Auf ihrem Weg zum Flughafen Logan in Boston setzten Mum und Leo mich in einen Greyhound-Bus und gaben mir Geld, damit ich mir ein Sandwich und etwas zu trinken kaufen konnte, wenn der Bus an einer Raststätte hielt, außerdem Geld für das Taxi vom Busbahnhof in New York zur Wohnung.

»Warum kann er mich nicht vom Bus abholen?«, habe ich sie gefragt.

»Meine Güte, Elle«, sagte Mum. »Du bist dreizehn Jahre alt. Er hat gesagt, wenn du kommst, steht das Essen auf dem Tisch.«

»Meinetwegen. Aber gebt mir nicht die Schuld, wenn ich von einem Zuhälter entführt werde, der von zu Hause weggelaufene Mädchen aufgreift und mich als Nutte auf den Strich schickt.«

»Du guckst zu viel fern«, sagte Mum.

Als ich am nächsten Morgen aufwachte, dauerte es einen Moment, bis ich mich zurechtgefunden hatte. Ein dunkles Zimmer. Trübes Licht aus einem Lichtschacht. Fremder Waschpulvergeruch. Ein schmales Bett, Buntstiftstriche an der Wand, Bettwäsche mit braunem Blumenmuster. Beckys Zimmer. Meine letzte Erinnerung an den Abend zuvor war die, dass mein Vater mir eine seiner Schlaftabletten gegeben hatte. Ich rieb mir nach traumloser Nacht den Schlaf aus den Augen und ging den langen Flur entlang auf die Suche nach ihm. Er saß in dem weiträumigen, sonnendurchfluteten Wohnzimmer der Dixons an einem großen Eichentisch und las ein Manuskript. Er war in seine gewöhnliche Wochenendkluft gekleidet – Jeans, barfuß, verwaschenes dunkelblaues Polohemd von Lacoste, schwacher Geruch von Olivenölseife.

Er sah auf und lächelte. »Hallo, mein Mädel.«

»Wie spät ist es?«

»Fast drei. Du hast siebzehn Stunden geschlafen. Hast du Hunger? Im Kühlschrank ist ein halbes Truthahn-Sandwich.«

»Nein, danke. Warum hast du mich nicht geweckt?«

»Ich kann auch Kaffee machen.« Er legte das Manuskript auf den Tisch. »Trinkst du Kaffee?«

»Darf ich nicht.«

»Hier gelten neue Regeln.«

Ich ging mit ihm in die Küche und setzte mich auf einen

Hocker an die Theke. Er nahm eine Tüte Kaffeebohnen aus dem Gefrierschrank. »Man muss den Kaffee in der Gefriertruhe aufbewahren, sonst verliert er sein Aroma.«

Ich sah zu, wie er den Kaffee mahlte. Zweimal hielt er die elektrische Mühle an und schüttelte sie.

»Damit alles gleichmäßig gemahlen wird«, sagte er und holte zwei Glastassen aus dem Schrank. Dann erwärmte er auf dem Herd Milch in einem Topf. Mein Vater nimmt es mit den Details in der Küche sehr genau.

»Das hier ist ein tolles Lied.« Er drehte das Radio lauter und summte zu *Rhiannon* von Fleetwood Mac. »Englischer Muffin?«

»Gerne.«

Er nahm eine Gabel aus der Schublade und stach rundherum in den Muffin hinein, schnitt ihn in der Mitte durch und steckte die beiden Hälften in den Toaster.

»Ist gut, dass du hier bist«, sagte er und griff in seine Tasche. »Ich habe dir einen Schlüssel machen lassen.« Er strahlte, als wäre das eine außerordentliche Leistung, und zog einen zweiten Hocker heran. »Also. Meine Scheidung ist jetzt endlich durch.«

Ich wusste nicht, was für eine Reaktion er von mir erwartete. Sollte ich mich freuen oder traurig sein? Ich beschloss, gar nichts zu sagen.

»Joanne hat mir die Entscheidung ziemlich leicht gemacht. Sie hat mir ein Ultimatum gesetzt: entweder unsere Ehe oder meine Kinder. Und damit war die Sache klar.« Er machte eine dramatische Pause. »Ihr beide habt das nicht gewusst, aber Joanne mochte es nicht, dass ich Kinder habe.«

Ich täuschte Überraschung vor und versuchte dabei nicht zu lachen.

Die Muffins hüpften im Toaster hoch. »Es tut mir sehr leid, dass ich aus eurem Leben verschwunden war. Joanne hat alles so schwer gemacht. Jedenfalls«, sagte er und holte ein Stück

Butter und ein Glas englischer Orangenmarmelade aus dem Kühlschrank, »das ist jetzt vorbei. Ein für alle Mal. Von jetzt an gibt es nur dich, mich und Anna. Niemand wird sich mehr zwischen uns drängen. Versprochen.«

»Mary«, zische ich ins Telefon. »Sag meinem Vater bitte, dass ich mit ihm sprechen muss. Und sag ihm, wenn er nicht ans Telefon kommt, werde ich nie wieder mit ihm sprechen.« Ich höre, wie sie einen Moment überlegt. »Das kannst du nicht für ihn entscheiden, Mary, falls du das denkst. Das geht nach hinten los, glaub mir.«

Sie legt den Hörer auf den Tisch. Ich höre ihre Schritte, die zum Schlafzimmer gehen. Ich höre, wie sie mit meinem Vater spricht. Nach kurzer Zeit nimmt sie den Hörer wieder auf. »Er hat gesagt: ›Gut, wenn sie es so will.‹«

»Hast du ihm gesagt, dann ist es das Ende?«

»Ja«, sagt sie süßlich. »Ich habe ihm deine Worte genau wiederholt.«

Mir ist übel, als hätte mir jemand in den Magen geschlagen. »Dann gibt es ja nichts weiter zu sagen. Alles Gute für die Hochzeit. Als Dad das letzte Mal geheiratet hat, hatte die Braut keinen Slip an. Offenbar steht er auf so was.«

Ich hänge auf und gehe in die Toilette. Über der Toilettenschüssel würge ich ein paarmal, bis das Gefühl von Übelkeit nachlässt. Ich habe es nie geschafft, mich zum Erbrechen zu bringen, es geht einfach nicht. Ich hasse ihn. Ich hasse seine Schwäche. Alles, was er nicht für uns getan hat. Was er versprochen und nicht gehalten hat. Ich spritze mir kaltes Wasser ins Gesicht. Meine Haut ist gerötet, meine Augen sind blutunterlaufen, aber wenigstens bekomme ich wieder Luft. Ich muss hier raus. Ich muss zu Peter.

Als ich schon fast an der Tür bin, sagt jemand in der Nische hinter mir: »Elle?«

Seine Stimme ist verändert. Tiefer, natürlich. Aber ich würde sie aus einem Chor von tausend Stimmen heraushören. Seit Jahren habe ich mir diesen Moment vorgestellt. Wie es wäre. Wer wir sein würden. In meiner Vorstellung habe ich den fertigen Entwurf meiner Magisterarbeit über Colette in der Tasche und bin damit auf dem Weg zu einem Professor, der Cordklamotten trägt. Oder ich steige nach dem Schwimmen aus unserem See, die Haut gebräunt, straff, gereift, und spüre kein Bedauern. Ich fahre mir mit den Fingern durch mein wildes, aufspringendes Haar. Ich könnte zur Tür gehen, und er müsste glauben, dass er sich geirrt hat.

»Elle«, sagt Jonas wieder, mit seiner sanften, klaren Stimme, eine einzige Silbe, aber perfekt, wie ein gebügeltes Hemd.

Ich drehe mich um.

Er sieht verändert aus. Weniger der Waldmensch, weniger wild. Sein dichtes schwarzes Haar ist kurz. Aber seine Augen sind von demselben Meergrün: klar, rein.

»Meine Güte«, sage ich.

»Finde ich auch«, sagt er. »Meine Güte.«

»Was für ein Zufall. Was machst du hier?«

»Ich hatte Hunger.«

»Müsstest du nicht in Cambridge bei deiner Familie sein? Es ist Neujahr.«

»Elias hat ein Kind. Sie sind alle in Cleveland. Hopper ist Patenonkel. Ich hatte zu viel zu tun. Was ist deine Erklärung?«

»Ich habe mich mit meinem Vater zerstritten. Er wohnt hier um die Ecke.«

Er nickt. »Das war immer schon zu erwarten. Wer war denn der Typ mit den fettigen Haaren, den du angeschrien hast?«

»Einfach ein Typ mit fettigen Haaren.«

Er lächelt. »Also nicht dein Freund?«

»Witzig.« Ich rutsche in die Nische auf den Sitz ihm gegenüber. »Ich kann es nicht fassen, dass du es bist. Du bist älter geworden.«

»Ich habe immer gesagt, dass das passieren würde, aber du hast dich geweigert, mir zu glauben.« Unter seiner schäbigen schwarzen Wolljacke trägt er ein verschossenes Flanellhemd und eine mit Farbe bekleckste Jeans.

»Du siehst aus wie ein Verrückter«, sage ich. Aber im Grunde sieht er umwerfend aus.

»Du siehst gut aus«, sagt er.

»Ich sehe aus wie eine Vogelscheuche, das lässt sich nicht leugnen.« Ich zupfe ein paar Papiertücher aus dem Metallhalter auf dem Tisch und putze mir die Nase. Ich betrachte ihn und versuche ihn in mich aufzunehmen. Er sieht mich mit freiem Blick an, mit dem gleichen verstörenden Ausdruck, an den ich mich vom ersten Mal erinnere: die Augen eines alten Mannes im Gesicht eines jungen.

»Ich habe gehört, du lebst in England«, sagt er.

»Das stimmt. In London.«

Jonas zeigt auf den Wohnblock an der gegenüberliegenden Ecke. »Ich wohne da drüben.«

»Du hasst New York.«

»Ich studiere an der Cooper Union. Malerei. Ich habe noch ein Jahr vor mir.«

Die Kellnerin kommt an unseren Tisch und wartet, bis wir sie zur Kenntnis nehmen.

»Kaffee?«, fragt Jonas. »Oder bist du jetzt Teetrinkerin?«

»Kaffee.«

»Dann bitte zwei Kaffee«, sagt er zu der Kellnerin. »Und zwei Doughnuts.«

»Für mich keinen Doughnut.«

»Dann einen Doughnut«, sagt er zu der Kellnerin. »Wir können ihn teilen. Also. Was ist mit London?«

»Ich mache meinen Master dort. Französische Literatur.«

»Warum da? Warum nicht hier?«

»Ist weiter weg.«

Jonas nickt.

»Also«, sage ich. »Sieben Jahre.«

»Sieben Jahre.«

»Du bist nie mehr nach Back Woods gekommen. Du bist einfach verschwunden.«

»Ich mochte die Sommercamps.«

»Tu das nicht. Diese glatten Antworten passen nicht zu dir.«

Er nimmt meine Hand und berührt den Ring. »Du hast ihn noch.«

Ich ziehe den Ring ab und lege ihn auf den Tisch. Die Silberbeschichtung ist stellenweise abgerieben, der grüne Glasstein hat sich in der Fassung gelockert. »Das ist jetzt das erste Mal, dass ich ihn abgenommen habe, seit du ihn mir gegeben hast.«

»Erstaunlich, dass du nicht an Wundstarrkrampf gestorben bist.«

»Letztes Jahr bin ich überfallen worden. In London, von einem Skinhead. Er wollte mir den Ring abnehmen, aber ich habe mich geweigert und gesagt, er sei nichts wert. Er hat mir in die Magengrube geschlagen.«

»Wirklich?«

»Ein Mann hat das gesehen und mich gerettet. Deshalb habe ich den Ring noch.«

Die Kellnerin stellt zwei Tassen Kaffee zwischen uns auf den Tisch. »Es gibt keine Doughnuts mehr. Nur noch Zimtkringel und Puddingplunder.«

»Danke, nein«, sage ich. »Kann ich etwas Milch haben?«

Sie nimmt das Schälchen mit Kaffeeweißer von einem der unbesetzten Tische.

»Dann einen Zimtkringel bitte«, sagt Jonas.

Ich sehe der Kellnerin hinterher. »Wir sind zusammen. Der

mit dem Ring, Peter, und ich. Er ist hier, also in der Wohnung meiner Mutter.«

»Toll.« Jonas klingt lässig. Er nimmt ein Tütchen, reißt es auf und schüttet das Pulver in seine Tasse. »Und was macht er?«

»Er ist Journalist.«

»Ist es was Ernstes?«

»Könnte man sagen.«

Jonas beißt von dem Zimtkringel ab. Seine Oberlippe ist jetzt mit Zimtpulver bestäubt. »Ich hoffe nur, du hast ihm erklärt, dass du schon mit mir verlobt bist.«

Ich lache, aber sein Gesicht ist vollkommen ernst.

»Ich muss gehen. Er wartet auf mich.«

»Bleib. Wenn er dich liebt, wartet er. Ich habe auch gewartet. Warte immer noch.«

»Jonas. Bitte nicht.«

»Es stimmt aber.«

»Du hast nicht gewartet. Du bist gegangen.«

»Was sollte ich denn machen, Elle? Im nächsten Sommer kommen und so tun, als wäre nichts geschehen? Mehr Segelstunden nehmen? Eine Lüge zwischen uns stehen lassen? Das hätte ich nicht gekonnt, das weißt du.«

In all den Jahren habe ich an ihn gedacht und ihn vermisst, ich wollte auf stillen Pfaden neben ihm gehen, unsere Seelen im Einvernehmen. Aber jetzt, da er mir gegenübersitzt, sehe ich nur, wie weit auseinander unsere Leben sich entwickelt haben.

»Vielleicht hast du recht. Ich weiß es nicht. Außer dass es jetzt kein Wir mehr gibt.« Und diese Wahrheit ist fast nicht zu ertragen. »Wir wissen nichts mehr voneinander. Ich weiß nicht mal, wo du wohnst.«

»Doch, weißt du. Ich wohne in dem hässlichen Gebäude da drüben, auf der anderen Straßenseite.«

»Du weißt, wie ich das meine.«

»Ich bin genau derselbe, der ich damals war. Vielleicht ein bisschen weniger eigen.«

»Ich hoffe nicht.« Ich lache. »Dass du so eigen warst, hat dich besonders gemacht.«

Jonas nimmt den grünen Ring und hält ihn gegen das Licht. »Du solltest gut drauf aufpassen. Er ist wertvoll. Ich habe mein ganzes Taschengeld dafür ausgegeben.«

»Ich weiß. Er ist viel wert.«

»Ich bedaure nicht, was passiert ist.«

»Das solltest du aber. Wir beide sollten das.«

»Er hat dir wehgetan.«

»Ich wäre drüber hinweggekommen.«

Jonas legt den Ring vor mich auf den Tisch. Er liegt zwischen uns. Das kleine Ding, so hässlich und so schön.

»Ich trage ihn nicht, weil du ihn mir geschenkt hast. Ich trage ihn, damit er mich an das erinnert, was wir getan haben.«

Die Kellnerin tritt mit der Glaskanne an unseren Tisch.

»Soll ich nachschenken?«

»Danke, nein«, sage ich.

»Möchten Sie noch etwas?«

»Nur die Rechnung.« Ich ziehe mir den Mantel an und stehe auf. »Ich muss wirklich gehen.«

Er gibt mir den Ring. »Nimm ihn. Er gehört dir. Auch wenn er dich an ihn erinnert.«

»Nein.«

»Warum nicht?«

Ich könnte lügen. Bei einem anderen würde ich das tun. »Er erinnert mich auch an dich«, sage ich, und das macht mich traurig.

Jonas nimmt einen Stift und reißt eine Ecke von der Serviette ab. »Ich gebe dir meine Nummer. Für später, wenn du wieder Vernunft annimmst. Verlier sie nicht.«

Ich falte das zarte Papier und stecke es in mein Portemonnaie. »Es ist lausig kalt draußen.« Ich ziehe mir die Mütze auf und wickle den Schal um meinen Hals.

»Ich vermisse dich«, sagt er.

»Und ich dich«, sage ich. »Immer.« Ich beuge mich zu ihm hinunter und küsse ihn auf die Wange. »Muss gehen.«

»Warte«, sagt Jonas. »Ich gehe mit dir zur Subway.«

Draußen schneit es riesige Flocken, die in Klumpen auf den Boden fallen. Jonas hakt sich bei mir ein und steckt meine handschuhlose Hand in seine Jackentasche. Wir gehen die sieben Blocks, ohne zu sprechen, um uns nur der stille Schneefall. Das Schweigen zwischen uns ist unbeschwert, vertraut, als gingen wir hintereinander her den Pfad zum Strand oder als streiften wir durch den Wald. Alles zwischen uns hat Bedeutung, bedarf aber keiner Worte.

Der graue Eingang zur Subway kommt schneller, als es mir lieb ist, in Mäntel verpackte, schneenasse Menschen werden aus dem schalen Betonschlund gespuckt. Jonas nimmt meine beiden Hände in seine.

»Du brauchst mich nicht zu vermissen, das weißt du.«

Ich löse eine Hand aus seinem Griff und lege sie an seine Wange.

»Doch. Muss ich.«

Er zieht mich so schnell an sich, dass mir keine Zeit bleibt zu reagieren. Und küsst mich mit der Intensität all der Zeit – von jedem Tag, jedem Monat, jedem Jahr –, die wir uns lieben. Es ist nicht unser erster Kuss. Das war vor langer Zeit, der Kuss unter Wasser, als wir Kinder waren und zum ersten Mal Abschied nahmen und wussten, es war nicht zum letzten Mal. Aber als ich mich dieses Mal von ihm löse, ist der Schmerz riesig. Nicht gefunden, sondern verloren. Ich verharre, ich stehe am Rande der Erinnerung und möchte nichts mehr, als mich in sie fallen zu lassen, aber ich weiß, dass ich es nicht kann. Jonas ist animalisch, Peter ist mineralisch. Und ich brauche einen Felsen.

»Wir sehen uns«, sage ich. Aber wir wissen beide, was das heißt.

»Elle –«, ruft Jonas hinter mir her, als ich die Stufen zur Subway hinuntergehe.

Ich bleibe stehen, aber ich drehe mich nicht um.

»Peter ist nicht der mit dem Ring«, sagt er. »Ich bin der mit dem Ring.«

23

1991. Februar, London.

Hampstead Heath ist menschenleer, abgesehen von ein paar finster dreinblickenden Hundebesitzern, die in einiger Entfernung voneinander stehen und zusehen, wie ihre von der Leine gelassenen zitternden Lieblinge auf dünnen, schlammverkrusteten Beinchen herumlaufen und sich auf Kosten ihrer Herrchen amüsieren. Es regnet. Kein kräftiger, wachstumsfördernder Regen, sondern ein endloses Nieseln aus bleiernem, tief hängendem Himmel, der bewirkt, dass man sich beeilt, an sein Ziel zu kommen. Ein schwarzer Hund rennt über die Wiese und jagt durch das graue Einerlei einem roten Ball hinterher.

Ich bin zu Peter gezogen, in die Wohnung in Hampstead mit den hohen Decken und den Stuckverzierungen. In den Regalen entlang der Wände stehen ledergebundene Bücher über Schiffsbau oder Agrippa, den römischen Staatsmann, die Peter tatsächlich gelesen hat. Abends, wenn er aus der City nach Hause kommt, zünden wir ein richtiges Feuer im Kamin an und machen es uns auf dem Sofa unter einer Daunendecke bequem, und er liest mir aus dem langweiligsten Buch vor, das er finden kann, bis ich ihn bitte aufzuhören und stattdessen mit mir zu schlafen.

Die Wohnung wäre ein Traum, wenn sie nicht von seiner Mutter ausgestattet worden wäre, mit förmlichen Samtsofas, deren Füße wie Löwenklauen geformt sind, und mit Kunstdrucken von Jagdhunden an der Wand, die schlaffe, tote Vögel in den Mäulern haben. Über eine besonders abstoßende Jagdszene mit einem toten Kaninchen hat Peter ein Poster der Gruppe *Clash* gehängt, und auf die Sofalehnen hat er Kelimteppiche gelegt, trotzdem spüre ich seine Mutter, ihren argwöhnischen Blick, der uns durch das Auge der furchterregenden Vorfahrin beobachtet, deren Porträt über unserem Bett hängt. Es passte ihr nicht, dass ich einzog. Eine amerikanische Freundin ist nur hinnehmbar, wenn die Sache damit endet, dass sie wieder in ihr grauenvolles Land zurückfährt.

An Tagen wie diesem, wenn Peter im Büro ist und ich allein in der Wohnung versuche, meine Arbeit zu schreiben, wenn ich durch die Wohnung tigere, Nutella aus dem Glas esse und nichts zustande bringe, spüre ich ihren Blick, der voller Missbilligung von den Wänden und den Zimmerdecken auf mich herabstarrt. Wenn sie nur wüsste, wie recht sie mit ihrer Haltung hat.

Am Ende unserer Straße gibt es einen Pub mit einem Garten, der Hoffnung auf sonnige Tage macht. Dahinter erstreckt sich die weitläufige Heide mit wilden Wiesen und Waldflächen, und das mitten in der Stadt. Die Bäume sind knorrig, gespenstisch, und ihre Wurzeln breiten sich um sie herum aus wie Finger, die sich blind nach längst vergangenen Zeiten ausstrecken. Zwischen ihnen verlaufen schmale, ausgetretene Pfade, die in tiefen Kuhlen enden, feucht und fruchtbar und zugewuchert, in denen Fuchsbaue versteckt sind und Männer im Verborgenen nach Einbruch der Dunkelheit auf sexuelle Abenteuer hoffen.

An den meisten Nachmittagen, nachdem ich stundenlang die Schreibmaschine angestarrt habe, gehe ich in der Heide spazieren und lasse mir den Kopf durchlüften. Ich hatte einen längeren Spaziergang geplant, von Parliament Hill zum Kenwood House, aber der Regen ist stärker geworden und droht die Welt zu ertränken, weshalb ich meine Richtung ändere und quer über die Wiese nach Hause eile, vorbei an dem Badeteich für Männer.

Zwei alte Männer mit identischen blauen Badekappen und lose schlackernden Badehosen stehen am Rand des Teichs, ihre Haut ist weiß, dünn wie Kreppapier, und der Regen prasselt ihnen auf den Rücken. Ich sehe sie fast jeden Nachmittag. Es ist etwas typisch Britisches, die Lust an der Pflicht, das Bestehen auf dem Bürgerrecht, im kalten Wasser eines unappetitlichen Teichs in einem öffentlichen Park zu schwimmen, einfach, weil man es darf. Aus demselben Grund geht Peters Mutter durch den Garten ihrer Nachbarin und über die Farm mit den Schweineställen und scheucht die Enten und Gänse auf, denn es gibt ein öffentliches Wegerecht, und das Vergnügen, quer durch fremdes Eigentum zu wandern und es legal zu betreten, ist ein so reines Gefühl, so ungleich viel reiner, als bequem außen herumzugehen.

Die beiden alten Männer pflügen jetzt mit perfekt synchronen Schwimmzügen durchs Wasser – zwei Schnappschildkröten mit blauen Köpfen in einem trüben Meer. Das Wasser muss eisig sein.

Ich bin schon am Rand des Parks, als ich hinter mir Rufe höre. Eine Frau mit einem kleinen Hund an der Leine gestikuliert und schreit. Ein Mann auf der entgegengesetzten Seite des Teichs hört sie und kommt angerannt, aber ich bin näher und deshalb schneller bei ihr.

»Er ertrinkt«, ruft sie und zeigt erregt auf das Wasser. »Ich kann nicht schwimmen.«

Im Teich sehe ich nur eine blaue Badekappe. »Er war da drüben«, sagt die Frau und zeigt. »Da drüben und hat um Hilfe gerufen. Ich kann nicht schwimmen.«

»Rufen Sie 999 an«, schreie ich.

Ohne nachzudenken, habe ich mir die Turnschuhe abgestreift, die Regenjacke und den dicken Pullover auf den Boden geworfen und mache einen Kopfsprung ins Wasser. Es ist wärmer, als ich vermutet hatte, und frischer. Mit sechs Zügen bin ich bei dem alten Mann, der auf der Stelle tritt und die Wasserfläche nach seinem Freund absucht.

»Wir waren bei der dritten Runde«, sagt er. »Wir machen immer sechs.«

»Schwimmen Sie ans Ufer«, sage ich.

Ich tauche und halte unter Wasser nach einer Form oder etwas Farbigem Ausschau. Ich komme an die Oberfläche, hole Luft und tauche wieder, diesmal tiefer, bis zum schlammigen Grund. Vor mir sehe ich einen blauen Schimmer.

Der Rettungswagen trifft gerade ein, als ich das Ufer erreiche, außer Atem und den alten, leblosen Mann im Schlepptau. Zwei Sanitäter waten ins Wasser und wollen mich an Land ziehen, aber ich schüttle sie ab.

»Retten Sie ihn«, keuche ich. »Sie müssen ihn retten.«

Sein Freund steht bibbernd auf dem Steg. Die Frau hat ihm ihren Mantel um die Schultern gelegt. Wir sehen zu, wie die Sanitäter den weißen Brustkorb des anderen Mannes mit Fäusten bearbeiten und ihm Luft einflößen. Ich halte meinen eigenen Atem an und warte, dass der Mann das Wasser aus seinen Lungen heraushustet und seine Augen sich überrascht öffnen, als hätte er gerade einen lebendigen Frosch ausgespuckt. Seine Badekappe schaukelt im flachen Wasser.

Als ich in die Wohnung komme, ist Peter schon da. Er liegt auf dem unbequemen Sofa und liest. Er muss gerade erst gekommen sein, denn im Aschenbecher liegt erst ein Zigarettenstummel und der Tee in seinem Becher dampft noch. Ich stehe in der Tür, barfuß und triefend, und mache eine Pfütze auf der Kokosmatte.

»Du bist in den Regen gekommen«, sagt Peter und legt das Buch hin. »Ich mache uns ein Feuer.«

Ich kann mich nicht rühren, mein Herz ist ein feuchtes, schweres Ding.

»Komm«, sagt Peter und gibt mir einen feuchten Kuss. »Jetzt wollen wir dir mal die nassen Sachen ausziehen.«

»Ein alter Mann wäre beinahe ertrunken, im Badeteich.«

»Jetzt eben?«

»Ja, er geht jeden Tag dort schwimmen. Mit seinem Freund.«

»Und du hast das gesehen? Du Arme«, sagt er.

Ich bin taub. Gefühllos. »Er war noch nicht auf dem Grund angekommen. Er sank noch, als ich ihn gefunden habe.«

»Moment mal«, sagt Peter. »Warte. Soll das heißen, du bist ins Wasser gesprungen, um ihn zu retten? In den Männerbadeteich?«

»Das Wasser war dunkel, aber ich habe seine Badekappe gesehen.«

»Menschenskind, Elle.« Peter nimmt sich eine Zigarette und steckt sie an.

»Als ich mit ihm ans Ufer kam, waren die Lebensretter schon da. Er sah aus wie ein Fötus. Wie die, die in Formaldehyd aufbewahrt werden.«

»Du hättest ertrinken können. Was hast du dir bloß dabei gedacht?«, sagt er. Seine Stimme ist heiser, voller Sorge und Liebe.

Ich wende den Blick ab. Ich wünschte, ich könnte es ihm erklären. Ich musste den Mann retten. Eine Winzigkeit. Aber ich kann nichts sagen.

Er nimmt mich in die Arme und drückt mich fest an sich. »Wir lassen dir ein heißes Bad ein.«

»Nein. Kein Wasser.« Ich zittere am ganzen Körper.

Peter zieht mir da, wo ich stehe, die nassen Sachen aus und trägt mich zu unserem Bett. Er legt sich voll angezogen zu mir unter die Decke, hält mich fest in den Armen. Ich spüre, wie sich sein Hemd, seine Gürtelschnalle, seine Hose, so materiell, so konkret, an meine nackte Haut pressen.

»Du solltest dir die Schuhe ausziehen«, sage ich.

»Ich mache dir einen Tee. Bleib liegen. Rühr dich nicht vom Fleck. Überhaupt, ich lasse dich nie wieder raus.«

Meine Haut will einfach nicht warm werden. Ich ziehe die Decken fester um mich, aber ich kann nicht aufhören zu zittern. Immer wieder sehe ich den Mann, wie sein Körper nach unten sinkt, in die Umarmung des Todes, wie anmutig er in der Abwärtsbewegung aussah. Ich höre, wie Peter den Wasserkocher füllt, mit den Löffeln klimpert und die Schublade aufzieht. Ich stelle mir alle seine Bewegungen vor: Er sucht einen Becher aus, der mir gefällt, er nimmt zwei Teebeutel statt nur einen, lässt den Tee vierzig Sekunden länger ziehen, als ich es tun würde, gießt genug Milch hinein, sodass der Tee genau die richtige Farbe bekommt, nicht zu blass, und rührt einen gehäuften Teelöffel Zucker hinein.

»Whiskey drin oder extra?«, fragt er, als er den Tee bringt.

»Ich muss nach Hause«, sage ich. »Der Regen macht mich krank.«

»Welcher Regen?«, fragt er.

24

1993. September, New York.

Die Katze hat sich auf der sonnigen Fensterbank neben der roten Topfgeranie ausgestreckt. Ihr Schwanz schwenkt vor und zurück wie eine Weinranke und verstreut die abgefallenen Blütenblätter auf dem Dielenboden. Ein rotes Blättchen ist auf dem Schildpattfell der Katze gelandet und verleiht ihm einen Farbtupfer. Das Telefon klingelt, aber ich beachte es nicht. Ich will heute mit niemandem sprechen, ich hasse alle.

Peter sitzt in der Küche unserer Wohnung im East Village, trinkt Kaffee und liest die Zeitung. »Kannst du bitte drangehen?«, ruft er. »Es ist vielleicht jemand vom Büro.«

Peter hasse ich am meisten von allen. In der ganzen Wohnung riecht es nach Zigaretten, und überall, an den Wänden, den Lichtschaltern, den Stuhllehnen, sind Fingerabdrücke von Druckerschwärze. Wir hatten vor, am Wochenende, zu meinem Geburtstag, aus der Stadt rauszufahren, aber Peter musste absagen. Zu viel Arbeit. Trotzdem hat er Muße, die Sonntagszeitung zu lesen und Kaffee zu trinken. Seine schmutzige Unterwäsche liegt auf dem Fußboden, offenbar soll ich sie aufheben und in den Wäschekorb werfen. Er hat Milch gekauft, fettarm. Ich hasse fettarme Milch, so dünn und bläulich wie Adern unter der Haut.

Ich lasse das Telefon noch zweimal klingeln, nur um ihn zu ärgern, bevor ich hingehe, aber der Anrufbeantworter ist schon angesprungen.

»Eleanor?«, fragt eine zittrige, verwirrt klingende Stimme. »Eleanor? Bist du da?« Ich nehme den Hörer ab.

»Granny, ja, ich bin da«, rufe ich aufgeregt, weil ich Angst habe, sie legt auf, bevor meine Stimme bei ihr ankommt.

Mein Großvater ist gestorben, und jetzt überlegen mein Vater und die Zicke Mary, Granny Myrtle von ihrer Farm in Connecticut wegzuholen und in einer Altersresidenz unterzubringen. Nicht in einem schönen Heim mit breiter Auffahrt und duftenden Ligusterhecken, wo freundliche Pflegerinnen den alten Menschen eine warme Decke überlegen, heiße Suppe servieren und ihnen vorlesen, sondern in einer widerlichen Anstalt, in der es nach Pisse stinkt und lauter schlecht bezahlte Hilfspflegerinnen arbeiten, einem Gebäude aus Zementblöcken mit schmutzigen Fußböden und fensterlosen, hellbraun gestrichenen Fluren.

Ich hatte ihr versprochen, dass ich das nicht zulassen würde. Sie würde in ihrem eigenen Haus bleiben können. Meinem Vater und Mary hatte sie schon gesagt, Pflege rund um die Uhr sei nicht nötig, sie sei fit und gesund und könne sich selbst versorgen. In der Nachbarschaft gebe es eine junge Frau, die für sie einkaufen und ein bisschen putzen würde und ihr die Post aus dem Briefkasten am Fuße des Hügels bringen könne. Sie käme zurecht. Das ist es nämlich, was die Zicke befürchtet: dass von ihrem potenziellen Erbe ein Teil für die Pflege meiner Großmutter draufgeht. Mein Vater hat mir versprochen, sie würden Granny Myrtle nicht in ein Heim stecken, wenn mir eine Lösung einfiele, die für alle tragbar sei. Sie hätten Angst, Granny könne stürzen, sagt mein Vater, es sei denn, ich sei bereit, die Wochenenden bei ihr zu verbringen, um die Nachbarin zu entlasten. »Ich tue, was immer nötig ist«, sage ich.

»Eleanor«, sagt sie jetzt mit zittriger Stimme. »Bist du das?« »Ja.«

»Ich habe Angst.« Sie weint. Ich habe noch nie erlebt, dass sie weint.

»Granny, was ist los? Was ist passiert?«

»Ich weiß nicht, wo ich bin.« Sie schluchzt.

»Wein doch nicht, Granny, bitte hör auf zu weinen.«

»Sie haben mich hierhergebracht. Es ist so kalt. Ich kann die Leselampe nicht finden. Wo sind sie alle? Ich habe Angst, Elle. Bitte komm und hol mich hier weg.«

Wut schäumt in mir auf, ich laufe rot an.

»Warte mal, wo bist du jetzt, Granny? Wer hat dich dahin gebracht?«

»Ich weiß es nicht, ich weiß es nicht. Sie sind gekommen und haben mich hergebracht.« Ihre Stimme ist zart wie die eines Kindes.

»Wer ist gekommen?«

»Mary und ihre Freundin. Mary hat gesagt, ich hätte hohen Blutdruck. Sie hat gesagt, ich hätte einen Termin im Krankenhaus. Ich habe Arthur angerufen. Er hat gesagt, ich soll mit ihnen fahren. Ich weiß nicht, was ich tun soll. Wo sind meine Wolldecken?«

»Granny, ich muss Dad anrufen und das mit ihm klären. Du kommst noch heute da raus. Hab keine Angst.«

»Es ist so dunkel hier. Es gibt keine Fenster. Ich kriege keine Luft. Du musst sofort kommen!« Sie ist verwirrt, in panischer Angst, wie ein Pferd, das in einer brennenden Scheune angebunden ist.

Ich möchte meine kleine zarte Granny ganz fest an mich drücken. »Ich kläre das. Ich hole dich da raus.«

»Wer ist da?«, sagt sie.

»In ein paar Stunden bin ich bei dir. Versuche ruhig zu bleiben.«

»Ich kenne Sie nicht«, sagt sie.

»Ich bin das. Hier ist Eleanor. Ich rufe sofort bei der Rezep-

307

tion an. Ich sorge dafür, dass du in ein Zimmer mit Fenster kommst.«

»Ich kenne Sie nicht«, sagt sie wieder.

Jetzt höre ich eine männliche Stimme im Hintergrund, die sie beruhigen will. Der Hörer fällt zu Boden, und ich höre, wie Granny sich im Bett hin und her wirft. »Gehen Sie weg von mir«, schreit sie. Die Person im Zimmer legt den Hörer auf die Gabel.

Bei der Autovermietung stehen die Leute Schlange. Die Frau am Schalter glaubt anscheinend, sie arbeite bei der Post. Als der Schichtleiter aus einem Büro hinten kommt, atmen wir alle auf. Aber statt einen zweiten Schalter zu öffnen, drückt er ein paar Tasten auf ihrem Computer, sagt etwas, worauf sie mit einem vollen, gekünstelten Lachen reagiert, und verschwindet wieder in seinem Büro.

»Entschuldigen Sie bitte«, rufe ich. »Könnten Sie noch jemanden nach vorn schicken?«

»Madam, ich arbeite, so schnell ich kann.« Wie zur Hervorhebung dieser Tatsache steht sie in Zeitlupentempo vom Hocker auf, geht zum Drucker und wartet, dass er den Vertrag ausspuckt.

»Entschuldigen Sie bitte«, sage ich in der Hoffnung, sie mir wieder gnädig zu stimmen. »Ich muss dringend zu meiner Großmutter ins Krankenhaus. Ich will mich nicht vordrängen.«

»Wir müssen alle irgendwohin.« Sie sieht den Mann vor sich mit dem Lächeln der viel Geplagten an und verdreht die Augen. Sie ist auf seiner Seite, gibt sie ihm zu verstehen, nicht auf meiner.

Fünfzehn Minuten vor Ende der Besuchszeit treffe ich im Pflegeheim ein, ich nehme meine Handtasche, renne zum Eingang und bin außer Atem, als ich zur Rezeption komme.

»Ich möchte zu meiner Großmutter.«

Die Frau an der Theke sieht mich ausdruckslos an, als hätte sie noch nie einen Besucher gesehen. Sie guckt auf ihre Uhr.

»Die Besuchszeit ist vorbei.«

»Nicht ganz. Ich habe noch eine Viertelstunde. Myrtle Bishop?«

Sie seufzt. Sie wird für ihre Arbeit nicht ausreichend bezahlt.

»Es tut mir leid«, sagt sie. »Sie kommen zu spät.«

Es fehlt nicht viel, und ich hätte mit dem Fuß aufgestampft.

»Ich bin aus New York hergekommen. Der Verkehr war unglaublich. Meine Großmutter ist alt und gebrechlich, sie wartet auf mich. Können Sie mir bitte helfen?«

»Madam«, sagt sie. »Mrs Bishop ist vor einer Stunde gestorben.«

Granny wird auf dem Friedhof gegenüber von ihrem Haus neben meinem Großvater beigesetzt. Ich muss daran denken, dass sie viele Jahre ihres Lebens mit Blick auf den Ort gelebt hat, wo ihre Leiche jetzt verrotten wird. Wir stehen unter dräuendem Himmel am Rand einer Grube. Der Friedhof ist den Hügel hinauf erweitert worden. Das Grab des Selbstmörders, an dem Anna und ich gespielt haben, ist jetzt von den Grabsteinen angepasster, normaler Menschen umgeben. Anna steht neben mir, elegant und schlank in einem schwarzen Wollkleid. Granny wäre sehr zufrieden. Als die erste Schaufel Erde auf den Sargdeckel geworfen wird, drückt sie mir fest die Hand. Es beginnt zu regnen, die Tropfen trommeln einen Begleitrhythmus auf den Sarg. Unser Vater steht auf der anderen Seite, seine Schultern beben, er weint. Er hält den Schirm schräg, und die Tropfen fallen auf seinen schwarzen Filzhut. Seit Grannys Tod treiben mich Traurigkeit und Selbstvorwürfe um und machen mir das Herz schwer. Warum habe ich nicht eher gehandelt? Warum war ich nicht gleich zur Stelle, in dem

Moment, als mein Vater und Mary zum ersten Mal von der Möglichkeit sprachen, sie in ein Heim zu bringen? Granny war der einzige Mensch in meinem Leben, der mir, als ich klein war, ein Gefühl von Geborgenheit gegeben hat. Sie hat mich vor Gespenstern beschützt und mir vorgelesen, damit ich einschlafen konnte, sie hat mir Proteine und Gemüse vorgesetzt, und ihre Liebe war stark und unverbrüchlich. Und dann war ich nicht da, um ihr zu helfen. Sie hat sich buchstäblich zu Tode gefürchtet.

Der Geistliche klappt das zerlesene Gebetbuch zu. Das verzweifelte Schluchzen meines Vaters kommt aus tiefster Kehle. Er wendet sich um, zu Mary hin. Sie öffnet die Arme weit, will ihn umarmen, aber er strebt an ihr vorbei und wirft die Arme um mich. Als ich sehe, wie sich ihr knallroter Strichmund gedemütigt zusammenpresst, empfinde ich einen Moment des Triumphs.

Ich halte meinen Vater fest und spüre den feuchten Stoff seines Trenchcoats an meiner Wange. »Du hast kein Recht zu weinen«, flüstere ich ihm ins Ohr.

Nach der Beerdigung gehen wir alle zusammen über die Straße und die steile Auffahrt hinauf zum Haus. Der Regen hat nachgelassen, aber im Obstgarten, wo die reifen Holzäpfel und Pflaumen schwer an den Bäumen hängen, weinen die Äste ins hohe Gras.

Ich überlasse es Anna und Peter, im Wohnzimmer die Drinks zu machen und über Annas Arbeit zu sprechen. Anna ist Anwältin in einer teuren Anwaltskanzlei in L. A. »Na ja, ich hätte es lieber gesehen, du hättest was im kulturellen Bereich bekommen, aber wahrscheinlich ist es ganz gut, dass du ein Betätigungsfeld für deine entsetzlich streitlustige Natur gefunden hast«, sagte Mum, als Anna ihr erzählte, sie habe die Stelle bekommen. Ich gehe den Flur entlang in unser altes Schlafzimmer.

Alles ist so wie immer: Die Betten sind gemacht, unsere Lieblingsbücher stehen auf dem Bord neben der roten Tabaksdose mit Buntstiften. Wenn ich ins Badezimmer trete, das von der Küche abgeht, weiß ich, dass ich auf dem obersten Brett über dem Klo eine Packung Zigaretten finde werde, die Granny dort versteckt hat in dem Glauben, niemand würde sie je finden. Neben allem Wunderbaren ist das Wunderbarste an meiner Großmutter die Tatsache, dass alles immer so ist wie immer: der Zitronenholzgeruch im ganzen Haus, die kleinen Flaschen mit Ingwerbier hinten im Kühlschrank, der silberne Fingerhut, den ihre Mutter ihr geschenkt hat, als sie ein Kind war, und den sie in einer Lavendelholzkiste in unserer Kommode aufhob.

Ich mache den Schrank in unserem Zimmer auf. Meinetwegen können mein Vater und seine Zicke alles haben. Nehmen werden sie es sowieso. Anna kann sich mit ihnen, wenn sie mag, um das Himmelbett und die Erstausgabe von *Der große Gatsby* streiten. Ich möchte nur eins behalten. Ich greife mit der Hand hinter den Stapel staubiger Brettspiele. Scrabble, Mühle, Das Spiel des Lebens. Meine Hand tastet nach unserer Schatzkiste mit den Anziehpuppen, die Anna und ich gebastelt haben. Aber sie ist nicht da. Ich nehme alles aus dem Schrank und stelle es auf den Fußboden. Ich gucke in den Wandschränken nach und unter dem Bett. Nichts.

Anna ist im Esszimmer und telefoniert. »Nein. Du fährst auf der 22 weiter. An Pawling vorbei«, sagt sie gerade, als ich hereinkomme. Jeremy, ihr neuer Freund, ist eben aus L. A. angekommen. »Du brauchst dich nicht zu beeilen. Die Straßen sind nass, und die Beerdigung ist längst vorbei.«

Im Wohnzimmer essen die Trauergäste Cracker und Brie und halten Gläser mit hochprozentigen Getränken in der Hand. Mein Vater sitzt allein auf dem Sofa und starrt vor sich hin. Auf einem seiner blank polierten Schuhe sind Schlammspuren. Er hat einen verstörten Ausdruck im Gesicht, so als wartete er darauf, dass seine Mutter aus der Küche kommt, die Schürze umgebunden und einen Teller Kekse in der Hand.

»Dad.« Ich setze mich neben ihn. »Ich suche eine Schachtel, die immer im Schrank in unserem Schlafzimmer war. Letztes Mal war sie noch da. Weißt du, wo Granny sie hingetan hat?«

»Die mit den Anziehpuppen?«, fragt er.

»Ja. Ich habe sie überall gesucht.«

»Vor ein paar Wochen war Marys Nichte mit uns hier. Sie hat mit ihnen gespielt, und Mary hat gesagt, sie könne sie mit nach Hause nehmen.«

Ich stehe auf. »Dann sollte ich mich auf den Weg machen. Je eher alle aus dem Haus sind, desto schneller könnt ihr es verkaufen.«

Ich recke mich zu dem Bücherregal hinter seinem Kopf und nehme die von meinem Großvater sehr in Ehren gehaltene Erstausgabe von *Der große Gatsby* heraus.

»Das nehme ich für Anna mit.«

Auf dem Rückweg sitzt Peter hinterm Steuer. Die Straße ist kurvenreich und vom Regen nass, und er fährt viel zu schnell. Unsere Scheinwerfer durchschneiden den regnerischen Abend mit ihren Lichtstrahlen. Auf beiden Seiten beugen sich die Bäume wie riesige Schattengestalten über die Straße. Das Radio ist still. Ich mache die Augen zu und höre das Quietschen der Scheibenwischer, ihr Hin und Her. Ich kann nicht sprechen. Ich kann auch nicht weinen. Wir schlittern durch eine scharfe S-Kurve, Peter fängt den Wagen ab und beschleunigt. Ich sage nicht, er soll langsamer fahren. Ich bin dankbar, dass er mich von meiner Vergangenheit wegfährt.

»Ich hasse ihn«, sage ich dann.

»Dann hasse ich ihn auch.« Peter nimmt die Hand vom Lenkrad und legt den Arm um mich. »Komm her«, sagt er und zieht mich an sich.

Das Auto schlingert ein bisschen, aber das macht mir nichts aus.

25

1994. April, New York.

Ich rolle meinen Stuhl vom Schreibtisch zurück und strecke mich. Seit zehn Stunden, so kommt es mir vor, korrigiere ich die Aufsätze meiner Studenten. Ich nehme den Telefonhörer und rufe Peter in seinem Büro an.

Er ist sofort dran. »Hallo, Schatz. Du fehlst mir.«

»Dann ist es ja gut, dass du mich bald zu sehen bekommst. Ich bin hier fertig. Wenn ich noch einen einzigen Aufsatz über ›Feminismus und Colette‹ oder ›Homosexuelle Apologetik bei Gide‹ lesen muss, bringe ich mich wahrscheinlich um. Soll ich zu dir ins Büro kommen, und wir gehen zusammen?«

»Ich bin noch nicht ganz so weit. Am besten, wir treffen uns dort, falls ich es nicht schaffe.«

»Hoffentlich schaffst du es. Ich mag diese Veranstaltungen nicht.« Versammlungen von Kunstparasiten, die so tun, als trüge der Kaiser Kleider. Peters Eltern kommen zur Eröffnung der Whitney-Biennale aus England, und wir treffen uns mit ihnen im Museum.

Ich höre, wie er sich eine Zigarette anzündet. »Bloß weil du Konzeptkunst nicht magst, heißt das nicht, dass der Rest der Welt unrecht hat.«

»Ich sage nur drei Wörter: Michael. Jackson. Bubbles.«

»Meine Mutter sagt, in diesem Jahr sei die Show sehr ›politisch‹.«

»Wo wollen sie denn mit uns essen gehen?«

»In ein nettes Lokal. Sie freuen sich auf dich.«

»Sie freuen sich auf *dich*. Ich bin die Frau, die ihren Sohn in ein Land entführt hat, wo er unter Wilden leben muss.«

Peter lacht. »Ich komme so schnell wie möglich hin. Versprochen.«

An der 77. Straße Ecke Lexington Avenue steige ich aus der Subway. Es ist warm, ein schöner Frühlingsabend, staubiger Betongeruch steigt von den Gehwegen auf, ein Hauch von Lindenduft liegt in der Luft, die letzten Sonnenstrahlen bescheinen die braunen Backsteinhäuser. In einer Seitenstraße vom Whitney setze ich mich vor einem Haus auf die Stufen und wechsle meine Laufschuhe gegen flache schwarze Schuhe aus, ich male mir die Lippen an, fahre mir mit den Fingern durch die Haare und rücke meine Brüste zurecht: ein bisschen nach oben und nach außen. Ich habe mein Lieblingskleid an, ein blaues Etuikleid aus Leinen, dessen Ausschnitt allerdings ein bisschen zu tief ist, sodass meine Brüste darin aussehen wie ein Kinderpopo, wenn ich sie nicht sortiere.

Im Whitney herrscht Hochbetrieb, auf der Betonbrücke vorm Eingang stauen sich die Menschen wie in einem Subway-Expresszug nach Büroschluss. Noch bevor ich durch den Museumseingang getreten bin, habe ich die Nase voll. An der Tür gibt eine Frau mir einen Sticker, auf dem steht: »Ich kann mir nicht vorstellen, weiß sein zu wollen.« Ein Tablett schwebt vorbei, ich nehme mir ein Glas Wein und stürze mich in die Menge. Sollte hier ein Feuer ausbrechen, werde ich zu Tode getrampelt.

Wir haben verabredet, uns bei den Rolltreppen zu treffen, aber da ist noch niemand. An der Wand gegenüber finde ich einen kleinen Platz und lehne mich an. Ich trinke den Wein und sehe den Schönen und Reichen zu, wie sie sich durch die Halle schieben. Ein dunkelhaariger Kellner schlängelt sich mit einem Tablett voller Champagnergläser in die mir entgegengesetzte Richtung durch die Menge.

»Kann ich mir eins nehmen?«, sage ich, aber er hört mich nicht. Bevor die Menge ihn verschluckt, zupfe ich ihn am Ärmel. Das Tablett schwankt heftig in seiner Hand, und einen Moment lang sieht es aus, als würde es ihm entgleiten, aber er schafft es, die Bewegung aufzuhalten, und alle Gläser bleiben stehen. Nicht ein Tropfen vergossen.

»Blöde Tussi«, höre ich ihn murmeln, als er weitergeht, ohne mir ein Glas anzubieten.

Die Stimme kenne ich. »Jonas?«

Der Kellner dreht den Kopf und blitzt mich böse an. Es ist nicht Jonas.

Ich sehe ihm hinterher, und eine Traurigkeit überkommt mich, ein Gefühl der Enttäuschung, von dem ich nicht ahnte, dass es in mir ist, der Ausweglosigkeit, als wäre mir die Todesstrafe erlassen worden und ich hätte wenige Sekunden später erfahren, dass das ein Irrtum war. Vier Jahre sind seit der Begegnung in dem Café vergangen. Vier Jahre, seit Jonas mich so geküsst hat. Seit ich die Nachricht, die er am nächsten Tag auf den Anrufbeantworter meiner Mutter gesprochen hat, unbeachtet gelassen habe, obwohl ich wusste, als ich sie löschte, als ich einen Bagel in den Toaster steckte und Peter einen Kaffee ans Bett brachte, dass Jonas das war, was hätte sein können. Dass er derjenige war, der hätte sein *sollen*. Obwohl ich wusste, es war zu spät.

Was *ist*, ist Peter. Unser Leben zusammen ist gut. Fantastisch. Verliebt in die Wirklichkeit des anderen mit allem, was dazugehört: Toilettengeräusche, der Atem am Morgen, Tampons aus der Drogerie, die er mir holt, Einschlafen bei der Letterman-Show, der überraschte Aufschrei, weil das Wasabi so scharf ist. Aber in diesem Moment ist all das bedeutungslos. In der Handtasche habe ich meine Brieftasche, dick gefüllt mit Kassenzetteln, die in den Papierkorb gehören, Karten von Taxiunternehmen, die ich aus Gutherzigkeit einstecke, obwohl ich weiß, dass ich sie nie benutzen werde, dazu ein paar alte Fotos und meine voll ausgeschöpften Kreditkarten. Ich taste in dem Fensterfach herum, aus dem mich das hässliche Foto von meinem Führerschein anstarrt, und ziehe das zusammengefaltete Stück Serviette heraus. Jonas' Nummer ist verblichen, aber noch lesbar.

Beim Museumsladen in der Halle gibt es ein öffentliches Telefon. Jonas nimmt beim vierten Klingeln ab, und diesmal weiß ich sicher, dass es seine Stimme ist.

»Ich bin's«, sage ich.

Stille. Der Lärm in der Halle hinter mir ist ohrenbetäubend. Ich drücke den Hörer fest an das eine Ohr und halte mir das andere zu. »Ich bin's«, sage ich, diesmal lauter. Ein Mann in einem rosa Vinylanzug kommt in die Halle, die Frau an seinem Arm ist einen Kopf größer als er. Sie trägt eine Kostümjacke von Chanel und glänzende schwarze Strumpfhosen, die ihre Nacktheit darunter nicht verbergen. Küsschen werfend, schlängeln sie sich durch die Halle.

»Jonas? Bist du da? Ich bin's, Elle.«

Ich höre ihn seufzen. »Ich weiß, dass du es bist. Bist du betrunken?«

»Natürlich nicht. Ich bin im Whitney.«

»Ah«, sagt er. »Ich dachte, du bist in London.«

»Wir sind wieder hier. Ich dachte, ich hätte dich gerade gesehen. Ein Kellner, ich war mir ganz sicher, dass du es warst.«

»War ich nicht.«

»Ich weiß. Du bist da.«

Er wartet, dass ich weiterspreche.

»Jedenfalls, ich stehe hier inmitten von Idioten in Vintageklamotten von Fiorucci und warte auf Peter, und da —«

»Da hast du gedacht: ›Idioten. Jonas. Ich habe damals nicht

zurückgerufen, aber bestimmt wird er sich freuen, von mir zu hören, bevor mein Freund eintrifft‹.«

»Sei nicht so«, sage ich. »Ich rufe dich jetzt an.«

»Warum?«

»Ich weiß es nicht.«

Er schweigt am Ende der Leitung.

Ich stehe in einer Wolke von Lärm.

»Gut«, sagt er.

»Danke. Ich hatte schon Angst, du würdest weiter schmollen.«

»Das wollte ich auch. Aber anscheinend habe ich das Rückgrat einer Schlange. Wie geht es dir?«

»Mir geht es gut. Wir sind letztes Jahr zurückgekommen. Ich hatte Heimweh. In London regnet es die ganze Zeit.«

»Davon habe ich gehört.«

»Peter hat eine Stelle beim *Wall Street Journal*. Wir wohnen am Tompkins Square Park, ich habe also einen Blick ins Grüne. Und auf die Junkies.« Ich schweige einen Moment. »Ich wollte dich zurückrufen.«

»Warum hast du es nicht getan?«

»Du wolltest, dass ich mich entscheide.«

Jonas seufzt. »Ich wollte, dass du dich für mich entscheidest.«

Die Telefonzentrale unterbricht und sagt, ich müsse zehn Cents für die nächsten drei Minuten einwerfen. Ich stecke die Münze in den Schlitz und warte auf das beruhigende Geräusch, wenn sie fällt.

»Egal«, sagt Jonas, und sein Ton drückt aus, dass er das Gespräch beenden will. »Ich arbeite und möchte jetzt weitermachen.«

»Kann ich dich sehen?«

»Klar. Du hast meine Nummer.« Ich spüre den Rückzug, eine Kühle in seiner Stimme, und bin im nächsten Moment in Panik. Noch habe ich ihn nicht verloren, aber ich fühle mit jeder Faser meines Körpers, dass er die Tür gleich zumachen wird. »Geht morgen?«

»Übernächste Woche ist besser«, sagt er.

Am Eingang sehe ich Peter und seine Eltern, die sich durch die Menge zwängen und auf die Rolltreppe zuhalten. Ich drehe mich zur Wand, damit Peter mich nicht sieht. »Was ich noch sagen will: Ich habe angerufen, weil ich dachte, du bist der Kellner, und ich war plötzlich ganz aufgeregt. Und so glücklich. Aber er war nicht du, und dann hatte ich nur den einzigen Gedanken, dass ich dich auf der Stelle sehen muss. Ich konnte es nicht aufschieben. Ich hätte nicht weiteratmen können, wenn ich deine Stimme nicht gehört hätte. Deine Nummer ist immer noch in meiner Brieftasche. Ich bin zum Telefon gegangen und habe sie gewählt.«

»Das klingt ein bisschen dramatisch, selbst für deine Verhältnisse«, sagt Jonas.

Ich lache. »Stimmt. Ein bisschen. Aber es ist die Wahrheit.«

»Dann komm jetzt«, sagt er ganz leise.

Ich sehe Peter, er lehnt an der Wand, langgliedrig und attraktiv in seinem Nadelstreifenanzug. Er guckt auf die Uhr, sein Blick wandert durch die Halle. Ich hocke mich hinter einem dicken Mann in purpurrotem Anzug auf den Boden. Wenn es mir gelingt, aus der Seitentür auf die Straße zu kommen, bevor Peter mich sieht, und ihn anzurufen, dann kann ich sagen, mir sei nicht wohl. Ich kann zu Jonas fahren und wieder in unserer Wohnung sein, bevor Peter zurückkommt. Der dicke Mann dreht sich um und musterte mich, als wäre ich eine kleine, verschüchterte Maus. Er ist als Clown geschminkt.

»Guten Abend«, sagt er. Seine Stimme ist piepsig wie eine Kinderstimme.

Ich lächle zu ihm hinauf, als wäre es völlig normal, umgeben von Menschen auf dem Boden zu hocken. Einen Moment lang sieht er mich nachdenklich an, dann geht er weiter. Ich höre meinen Namen. Durch die Lücke, die nach dem lila Abgang des Clowns blieb, hat Peter mich entdeckt.

»Da bist du ja«, sagt Peters Mutter und bläst mir Küsse auf beide Wangen. »Wir wollten uns schon Sorgen machen.«

»Mir war der Schlüssel runtergefallen«, sage ich zu Peter.

Peters eleganter Vater steht neben ihm, das dichte Silberhaar nach hinten gekämmt, der Anzug aus einem Geschäft in der Saville Row. Er sieht älter aus als bei unserer letzten Begegnung, müde um die Augen.

»Ihr müsst Jetlag haben.« Ich umarme ihn ungeschickt. Nach all den Jahren schüchtern Peters Eltern mich immer noch ein, sie sind so korrekt und halten den geheimnisvollen Sittenkodex der britischen Oberschicht so mühelos ein. So sehr ich mich auch bemühe, die Regeln zu lernen, werde ich in ihrer Gegenwart das Gefühl nicht los, lauter Fehltritte zu begehen, wobei das Schlimmste ist, dass ich nicht weiß, worin diese Fehltritte bestehen.

»Ich habe im Hotel einen Moment geruht«, sagt Peters Vater.

»Wir nehmen Jetlag nicht ernst«, sagt seine Mutter.

»Und ich dachte, *ich* würde mich verspäten. Ich bin den ganzen Weg von der Subway gerannt und ganz aus der Puste.« Peter gibt mir einen dicken, feuchten Kuss. Ich spüre, dass seine Mutter die Augenbrauen hochzieht. Der öffentliche Austausch von Zärtlichkeiten wird eindeutig missbilligt. Fast schlimmer als der durch die Kleidung sichtbare Gummizug eines Slips.

»Daran sind die Zigaretten schuld«, sagt sie. »Eleanor, du musst dafür sorgen, dass er aufhört.«

»Ich bin schon länger hier«, sage ich. »Ich war auf der Toilette.« Ich überlege fieberhaft, was ich als Entschuldigung vorbringen kann, um hier wegzukommen. Jonas wartet auf mich. Er wird mir nicht verzeihen, wenn ich ihn wieder versetze. Peter nimmt meine Hand.

»Sollen wir nach oben fahren?« Sein Vater drückt auf den

Knopf am Aufzug. »Wir habe im Le Cirque reserviert, obwohl deine Mutter das Essen dort etwas mächtig findet.«

»Sie nehmen zu viel Butter«, sagt seine Mutter.

Der Aufzug kommt. Ich höre ihn und weiß, ich muss jetzt handeln.

»Ich bin gleich bei euch«, platze ich raus, als die Türen sich öffnen. »Ich muss zur Toilette.«

Peter sieht mich fragend an. »Ich dachte, da warst du gerade.«

»Mir ist nicht ganz wohl«, sage ich. »Mein Magen.«

»Du bist ein bisschen gerötet.« Er legt mir die Hand auf die Stirn und hält die Aufzugtür mit der anderen Hand offen.

»Wenn dir nicht gut ist, Eleanor, solltest du nach Hause gehen. Nicht dass du uns ansteckst«, sagt Peters Mutter.

»Mutter.«

»Wahrscheinlich hat sie recht«, sage ich. Seine Mutter scheint so angetan von ihrem kleinlichen Triumph, dass ich es beinah als Freispruch für mich selbst empfinde.

»Ich komme mit«, sagt Peter.

»Nein. Geh du mit deinen Eltern. Ich komme klar. Wirklich, ich komme klar.«

Das Aufzugsignal klingt ungeduldig.

»Peter«, sagt seine Mutter. »Die Leute warten.«

»Geh«, sage ich. »Wir sehen uns später zu Hause.«

Ich warte, bis die Türen sich geschlossen haben, dann renne ich raus auf die Straße und winke ein Taxi herbei.

Jonas steht vor seinem Wohnblock, die Hände in den Taschen, und betrachtet einen kümmerlichen Baum, der in einem winzigen Erdfleck auf dem Gehweg wächst. Beinah hätte ich ihn nicht erkannt. Es ist eindeutig Jonas, das wilde Haar, der intensive Blick, aber er hat breite Schultern und kräftige Muskeln bekommen: ein männlicher Mann. Ich folge seinem Blick, er betrachtet einen Bussard auf einem der oberen Äste.

»Ein Rotschwanzbussard«, sagt Jonas. »Macht wahrscheinlich Jagd auf Ratten.«

»Wie ekelhaft.«

»Immerhin«, sagt er. »Ein Beutevogel im Greenwich Village.«

»So könnte die Autobiografie meiner Stiefmutter heißen.«

Jonas lacht. »Wie schaffst du das?«

»Was?«

»Du bringst mich zum Lachen, obwohl ich böse auf dich bin.« Er sieht mir in die Augen, der Blick unmittelbar, keine Lüge in den wassergrünen Augen. »Ich hatte ehrlich gesagt gehofft, du wärst alt und dick geworden. Wabbelig und englisch. Aber du siehst schön aus.« Er runzelt die Stirn und fährt sich durchs Haar. Es ist jetzt wieder länger, wilder. Er trägt Arbeitssachen, Jeans und T-Shirt, die voller Farbflecken sind. Er riecht nach Terpentin. Auf der Wange hat er einen Strich Ocker.

Ich will die Farbe abwischen, aber er wehrt meine Hand in der Luft ab.

»Du hast da Farbe«, sage ich.

»Nicht anfassen.«

»Sei doch nicht so.« Ich umarme ihn fest und lasse nicht los. Es fühlt sich gut an, ihm so nah zu sein. Als ich mich von ihm löse, sind Spuren von Ölfarbe auf meinem Leinenkleid.

»Das hatte ich gemeint«, sagt er.

»Scheiße. Ich mag das Kleid.«

Entlang der Straße sehe ich ein Paar bei der Ampel Arm in Arm über die Straße gehen. Einen Augenblick denke ich, es sind mein Vater und Mary, und mein Magen krampft sich zusammen. »Was ist?«, fragt Jonas.

»Ich dachte, das dahinten wäre mein Vater«, sage ich. »Ich spreche nicht mehr mit ihm.«

»Was ist passiert?«

»Er hat Granny Myrtle in ein Heim gesteckt. Gegen ihren Willen. Am nächsten Tag ist sie gestorben. Morgens hat sie mich noch angerufen. Sie war allein und hatte Angst. Ich bin zu ihr gefahren, aber ich kam zu spät. Das kann ich ihm nicht verzeihen.«

Der Bussard über uns fliegt aus dem Baum und verfolgt einen kleineren Vogel, umkreist ihn. »Ich habe Peter und seine Eltern angelogen und gesagt, ich hätte eine Magenverstimmung.«

»Tut mir leid«, sagt er. Aber es macht ihn froh, dass ich Peter angelogen haben, um ihn sehen zu können. Das sehe ich ihm an.

»Solange du mich nicht anlügst«, sage ich zu ihm. »Das hat keinen Sinn.«

Er lächelt. Die ganze Wahrheit zwischen uns.

»Ich dachte, wir könnten uns an der Ecke ein paar Dosen Bier holen und zum Fluss runtergehen«, sagt Jonas.

Die Fenster in der Wohnung meines Vaters sind geöffnet. Jemand, Mary natürlich, hat auf den Fensterbänken hübsche Blumenkästen angebracht und weiße Geranien mit Efeuranken gepflanzt. Jonas und ich gehen, die Arme umeinandergeschlungen, durch die engen, mit Kopfstein gepflasterten Straßen. Perry Street, dann West Street, zu einem alten Steg, der mit vertrockneter Hundescheiße und Ampullen verschmutzt ist. Wir finden eine einigermaßen saubere Stelle und setzen uns. Die Beine lassen wir über dem Wasser baumeln.

»Ich dachte, es wäre romantisch, aber es ist ziemlich grässlich hier«, sagt Jonas.

»Ich hatte ganz vergessen, wie gern ich dich mag.«

»Geht mir genauso«, sagt Jonas. »Alle anderen sind mir zuwider.« Er gibt mir eine Dose Bier und reißt sich selbst eine auf.

»Ich habe dich noch nie trinken sehen. Komisch«, sage ich. Aber es ist nicht komisch, es ist traurig. Was ich alles versäumt habe.

»Stimmt«, sagt er und nimmt einen Schluck. »So vieles.«

Wir sitzen schweigend nebeneinander und schauen der Strömung zu. Ein Plastiklöffel treibt vorbei, wahrscheinlich von einem Baskin-Robbins-Eis. Zwischen uns gibt es keine Unbehaglichkeit. Keine Spannungen. Uns verbindet eine Vertrautheit, die nichts zerstören kann.

Jonas betrachtet sein Knie und reibt an einem Farbfleck. »Ich hatte nicht mit deinem Anruf gerechnet. Ich glaube, ich dachte ... Lange Zeit habe ich gewartet. Dann habe ich aufgehört zu warten.«

»Es war zu schwierig«, sage ich.

»Und jetzt?«

»Ich weiß nicht.«

Er leert seine Dose und nimmt die zweite. »Hast du vor, den Typen zu heiraten?«

Ich wende den Blick ab. Auf dem West Side Highway hinter uns ist der Verkehr zum Stillstand gekommen. In der Nähe ertönt eine Feuerwehrsirene. Ein Taxifahrer drückt anhaltend auf die Hupe. Das ist völlig nutzlos, als würde man auf den Aufzugknopf drücken, obwohl schon gedrückt ist. Ein anderer Fahrer hupt zurück und ruft »Volltrottel« aus seinem Fenster. Weiter oben auf dem Highway sehe ich das Blaulicht eines Krankenwagens, der sich durch den unnachgiebigen Verkehr zwängt.

»Vielleicht«, sage ich seufzend. »Wahrscheinlich.«

Jonas blickt über den Fluss. »Versprich mir, Bescheid zu sagen.«

»Ist gut.«

»Keine Überraschung. Ich hasse Überraschungen.«

»Ich weiß. Ist versprochen.«

»Ich meine es ernst.«

Die Sonne ist untergegangen und lässt den Himmel in feurigem Orange erstrahlen. Pfosten, auf denen früher die Stege aufgelegen haben, staken aus dem Wasser – schwarz vor dem flammenden Himmel.

»Es ist so schön, dass es wehtut«, sage ich.

»Um es deutlich und ein für alle Mal klarzumachen«, sagt Jonas. »Ich werde nie eine andere so lieben wie dich.«

26

1996. August, Back Woods.

Anna besteht darauf, dass wir zur Sommerabschluss-Strandfete mit Lagerfeuer gehen. Ich kann mich nicht erinnern, wann ich das letzte Mal dabei war, und ich habe auch keine besondere Lust hinzugehen. Aber Anna ist allein nach Back Woods gekommen, was selten genug passiert, da sie sich nur schwer von ihrer Arbeit als zukünftige Partnerin in der Kanzlei freimachen kann, und für Jeremy, ihren Orange-County-Boyfriend, den ich nicht ausstehen kann, ist der Papierpalast mit seinen ausgetretenen Stufen vor den Schlafhütten und den Presspappedecken voller brauner Mäusepisseflecken und tröpfelnder Nachgeburten ein hoffnungsloser Slum. Niemand hatte bisher den Mut nachzugucken, was sich zwischen den Decken und dem Dach befindet. Und Mücken, so behauptete Jeremy vor vier Jahren bei seinem einzigen Besuch im Sommerquartier, gebe es in Manhattan Beach in Kalifornien keine. Seitdem war er nicht mehr hier gewesen. »Wir wohnen am Strand, Schatz«, hatte er nach der zweiten Nacht beim Frühstück zu Anna gesagt. »Sicher, hier ist es schön, aber was sollen wir hier, wenn wir zu Hause in unserer Wohnung sein können? Die Klimaanlage auf kalt gestellt, Liegestühle auf der Veranda, gekühlter Chardonnay.«

»Deswegen mögen wir es ja hier«, hatte ich erwidert. »Kein Chardonnay.« Ich habe versucht zu verstehen, was meine Schwester zu Jeremy hinzieht. Soweit ich sehe, verkörpert er alles, was wir verabscheuen. Aber vielleicht geht es gerade darum.

»Ist doch komisch«, hatte meine Mutter gesagt, als sie mit Kaffee und Buch auf die Veranda kam. »Zwei der wunderbarsten Dinge auf der Welt, Manhattan und Beach, aber bringt man sie zusammen, ist das Ergebnis Mittelmäßigkeit.«

»Mom«, hatte Anna gesagt.

»Ich bin sehr froh, euch beide hier zu haben.« Mum setzte sich auf das alte Sofa und schlug ihr Buch in der Mitte auf. »Anna«, sagte sie, ohne den Blick zu heben. »Du hast deinem jungen Mann hoffentlich erklärt, dass wir nach dem Pinkeln nicht abziehen.« Sie trinkt einen Schluck Kaffee. »Ich muss daran denken, den Klempner zu bestellen, damit er den Faulbehälter auswechselt. Offenbar gelangt verschmutztes Grundwasser in den See.« Sie zeigte auf die Seerosen. »Wie soll man sich sonst die vielen Algen erklären?«

Wie durch ein Wunder hat es sich diesen Sommer so ergeben, dass Jeremys Vorgesetzte ihn genau in der Zeit zu einer Marketingkonferenz in Flagstaff einluden, als Anna und er ans Cape kommen wollten.

»Ich kann gar nicht glauben, dass du der dramatischen und zugleich so heilsamen Landschaft und den überladenen Frühstücksbüfetts widerstanden hast, um in dieses ›erbärmliche Loch‹ zu kommen«, sage ich zu ihr, als wir über den See paddeln. Bei der Abschlussparty bekommt man am Strand keinen Parkplatz, daher ist es viel leichter, das Boot zu nehmen und den Rest zu laufen. Wir haben eine Tüte Marshmallows, eine Packung Cape-Cod-Crisps, eine Flasche Rotwein und eine alte Armeedecke eingepackt.

Anna lacht. »Ganz schön heftig.«

»Er hat meinen allerliebsten Lieblingsort beleidigt.«

»Du kannst ihn nicht dafür kritisieren, dass er keinen Draht für das hier hat. Außerdem war es meine Schuld. Ich hatte versäumt zu erklären, dass ›Papierpalast‹ ironisch gemeint ist.«

»Es ist nicht nur das Sommerquartier«, sage ich. »Es ist seine allgemeine Weltsicht. Als gäbe es nichts Besseres als Terrakottafliesen und Küchentheken aus Granit.«

»Genau deshalb mag ich ihn. Er ist so vorhersehbar. Bei ihm weiß ich genau, was ich bekomme.«

Ich verdrehe die Augen.

»Elle, jeder hat sein Päckchen zu tragen. Bei Jeremy fühle ich mich geborgen. Außerdem kann sich nicht jeder in einen reichen und attraktiven englischen Journalisten verlieben. Manche von uns müssen mit einem gutherzigen, aber langweiligen Kalifornier mit kräftigem Brustkorb vorliebnehmen. Sei also nicht zu streng in deinem Urteil.«

»Da hast du recht«, sage ich. Jeremy wird niemals ein Freund von mir sein. Nicht, weil er, wie Anna sagt, vorhersehbar ist, auch nicht, weil er »bürgerlich« ist, wie Mum meint, sondern weil Anna sich nicht voll entfalten kann, solange sie an der Beziehung mit ihm festhält, und das ärgert mich.

Eine Weile sprechen wir nicht, unsere Paddel schneiden in die glasklare Fläche des Sees, und das Kanu gleitet lautlos in die Reflexion des rosa Himmels.

»Wann kommt Peter?«, fragt Anna schließlich.

»Gleich nach dem Lunch morgen. Er will den stärksten Verkehr vermeiden.«

»Wenn er über Merritt Parkway fährt, sag ihm doch, er soll ein paar Bagel von H&H mitbringen.«

Unser Kanu trifft auf den Sand am Ufer. Ich springe ins flache Wasser und versuche, meine Hosenbeine dabei nicht nass zu machen. Beim Aussteigen zuckt Anna zusammen. »Ich hätte heute Morgen nicht mit dem Fahrrad in den Ort fahren sollen. Die Straße ist voller Schlaglöcher. Ich glaube, ich habe mir das Schambein verletzt.«

»Also wirklich!« Ich lache.

Wir ziehen das Kanu an Land, Metall schabt über nassen

Sand, und verstauen es im dichten Strandgras zwischen den Bäumen.

»Es ist schon so lange her, dass ich die Leute hier gesehen habe«, sagt Anna, als wir auf dem roten Sandweg zum Strand gehen. »Das wird bestimmt komisch.«

»Es ist wie Fahrrad fahren, nur langweiliger«, sage ich.

»Ich wünschte, ich käme mir nicht so dick vor.« Sie bindet sich ihr Haar zu einem Pferdeschwanz zusammen. »Ich habe keine Lust, mich von den Leuten hier auf den Prüfstand stellen zu lassen.«

Anna hat seit Jahren eine Topfigur, trotzdem sieht sie sich immer noch als pummeliges Kind. »Dicke Oberschenkel sind wie Phantomkörperteile«, sagt Anna. »Selbst wenn man sie schon lange los ist, spürt man immer noch, wie sie sich aneinander reiben.«

»Du siehst umwerfend aus, Anna. Ich hingegen habe den ganzen Winter mit Peter in der Wohnung gehockt und Milano-Cookies gegessen. Das muss ich mir bis zur Hochzeit wieder runterhungern.«

Wir gehen hintereinander, Anna voran, und meiden das Giftsumach am Rand. Ihre Flipflops werfen kleine Wölkchen von rotem Staub in die Luft.

»Weißt du, was nicht genügend geschätzt wird?«, sagt Anna. »Brussels-Cookies.«

»Und Chessmen.«

»Dads Lieblingskekse.«

»Hast du in letzter Zeit mal mit ihm gesprochen?«, frage ich. Seit der Beerdigung unserer Großmutter hatte ich keinen Kontakt mehr zu ihm.

»Hin und wieder ruft er mich an«, sagt Anna. »Dann unterhalten wir uns gequält, und ich habe den dringenden Wunsch aufzulegen. Es ist grotesk. Ihr beiden hattet immer die engere Verbindung. Nicht er und ich.«

»Das ist vorbei.«

»Er ruft nur an, weil Mary ihn dazu zwingt. Sie erzählt ihren Freundinnen gern, was für ein liebevoller Ehemann und Vater er ist. Sie will unbedingt, dass sie Mitglieder in einem der Country Clubs in South Hampton werden. Einem von denen, die keine Juden erlauben.«

»Wie ich sie verabscheue.«

»Jedenfalls habe ich ihm gesagt, dass er dich anrufen muss, nicht andersherum. Schließlich ist er der Vater, verdammt.«

»Das ist das Letzte, was ich will. Wirklich wahr. Es ist eine Erleichterung. So warte ich wenigstens nicht die ganze Zeit auf die nächste Enttäuschung.«

Oben auf der hohen Düne bleiben wir stehen. Unten am Strand, etwa hundert Meter weiter rechts, flattern jede Menge Karpfenfahnen im Wind. Jemand hat einen Kreis chinesischer Fähnchen an Stöcken in den Sand gepflanzt, ein Kreis aus bunten Windsäcken. Das Lagerfeuer brennt schon, die Flammen sind im Licht des frühen Abends kaum sichtbar, aber ein öliger Hitzefilm steigt in den Himmel.

»Übrigens, ich weiß, dass du sauer auf mich warst, weil ich eingeknickt bin und ihm verziehen habe. Er bedeutet mir nicht genug, es ist mir nicht wichtig. Ich kann ihn kaltstellen, wenn du das wirklich möchtest.«

»Damals wollte ich das, aber jetzt denke ich, es ist mir lieber, wenn du diejenige bist, die zu Weihnachten belgische Lederschuhe kriegt, in ihrem Wohnzimmer auf einem Sessel mit Petit-Point-Stickerei sitzt und mit der widerlichen Ziege Eggnog trinkt.«

»Das ist nur fair.«

»Frohe Weihnachten«, sage ich lachend. »Hier ist mein Weihnachtsgeschenk, ein unkorrigierter Fahnensatz.«

»›Und von mir ein Päckchen Stoff!‹«, sagt Anna und imitiert Marys quiekende Stimme.

Wir rennen die steile Düne hinunter und schreien in den Wind, ausgelassen und schneller, als unsere Beine uns tragen können. Unten, auf dem warmen Sandstrand, werden wir langsamer.

Anna lässt sich auf die Knie fallen und wirft die Arme in die Luft. »Das hier vermisse ich.«

»Und ich vermisse dies.« Ich lasse mich neben ihr in den Sand fallen und mache mit Armen und Beinen einen Schnee-engel im Sand. Annas Wangen sind gerötet, ihr Pferdeschwanz ist vom Wind zerzaust. »Du siehst einfach umwerfend aus.«

»Achte bitte darauf, dass ich mich nicht betrinke und mit einem scharfen Typen in die Dünen ficken gehe«, sagt Anna.

»Ich glaube, du hast hier nichts zu befürchten. Die meisten sind mindestens tausend Jahre alt.«

»Trotzdem.« Anna lacht.

Ich stütze mich auf die Ellbogen und blicke aufs Meer: die Sonnenflecken auf dem Wasser, die kleinen weißen Schaum-kronen, das Schaukeln der Wellen. Jedes Mal, wenn ich das Meer sehe, auch wenn ich am selben Tag schon einmal da war, ist es wie ein neues Wunder, seine Macht und seine Bläue sind immer wieder überwältigend. Als verliebte man sich jedes Mal neu.

Der Wind weht den Geruch von Holzfeuer und Seesalz herüber. Anna steht auf und streicht sich den Sand von den Knien. »Na gut. Wollen wir den Laden mal aufmischen.«

»Ich weigere mich, in der Öffentlichkeit mit jemandem ge-sehen zu werden, der ›den Laden aufmischen‹ sagt«, sage ich.

»Stimmt, es ist scheußlich«, sagt Anna und lacht aus vollem Halse.

Ich verehre meine Schwester.

Die Erste, die wir sehen, als wir zum Strand kommen, ist Jonas' Mutter. Sie steht ein bisschen abseits und mit dem Rü-cken zu uns, aber ich erkenne sie an ihrem krausen, aggressiv ungefärbten Haar, den ausgetretenen Birkenstocksandalen in der Hand und an der Linie, die sie mit dem großen Zeh in den Sand zeichnet. Anscheinend hat sie unsere Schritte auf dem Sand gespürt, denn sie dreht sich um, wie eine Schlange, und lächelt. Sie spricht mit einer jungen Frau, die ich nicht kenne: um die zwanzig, hübsch, zierlich, dunkles Haar, an den Spitzen blond gefärbt, perfekt gebräunte Haut. Sie trägt Shorts und ein bauchfreies T-Shirt. Im Bauchnabel hat sie ein großes Piercing mit einem Diamanten.

»Zirkonia, kein Diamant«, sagt Anna, als wir uns nähern. »Kennen wir sie?«

»Nein.«

»Hallo, Anna. Eleanor«, sagt Jonas' Mutter und macht die Lippen schmal. Sie hat mich noch nie gemocht. »Ich wusste gar nicht, dass ihr hier seid.«

»Ich komme selten zum Strand«, sage ich. »Diesen Sommer ist es hier wie auf Coney Island.«

»Ich bin gestern erst gekommen«, sagt Anna.

Jonas' Mutter legt einen besitzergreifenden Arm um die junge Frau neben sich. »Das ist Gina.«

Anna streckt die Hand aus, aber Gina tritt auf sie zu und umarmt sie. »Ich bin so glücklich, dass wir uns kennenlernen«, sagt sie, dann umarmt sie mich. Hinter ihrem Rücken sieht Anna mich mit gespieltem Entsetzen an. Jonas' Mutter bemerkt das.

»Ich habe eure Mutter im Supermarkt getroffen«, sagt Jonas' Mutter. »Offenbar plant ihr eine Winterhochzeit.« Sie spricht die Wörter aus, als stünden sie in Anführungszeichen, damit ich auf jeden Fall ihre Verachtung heraushöre.

»Ja«, sage ich. »Wir wollen was mit Eisskulpturen und heißer Schokolade in einem Brunnen machen.«

»Und keine Minute zu früh.«

»Wie bitte?«, sage ich.

»Na ja, geben wir es doch zu, wir werden alle nicht jünger.«

»Elle hat noch ein paar Wochen, bevor sie eine verschrumpelte Alte von dreißig ist«, sagt Anna mit süßer Stimme. »Aber da ist natürlich was dran. Sind von den Jungs welche hier?«

»Es sind jetzt Männer«, sagt Jonas' Mutter, als erklärte sie das einer Minderbemittelten. »Nicht auf die Dünen klettern«, ruft sie ein paar Kindern zu, die am Fuß der steilen Düne spielen. »Sie könnten eine Sandlawine lostreten«, sagt sie zu Gina. »Ich bin immer ein bisschen besorgt.«

»Wie geht es Jonas?«, frage ich sie.

»Sehr gut.«

»Er ist großartig«, mischt sich Gina ein. »Er hat gerade eine Galerie in Chelsea gemietet. Wir sind beide total begeistert. Und wir haben einen supertollen Loft gefunden. Eine ehemalige Schnurfabrik.«

»Woran arbeitet er denn zurzeit?«, fragt Anna.

Ich bekomme vage mit, dass Gina etwas über Acrylfarben und Fundobjekte sagt, aber ich bin wie betäubt. Der Gedanke, dass Jonas mit dieser Gina zusammenlebt, löst in mir eine Eifersucht aus, zu der ich kein Recht habe. Eine körperliche, schmerzende Eifersucht. Jonas gehört mir. Ich muss mich sehr beherrschen, dass ich ihr nicht gegen das Schienbein trete.

Jonas' Mutter sieht aus, als hätte sie gerade einen großen, besonders wohlschmeckenden Vogel verspeist. »Wir sind sehr glücklich.«

Alles, was ich an ihr nicht leiden kann, wird mir wieder bewusst – ihr Mangel an Großzügigkeit, ihre Scheinheiligkeit, die Unterstellung, dass Jonas damals nicht mit mir und Conrad im Boot gewesen wäre, wenn ich ihn nicht praktisch dazu gezwungen hätte. »Sie hat ihn um den kleinen Finger gewickelt«, hat meine Mutter sie sagen hören. Ich zwinge mich, meine Gedanken auf Peter zu richten, meinen wunderbaren,

333

galanten Engländer. Seine unaufdringliche Intelligenz, seine treffsichere Ironie, seinen Schweinebraten mit Salzkruste, seine alten Lederschuhe, seine Hände in meinem Haar, wenn wir miteinander schlafen. Mir gelingt ein klares Lächeln. »Das sind ja wunderbare Neuigkeiten. Sie freuen sich bestimmt für Jonas.«

»Und für Gina, natürlich«, sagt sie.

In diesem Moment sehe ich ihn durch die Menge auf uns zu kommen. Er trägt eine braune Tüte mit Lebensmitteln, auf der ganz oben eine Packung Hotdogbrötchen balanciert. Er sucht die Menge mit Blicken ab. Als er Gina sieht, die mit dem Rücken zu ihm dasteht, lächelt er. Dann entdeckt er mich. Er bleibt wie angewurzelt stehen. Wir sehen uns über den Strand hinweg an. Er schüttelt den Kopf, eher verärgert als traurig, in einer Mischung aus Schmerz und Widerwillen, als könnte er nicht begreifen, dass ich das Versprechen gebrochen habe, das ich ihm vor zwei Jahren gegeben habe. Als wir an dem alten Pier am Hudson saßen und Bier tranken und bereit waren, uns mit unserem Schicksal abzufinden.

Jetzt sieht Jonas' Mutter ihn auch, sieht, dass unsere Blicke ineinander verhakt sind. Sie tippt Gina auf die Schulter. »Da kommt Jonas.«

Ginas Gesicht leuchtet auf, als hätte sie noch nie in ihrem Leben etwas so Wunderbares gesehen. Er kommt zu unserer Gruppe, geht an mir vorbei und gibt Gina einen intensiven Kuss. »Ich habe euch gesucht«, sagt er.

»Anna.« Er umarmt sie zur Begrüßung und gibt seiner Mutter die Brötchen. »Sie hatten nur Riesenpackungen.«

»Wir werden schon Abnehmer finden. Es gibt nie genug Brötchen bei solchen Anlässen.« Sie geht zu den Tischen mit den Esswaren und übergibt die Packung dem Mann, der die Würstchen und Hamburger brät. »Brötchen!«, sagt sie, als präsentierte sie ihm den Heiligen Gral.

»Hi.« Endlich begrüßt Jonas mich. Seine Stimme klingt freundlich, ohne eine Spur von dem, was ich gerade in seinem Blick gesehen habe. Er lächelt mir zu, gefasst, wohlwollend.

»Hi«, sage ich und sehe ihn mit einem bitteren Blick an.

Er legt den Arm um Ginas Taille. »Gina, das ist Eleanor. Elle und ich kennen uns schon, seit wir Kinder waren.«

»Wir sind schon bekannt gemacht worden«, sage ich.

»Meine Mutter hat gesagt, von euch würde diese Woche niemand kommen.«

»Ich weiß, dass deine Mutter es nicht mag, wenn man ihr widerspricht«, sage ich, und meine Stimme klingt spitzer, als ich es beabsichtige, »aber hier sind wir. Ich bin schon eine Weile da.«

»Gina und ich sind am Wochenende angekommen. Meine Mutter hat mir erzählt, dass ihr plant, im Winter zu heiraten. Sie hat Wallace im Supermarkt getroffen.« Seine Stimme klingt kalt.

»Ich habe versucht, dich zu erreichen.«

Ginas Blick wandert zwischen Jonas und mir hin und her, als spürte sie, dass sie draußen steht. »Jonas will mit mir Tintenfische angeln gehen«, sagt sie.

»Cool«, sagt Anna.

Gina sieht sie zweifelnd an. »Um Mitternacht auf dem Steg sitzen und nach Glibberfischen angeln?«

Anna lacht. »Es hat etwas sehr Befriedigendes. Man leuchtet mit der Taschenlampe ins Wasser, und schon kommen sie alle angeschwommen. Man muss praktisch nichts tun. Es ist, als würde man Fische in einem Fass erschießen.«

»Jonas und ich haben das früher ganz oft gemacht.« Ich lächle ihm zu, will das Eis brechen. »Du konntest gar nicht genug davon kriegen.«

Seine Miene bleibt starr, sein Blick geht direkt durch mich hindurch.

»Wenn du das gern machst, dann wird es mir auch gefallen.«
Gina zieht ihn zu sich und küsst ihn, als gehörte er ihr.

»Ihr müsst nur mit der Tinte aufpassen«, sage ich.

»Und die Tintenfische über Nacht in Milch einlegen, bevor
ihr sie grillt«, sagt Anna.

»Ich esse keine Meeresfrüchte«, sagt Gina.

Anna hakt sich bei Gina unter. »Ich hole mir ein Bier.
Komm. Ich will dich mit den einzigen zwei Leuten hier bekannt machen, die interessant sind.« Sie zieht Gina mit sich,
bevor Gina ein Grund einfällt, warum sie nicht mitkommen
kann.

Im Sommer nach meinem Highschool-Abschluss beschlossen
Anna und ich, schwimmen zu gehen. Das Meer war wunderbar, keine Algen, kein Wellengang. Wir legten uns aufs Wasser
und ließen uns von den Wellen schaukeln, während Anna
ständig davon redete, wie sehr sie in ihren Professor für Dyadische Kommunikation verliebt sei.

»Ich habe nicht die geringste Ahnung, was das bedeutet«,
sagte ich.

»Es bedeutet, dass ich mit meinem Professor ficken will.«

»Ich meine Dyadische Kommunikation.« Ich lachte und
tauchte unter und schwamm bis dahin, wo ich stehen konnte.

»Und was ist mit dir und deinem ›Ich warte, bis ich heirate‹-
Vorsatz«, rief Anna mir zu. »Bist du noch Jungfrau?«

»Natürlich.« Das war eine Lüge. »Und ich habe auch nicht
vom Heiraten gesprochen. Ich habe gesagt, ich würde warten,
bis ich mich verliebe.«

»Warum hast du dann eine Pillenpackung in deiner Kommode?«

»Was guckst du in meiner Kommode nach?«

»Ich brauchte einen Slip. Meine waren alle gebraucht.«

»Eklig.«

»Versuch nicht, das Thema zu wechseln.«

»Ich habe sie nur für alle Fälle.«

»Für den Fall, dass du dich plötzlich zum ersten Mal verliebst?«

»Nein.« Das war wenigstens die Wahrheit. Ich zögerte einen Moment und sagte dann: »Ich bin es schon.«

»Was bist du?«

»Verliebt.«

»Aha. Das ist ja ganz was Neues. Aber warum keinen Sex?«

»Es ist Jonas.«

»Was? Meinst du den kleinen Jungen, der dir nie von der Seite gewichen ist?«

Ich nickte.

»Okay. Ein bisschen abartig vielleicht. Aber gute Wahl für keinen Sex.«

»Er ist auch älter geworden. Aber, genau.«

»Und was ist dann passiert?«

In dem Moment, als ich in dem vertrauten Meer stand und meine schöne Schwester vor mir ansah, ihr dunkles Haar vor der sich unermesslich erstreckenden Bläue, wollte ich ihr alles erzählen. Es wäre eine solche Erleichterung gewesen. Stattdessen sagte ich: »Seine Mutter hat ihn in die Sommercamps nach Maine geschickt.«

»Diese Frau ist so unangenehm. Wenn ich sie sehe, würde ich ihr am liebsten in die Schuhe scheißen.« Das sagte Anna.

Ich sehe Anna und Gina hinterher, die sich auf die Suche nach einem Bier machen. Mir ist übel. Bisher war ich mir immer der besonderen Verbindung mit Jonas bewusst, aber diesen Mann kenne ich nicht. *Dieser* Jonas hat tote Augen.

»Ich hatte keine Ahnung, dass du kommen würdest«, sage ich.

Er steht einfach da und lässt mich verhungern.

»Jonas. Tu mir das nicht an.«

Er starrt mich an. Sagt nichts.

»Ich habe angerufen und wollte dir alles erzählen, aber der Anschluss war tot. Ich hatte vor, deine Mutter anzurufen und sie um deine Nummer zu bitten. Es tut mir leid.«

»Was tut dir leid?«

»Meine Mutter kann ihren großen Mund nicht halten. Ich hatte sie gebeten, niemandem etwas zu erzählen.«

»Es ist nicht von Bedeutung.« Er reißt eine Tüte Chips auf und stopft sich eine Handvoll in den Mund. Er hält mir die Tüte hin.

»Du hast jedes Recht, sauer auf mich zu sein.«

»Bitte denk nicht weiter drüber nach. Das liegt jetzt hinter uns.«

»Ich habe deinen Blick gesehen, als du mich entdeckt hast.«

»Ich hatte einfach nicht damit gerechnet, dich hier zu treffen, das ist alles.«

»Lüg nicht. Ich hasse es, wenn du lügst.«

»Ich lüge nicht, Elle. Ich war sauer auf dich, weil du wieder aus meinem Leben verschwunden warst. Das war gemein. *Du* hattest dich bei *mir* gemeldet. Du hast gesagt, wir sollten Freunde bleiben. Ich kam mir vor wie ein Idiot. Aber das liegt jetzt hinter mir. Es gehört in die Vergangenheit. Ich war ein dummer kleiner Junge, der sich verknallt hatte.«

»Mann«, sage ich und presse die Zähne zusammen. »Das ist eine ganz schöne Gemeinheit.«

»Ich meine es nicht so. Ich will, dass du verstehst, es ist in Ordnung. Die Vergangenheit ist vorbei. Ich gehöre jetzt zu Gina. Ich bin in Gina verliebt.«

»Sie ist zwölf.«

»Sag so etwas nicht«, sagt Jonas. »Das ist unter deiner Würde.«

»Sie mag nicht mal Fisch.«

338

Als es rabenschwarze Nacht ist und alle sich eng um das wärmende Feuer versammelt haben, ziehe ich mich ins Dunkle zurück. Ich muss pinkeln. Am Dünenrand ziehe ich mir die Jeans runter und hocke mich hin. Ich mache ein kleines Loch unter mir. Der Strahl versickert im Sand. Anna findet, in der Hocke am Strand zu pinkeln ist noch besser als im Stehen unter der Dusche. Ich ziehe mir die Jeans hoch, mache zwei Schritte zur Seite und setze mich wieder. Es ist so dunkel, dass ich kaum die Hand vor Augen sehen kann. Mondlose Dunkelheit. Jonas und Gina sitzen eng umschlungen auf der anderen Seite des Lagerfeuers. Ihre Gesichter werden vom Goldorange der Flammen angeleuchtet. Sein Blick wandert umher, und ich weiß, dass er mich sucht. Er ist im Begriff aufzustehen, setzt sich dann aber wieder. Ich sehe, wie sein Blick in die rote Glut versunken ist und seine Stirn sich runzelt. Ein Gedanke treibt ihn um, und ich weiß, dass er an mich denkt. Das ist der Mann, der mich gerettet hat. Den ich verletzt habe. Dessen Vertrauen ich jetzt verspielt habe. Ich nehme mir fest vor, alles zu tun, wirklich alles, dass es zwischen uns wieder gut wird.

Über der höchsten Düne erscheint ein Stern. Er leuchtet zuerst schwach, dann immer kräftiger, bis er wie ein funkelnder Juwel am Himmel steht. Aber ich weiß, dass ich den Tod sehe. Ein Verlöschen, ein leises Verhauchen. Eine vergehende Schönheit. Eine verzweifelte Flamme, riesig und verschwindend, die um ihren letzten Atemzug kämpft.

27

1996. Dezember, New York.

Es wird viel zu schnell hell. Ich liege nackt auf der Bettdecke, gucke aus dem Fenster unserer Wohnung im East Village und höre das Rauschen und Zischen des Heizkörpers. Für später ist schwerer Schneefall vorausgesagt, und der Himmel wirkt atemlos, farblos wie Trockeneis, als machte die Luft eine Pause. Heute ist der Tag meiner Hochzeit. Peter hat seinen letzten Abend als Junggeselle im Carlyle Hotel auf der Madison Avenue zugebracht, zusammen mit seinem Trauzeugen, einem vornehmen Freund aus Oxford, der mich immer mit einem gewissen Argwohn betrachtet hat, als wäre ich, einfach weil ich Amerikanerin bin, nur auf sein Geld aus.

Anna schläft im Wohnzimmer. Ich höre ihr leises Schnarchen. Sie muss auf dem Rücken liegend eingeschlafen sein. Am Abend zuvor haben wir uns die alten Flanellnachthemden von Lanz in Salzburg angezogen, die Granny Myrtle uns jedes Jahr zu Weihnachten geschenkt hat, bis wir zu alt waren, um ihre altmodische Behaglichkeit zu würdigen, haben Tequila getrunken und bis spät in die Nacht geredet, mit dem Ergebnis, dass ich den ganzen Tag dunkle Ringe unter den Augen haben werde. Anna ist meine Brautjungfer. Anna und Jeremy wohnen bei Mum. Mum behandelt Jeremy auf ihre typische Art schlecht, und darüber freue ich mich. Jeremy verhindert es praktisch, dass Anna und ich Zeit miteinander verbringen können. Er verlangt, dass sie jeden Morgen nach dem Frühstück eine Stunde lang Yoga mit ihm macht, und er wollte mit zur Anprobe kommen. Am Mittwoch, als Anna und ich vorhatten, zum Lunch in den Russischen Teesalon zu gehen, überraschte er sie mit Matineekarten für *Cats* im Winter Garden Atrium, obwohl Anna Musicals verabscheut und *Cats* seit 1982 läuft. »Es ist unerfreulich«, sagte Mum, als ich sie anrief und mich beschwerte. »Aber das interessiert die Leute aus Kalifornien, wenn sie nach New York kommen. Aus mir unerfindlichen Gründen glauben sie, dass sie Kultur erleben, wenn sie Schauspieler in Katzenkostümen auf der Bühne singen und tanzen sehen.«

Mein cremefarbenes Hochzeitskleid aus Samt und Seide hängt noch in der Hülle von der Reinigung an der Schranktür. Es ist figurbetont, bodenlang mit einer Schleppe und hat einen Ausschnitt, der ein bisschen zu viel enthüllt. Auf dem Boden daneben stehen die Satinpumps für dreihundert Dollar, auf die Anna bestanden hat. Solche Schuhe trägt man nur einmal, obwohl man sich fest vornimmt, sie nach der Hochzeit schwarz färben zu lassen, aber dazu kommt es nie. Stattdessen stauben sie langsam ein, verlieren ihren Glanz, werden grau und fristen ganz hinten im Kleiderschrank ihr Dasein.

Dixon, elegant im Cutaway, führt mich zum Altar. Mein Vater steht immer noch auf meiner Abschussliste, obwohl er auf Beharren meiner Mutter gekommen ist und neben Jeremy auf der Familienbank sitzt. Ich habe mich geweigert, die Zicke Mary einzuladen. Als ich zum Altar und auf mein neues Leben zugehe, lächle ich bei dem Gedanken, wie grausam sie sich an meinem Vater dafür rächen wird, dass er eingewilligt hat, ohne sie zu meiner Hochzeit zu gehen. Peter steht am Altar und lächelt mir über die gesamte Länge des Kirchenschiffs mit glücklicher, stolzer Miene zu. Ich weiß nicht, ob er mich lieben würde, wenn er all die niedrigen und boshaften Gedanken in meinem Kopf sähe und wenn er von den schlimmen Dingen wüsste, die ich getan habe. Die Kirche ist mit Lilien und hundertblättrigen Rosen geschmückt, die einen Duft wie in der Parfümabteilung von Bloomingdale's verströmen. Plötzlich sehe ich Anna vor mir, die mich, damals war ich noch klein, an der Hand hält und mit mir die Rolltreppe nach oben fährt. Sie hat mit mir neue Sportschuhe anprobiert, während unsere Mutter Weihnachtsgeschenke eingekauft hat. Wir finden Mum in der Abteilung für Accessoires, wo sie rote Lederhandschuhe mit schwarzem Kaschmirfutter anprobiert.

»Sehen die nicht elegant aus?«, fragt sie und legt die Handschuhe wieder auf den Tisch. Als wir später auf die Subway warten, sehe ich in ihrer Manteltasche etwas Rotes blitzen. Am Weihnachtsmorgen zieht sie die grüne Satinschleife um einen schmalen Karton auf. Darin liegen die roten Handschuhe. »Von eurem Vater«, sagte sie. »Wie konnte er das wissen?«

Der Organist spielt den Kanon vom Pachelbel, den ich möglicherweise von allen Stücken, die ich kenne, am allerwenigsten mag. Peter hat sich das Stück gewünscht. Als ich einwandte, es sei so gewöhnlich, lachte er und sagte, bei ihnen sei das eine Familientradition und ich klinge wie meine Mutter, und darauf blieb mir nichts übrig, als nachzugeben. Während ich jetzt zu diesen Klängen den Mittelgang hinuntergehe, ärgere ich mich.

Peters Mutter sitzt auf der englischen Seite, zusammen mit lauter Frauen, die hässliche, mit Schleiern und Federn geschmückte Hüte tragen, sich eng an ihre Männer drücken und die Lippen angesichts meines figurbetonten Kleids missbilligend zusammenpressen. Bei meinem Gang zum Altar bleiben ausgestreute Rosenblätter an meiner Schleppe hängen. Ich lasse den Blick über die Bänke wandern und suche nach Jonas. Ich hoffe, er ist nicht da. Ich habe seine ganze Familie eingeladen. Unterdessen schneit es so heftig, dass es in der Kirche dämmrig geworden ist, das Licht von einem kalten, holländischen Grau. Ich richte den Blick nach vorn, wo Peter steht, so attraktiv in seinem altmodischen, langgliedrigen Selbstvertrauen. Ich liebe ihn, alles an ihm. Wie die Ränder seiner Ohren rot werden, wenn er erregt ist. Seine langen Schritte. Dass er mich hält und mir das Gefühl von Geborgenheit gibt. Seine langen, eleganten Hände. Dass er Bettlern Geld gibt und sie dabei direkt und respektvoll ansieht. Dass er mich erkennt, wenn er mich ansieht. Peters Trauzeuge steht zu nah neben Peter, aber er hat recht, seinen Freund vor mir beschützen zu wollen, denke ich, als ich Peters Hand nehme.

Es muss schon spät sein. Vor dem Fenster ist der Himmel pechrabenschwarz. Es hat aufgehört zu schneien. Peter steht unter der Dusche. Das weiß ich, weil ich in meinem Hotelbett im Plaza, in dem ich offenkundig gerade wach geworden bin, das Wasser rauschen höre. Ich habe noch mein Hochzeitskleid an. Meine Füße ragen in Seidenpumps unter der Decke hervor, als wäre ein Haus auf mich gefallen. Ich habe keine Ahnung, wie ich hierhergekommen bin. Ich schließe die Augen und versuche, mich an unsere Hochzeitsfeier zu erinnern. Ein verschwommenes Bild bunter Hüte. Silbertabletts mit Austern auf gestampftem Eis. Peters Mutter in einem pflaumenroten Chanelkostüm, im Gespräch mit Jonas' Mutter. Ein Kellner im Abendanzug, der mir ein Kristallglas mit Champagner reicht. Ich leere es in einem Zug und nehme gleich ein zweites. *Earth, Wind & Fire*. Anna und ich bei einem langsamen Tanz, wir trinken Champagner direkt aus der Flasche. Und beobachten unseren Vater, der vor den Toasts den Saal durch die Hintertür verlässt. »Einmal Versager, immer Versager«, sagt Anna.

»Peter?«, rufe ich.

»Sekunde«, ruft er zurück.

Er kommt in einer Dampfwolke herein, ein flauschiges Hotelhandtuch um die Hüften geschlungen.

»Der verschwendungssüchtige Trinker kommt zurück.«

Er wirft sich auf mich und küsst mich. »Hi, Weib.« Er beschnüffelt mich. »Du riechst nach Kinderkotze. Wollen wir die Schuhe ausziehen? Wo es draufgespritzt ist?«

»Oh nein.«

Er streckt die Hand nach unten aus, zieht mir die Schuhe nacheinander von den Füßen und wirft sie in den Papierkorb. »Die ziehst du sowieso nie wieder an. Mit weißen Satinabsätzen? Damit siehst du aus wie eine Prostituierte von Charing Cross.«

»Habe ich mich auf der Feier übergeben? Vor allen Gästen?«

»Nein, nein. Nur vor den Hotelangestellten und dem Limo-Fahrer. Drei Liftboys mussten dich zum Aufzug tragen.«

»Sie haben mich getragen?«

»Ich habe gesagt, du bist das Gepäck.«

»Ich brauche einen Cheeseburger«, stöhne ich.

»Alles für meine schöne sturzbetrunkene Braut.« Peter streicht mir das Haar aus der Stirn.

»Das kommt vom Champagner. Ich vertrage ihn nicht. Den Zucker. Es tut mir leid.«

»Du brauchst dich nicht zu entschuldigen. Dass du meinem Vater dein Strumpfband zugeworfen hast, war der Höhepunkt des Abends.«

»Ich bring mich um.«

»Das und dass ich die Frau meiner Träume geheiratet habe.«

Ich lege ihm die Arme um den Hals und blicke ihm in die Augen.

»Ich muss mir die Zähne putzen.«

Als ich viel später wieder aufwache, schwebt ein Traum noch in meiner Erinnerung. Ich sitze auf einer Wolke und reite durch den Himmel. Unter mir das blitzblaue Meer, endlos. Eine Schule von Walen schwimmt nach Norden, sie nehmen keinerlei Notiz von den kleineren Meerestieren, die hinter ihnen schwimmen. Ein weißes Segel kommt ins Bild, auf dem kabbeligen Wasser zieht es rasch dahin. Im Boot sitzen zwei Kinder. Hinter ihnen taucht ein gigantischer Pottwal in die Tiefe. Ich bin jetzt unter Wasser. Ich sehe, wie der Wal auf den dreieckigen Schatten zu schwimmt, den das Boot wirft, und es umstoßen will. Ein Haus treibt vorüber. Rote Bänder flattern aus der zerborstenen Fliegengittertür heraus.

Auf dem Nachttisch steht das Frühstück vom Zimmerdienst. Peter liegt neben mir in tiefem Schlaf, am Mund hat er eine Spur Ketchup. Die meisten Pommes frites sind weg. Ich bin verheiratet.

1997. Februar, Back Woods.

Zwei Monate nach den Flitterwochen ruft Anna mich an. Zunächst bin ich mir nicht sicher, dass sie es ist, sie weint so sehr, dass ich nicht verstehen kann, was sie sagt. Anna weint sonst nie.

»Beruhige dich«, sage ich. »Ich kann dich nicht verstehen.«

Ich höre sie eine Weile schluchzen, dann legt sie auf. Ich wähle ihre Nummer, aber es klingelt und klingelt, dann springt der Anrufbeantworter an. Ich rufe Jeremy in seinem Büro an.

»Es geht ihr gut«, sagt er munter. »Sie arbeitet viel an sich.«

Mein Magen verkrampft sich voller Widerwillen. »Das ist ja toll.« Ich zwinge mich, meine Verachtung aus der Stimme herauszuhalten. »Sie klang ziemlich aufgewühlt gerade am Telefon.«

»Sie hatte heute Gruppentherapie. Da ist sicherlich einiges hochgekommen.«

»Kannst du ihr sagen, wenn du nach Hause kommst, dass sie mich anrufen soll, bitte?« Ich kann ihn nicht ausstehen.

»Und, wie läuft es bei euch?«, sagt er und reagiert nicht auf meine Aufforderung aufzuhängen.

»Bestens. Sehr gut.«

»Bei eurer Hochzeit hast du dich ja gut amüsiert.« Er lacht.

»Sag ihr, sie soll mich anrufen«, sage ich.

Der Highway ist leer, ausgestorben, ein schwarzer Streifen, mit Salz bestreut, für den Fall, dass es Blitzeis gibt. Die sandigen Ränder der Fahrbahn sind hart und flach. Ein paar Kiefern ragen schwarz empor, aber die meisten Bäume sind kahl, die letzten Blätter braun und brüchig, die nächste eisige Bö wird sie abreißen. Es ist noch nicht drei Uhr nachmittags, aber die Dämmerung bricht schon herein. Anna hat kein Wort gesprochen, seit ich sie mit dem Mietwagen am Logan Airport abgeholt habe. Sie sieht dünn aus, ausgemergelt, die Augen gerötet. Anna ist zäh. Ein Fels. Scharfzüngig und lustig. Ein Wesen aus *Black Lagoon.* Das hier ist nicht meine Schwester. Ich höre das Geräusch von Reifen auf nasser Fahrbahn, sehe das sprühende Salz. Ich stelle das Radio an. Nur AM. Winter am Cape, das ist nichts für mich.

Alle Häuser, an denen wir vorbeikommen, sind winterfest verschlossen. Nirgends ein Zeichen von Leben. Kurz hinter der Abzweigung zu Dixons Haus läuft ein Fuchs quer über die Straße, der ein kleines Tier im Maul hat. Im Licht unserer Scheinwerfer bleibt er stehen, den Blick in unsere Richtung gewandt, dann läuft er weiter.

Der See ist dick zugefroren. Raureif bedeckt das leblose Gebüsch, ein paar rote Beeren leuchten an einem dürren Silberzweig. Unser Sommerquartier liegt bloß, all seine Mängel treten offen zutage. Ich halte bei der hinteren Tür an und schalte den Motor ab. Einen Moment lang bleiben wir in der Stille, der Wärme, der hereinkommenden Dunkelheit sitzen. Anna hat den Kopf ans Seitenfenster gelegt.

»Bleib im Auto sitzen. Ich mache die Heizung an.«

Die Hintertür ist mit einem Vorhängeschloss gesichert. Ich gehe seitlich am Haus entlang, stapfe durch totes Laub und strecke mich nach einer bestimmten Stelle unter den Dachbalken. Selbst nach all den Jahren bin ich jedes Mal erstaunt und zugleich erleichtert, wenn meine Finger den einzelnen Schlüssel finden, der dort an einem rostigen Nagel hängt. Derselbe Schlüssel, dasselbe Vorhängeschloss seit unserer Kindheit.

»Ich hab ihn«, rufe ich Anna zu. Ich schließe die Tür auf, stolpere über die Schwelle in die dunkle Vorratskammer und taste mich vorsichtig zum Schaltkasten an der hinteren Wand vor. Meine Finger befühlen die Sicherungsschalter, bis sie den größten finden. Den Hauptschalter. Man muss ein bisschen Kraft aufwenden, wenn man ihn umschalten will. Ein Besenstiel hält die Kühlschranktür offen, um Schimmel vorzubeugen. Das Licht schaltet sich an, als der Kühlschrank anspringt. Das Wohnzimmer ist ausgefegt, es ist völlig farblos, die Sofapolster sind in großen schwarzen Müllsäcken verstaut. Im Haus scheint es kälter zu sein als draußen. Es ist, als ginge man in einen begehbaren Tiefkühlschrank hinein, der angefüllt ist mit kalter, abgestandener Luft. Das Wasser ist abgestellt, damit die Rohre nicht einfrieren. Ich muss warten, bis das Haus warm geworden ist, erst dann kann ich das Gefrierschutzmittel ausspülen und das warme Wasser anstellen. Für den Abend holen wir Eis vom See.

Ich gehe im Zimmer herum und schalte die Lampen an. In den ungeheizten Schlafhütten ist es zu kalt zum Schlafen, aber wir können im Haus ein Feuer machen und auf den Sofas schlafen. Unter dem Esstisch stehen zwei Elektroheizgeräte. Ich stöpsele sie in die Steckdosen. Wie bei einem altmodischen Toaster werden ihre Heizdrähte orangerot und verbreiten im Zimmer den Geruch von verschmortem Staub. Ich sorge mich, dass das Haus abbrennen könnte, während wir schlafen. Neben dem Kamin liegen Holz und Anmachholz, daneben alte Zeitungen, die *New York Times* und ein paar Exemplare des *Boston Globe*. Jemand, wahrscheinlich Peter, hat im Kamin das Feuer für den nächsten Sommer vorbereitet. Ich nehme die Schachtel mit dem Anzünder vom Kaminsims, knie mich hin und zünde das zerknüllte Zeitungspapier und das Anmachholz an. Die Flammen zischen und knistern und greifen über. Ich höre hinter mir, dass Anna hereingekommen ist.

»Wir sollten Schlittschuh laufen«, sagt sie.

»Ich mache eine Dose Suppe auf. Vielleicht sind auch Sardinen da.« Ich nehme Federkissen, Wolldecken und eiskalte Laken aus dem alten Überseekoffer.

Wir schlafen beim Feuerschein ein, hin und wieder kracht ein Holzscheit in die Glut. Draußen im Wintermondschein ist die Welt kalt und abweisend, ein nacktes Echo dessen, was mir der teuerste Ort ist und Anfang und Ende allen Lebens bedeutet. Doch während ich neben meiner gepeinigten, mich verwirrenden Schwester liege, ihre Hand in Reichweite, und den Geruch von Holzfeuer und Schimmel und Wintermeer einatme, erspüre ich langsam den Herzschlag des Hauses. Was Anna so verstört hat, weiß ich nicht, aber ich weiß, dass es sie hierher zurückgeführt hat. Wie eine Brieftaube, die allein ihrer Intuition folgt, die den Wind in den Bergen zweihundert Meilen entfernt vernimmt und sich zu ihm auf den Weg macht.

Am Morgen wache ich von dem grauen Licht auf, das durch die Verandafenster hereinscheint. Über Nacht ist das Feuer ausgegangen, und schon jetzt kann ich meinen Atem sehen. Ich ziehe mir unter der Decke die Socken an, hebe meine Daunenjacke vom Boden auf und ziehe sie mir über das Nachthemd. Unter der Asche ist noch Glut. Ich schüre sie und lege Holz darauf, möglichst leise, um Anna nicht zu wecken, dann nehme ich eine Kanne und gehe zum See. Ich brauche einen Kaffee. In der Vorratskammer finde ich bestimmt eine ungeöffnete Packung Medaglia d'Oro. Meine Mutter achtet darauf, dass bestimmte Dinge immer da sind: Kaffee, Olivenöl, Salz. Der See ist fest zugefroren, das Eis gute zehn Zentimeter dick, mit Zweigen und Blättern darin, in der Bewegung eingefangen, wie Fossilien. Aber wo das Eis das Ufer berührt, ist es dünn und brüchig. Ich zerstoße die Oberfläche mit einem Stock, schöpfe mit Händen Wasser heraus und trinke es, bevor ich die Kanne fülle.

Der Kaffeegeruch weckt Anna.

»Ah, gut«, sagt sie und gähnt.

»Sie spricht.«

Anna reckt den Kopf wie ein Spatz im Winter. Dann, bei der Erinnerung an ihren Kummer, fällt ein Schatten über ihr Gesicht.

»Erzähl's mir.« Ich bringe ihr einen Becher schwarzen Kaffee. »Es gibt Zucker, aber keine Milch.« Ich setze mich neben sie auf die Sofakante. »Mach mal Platz.«

Sie rückt zur Seite, sodass eine kleine Mulde neben ihrer Hüfte entsteht. »Ich möchte gern zum Strand gehen, solange die Sonne da ist.«

»In der Truhe liegen bestimmt Pullover«, sage ich.

Sie richtet sich auf und stopft sich ein Kissen in den Rücken. »Ich war letzte Woche beim Gynäkologen, weil meine Periode ausgeblieben war.«

»Und?«

»Ich war überzeugt, dass ich schwanger war.«

»Letzte Woche haben wir gesprochen. Da hast du nichts gesagt.«

»Ich hatte Angst, wenn ich etwas sage, würde es wieder zu einem Abgang kommen. Ich habe mir eingeredet, beim dritten Mal geht es gut.« Sie trinkt einen Schluck Kaffee und verzieht das Gesicht. »Wir hätten unterwegs Milch kaufen sollen. Also, ich bin nicht schwanger.«

»Anna. Scheiße. Das ist gemein. Es tut mir so leid.«

Sie stellt den Kaffeebecher auf die Fensterbank und betrachtet ihre Hände, sie dreht die Handflächen nach außen und mustert sie intensiv. Mit dem Finger fährt sie über die obere Linie. »Erinnerst du dich, als wir über Lebenslinien gesprochen haben?«

Ich nicke. »Und Liebeslinien?«

Anna lacht. »Meine hatten lauter kleine Abzweigungen, wie Federn. Lindsay hat sie meine Hurenlinien genannt.«

»Was ist eigentlich aus Lindsay geworden?«, frage ich.

»Ich werde nie ein Kind bekommen«, sagt Anna.

»Natürlich, warum nicht? Du bist erst dreiunddreißig. Du musst es einfach wieder versuchen. Am Ende hast du vier kleine Racker, die alle aussehen wie Jeremy.«

Sie schüttelt den Kopf. »Dass meine Periode ausgeblieben ist, lag an dem großen O.«

»Warum bleibt deine Periode davon aus?«

»Ovarialkarzinom.«

»Das ›große O‹ bedeutet Orgasmus, du Dumme.« Die Worte sind aus meinem Mund, bevor ich begriffen habe, was sie gesagt hat. Der Atem im Raum bleibt stehen, Staubkörnchen erstarren, Sonnenstrahlen verharren an der Fensterscheibe, reglos. In mir ist eine tonnenschwere Stille.

Ich schüttle den Kopf. »Das kann nicht sein.«

»Elle.«

»Woher wissen sie, dass es nicht nur Zysten sind?«

»Es ist das vierte Stadium. Er hat gestreut.«

»Hast du einen zweiten Arzt konsultiert, denn wenn nicht, solltest du das umgehend tun.«

»Elle, sei still und lass mich reden. Ich meine es ernst. Sei einfach still, ja? Sie haben Punkte auf meiner Leber entdeckt. Nächste Woche machen sie eine Biopsie, und mein Arzt hat gesagt, ich soll mich auf schlechte Nachrichten einstellen.«

»Das ist doch nur eine Möglichkeit. Genauso gut könnte es operierbar sein. Das wissen sie doch noch nicht. Dann kriegst du Chemotherapie und Bestrahlung. Wir finden den besten Arzt in New York. Du kommst da durch, bestimmt.«

»Gut«, sagt Anna. »Wenn du meinst.«

»Ja.«

»Na, dann müssen wir uns ja keine Sorgen machen. Lass uns zum Strand gehen.« Sie wirft ihre Decken zurück und stupst mich in die Hüfte. »Mach Platz, ich will aufstehen.«

»Ich weiß, dass dir Zuneigungsbezeigungen widerstreben, aber ich will dich ganz doll umarmen, damit musst du jetzt einfach fertigwerden.«

Ich lege meine Arme um sie und drücke sie an mich. »Ich hab dich lieb, Anna. Es wird alles gut. Versprochen.«

»Ich habe dich auch lieb«, sagt sie. »Ich weiß gar nicht, warum ich dich so abscheulich fand, als wir klein waren.«

»Ich war schwierig.«

»Und ich war ständig wütend.«

»Und Furcht einflößend. Eigentlich bist du das immer noch.« Ich lache.

»Weißt du noch damals, als Conrad mir in die Magengrube geschlagen hat?«, fragt Anna.

»Ja.«

»Leo hat ihm Stubenarrest gegeben, und Conrad hat sich auf den Boden geworfen und geweint. Mir geht das immer noch nach.«

»Warum? Er hatte dich geschlagen.«

»Aber ich hatte ihn aufgestachelt. Ich wollte, dass er Schwierigkeiten kriegt.« Sie guckt durch das große Fenster zum See. Die Sonnenstrahlen treffen in einem Winkel auf das Eis, dass es wie Kristalle blitzt und kleine Funken wirft. »Ich war richtig gemein zu ihm«, sagt Anna.

»Du warst zu allen gemein.«

»Nachdem Leo ihn in seine Schlafhütte geschickt hatte, habe ich mich im Badezimmer eingeschlossen und geweint. Ich weiß gar nicht, warum.«

Sie steht auf, geht zum Herd, nimmt die Wasserkanne und gießt Wasser in den Kessel. »In der Kammer habe ich Pfefferminztee gesehen«, sagt sie.

»Ich hole ihn«, sage ich.

»Merkwürdig, woran wir uns erinnern. Wahrscheinlich habe ich Hunderte von Sachen gemacht, die schlimmer waren, aber als mir der Arzt das mit dem Krebs sagte, fiel mir die Geschichte mit Conrad ein. Dass ich so hässlich zu ihm war. Und im Sommer darauf ist er gestorben.«

»Es war zwei Jahre später«, sage ich. »Als du in einem Kibbuz in Santa Cruz warst.«

»Warum habe ich das gemacht? Ein Kibbuz? Ich muss auf Droge gewesen sein.« Sie lacht, und einen Augenblick ist sie die alte Anna. »Ich denke immer wieder, wenn ich netter gewesen wäre, würde das jetzt nicht passieren. Wenn es jetzt wirklich ein Karma gibt? Ich könnte als Tausendfüßler zurückkommen. Oder als Blutgerinnsel.«

»Es ist nicht deine Schuld«, sage ich. »Und es gibt kein Karma.«

»Das weißt du nicht.«

Doch, ich weiß es. Denn wenn es ein Karma gäbe, dann wäre ich diejenige mit dem Krebs, nicht Anna. Ich atme tief ein, ich weiß jetzt, was ich tun muss. Über all die Jahre habe ich mein Versprechen an Jonas gehalten. Aber Anna muss verstehen, dass es nicht ihre Schuld ist. »Weißt du noch, wie Leo durch die Wohnung gerannt ist und gebrüllt hat. *Warum?* Wie er Dinge zerschlagen und Mum angeschrien hat?«

Anna nickt.

»Er hat sich selbst die Schuld für Conrads Tod gegeben. Aber es hatte nichts mit ihm zu tun. Es war meine Schuld.«

Ich atme tief ein. »An dem Tag, als Conrad starb, auf dem Boot ...«

»Ich möchte nicht tot sein, Elle«, fährt Anna dazwischen. »Ich will nicht nichts sein ... keine Bäume mehr, du nicht mehr, nur noch Fleisch, das verwest. Weißt du noch, Mum? Und die Würmer?« Halb lacht sie, halb weint sie.

»So wird es nicht sein«, sage ich. »Ich werde es nicht zulassen.«

»Armer Conrad«, sagt sie, und ihre Stimme ist nicht mehr als ein Flüstern. »Ich war nicht einmal traurig.«

28

1998. Mai, New York.

Die Tischplatte in der Küche meiner Mutter war früher eine Scheunentür, deren Kanten von den Familienessen über Jahrzehnte glatt gerieben wurden. Das Schlüsselloch ist noch da, und in den vielen stecknadelkopfgroßen Bohrlöchern der Holzwürmer haben sich Essensreste angesammelt, die sich im Laufe der Jahre zu der Konsistenz von Ohrwachs verdichtet haben. Als Kind habe ich gern mit einer Gabel in diesen Löchern herumgestochen und die Reste herausgepult, sodass sie wie Termitendreck in kleinen Häufchen überall auf der Tischfläche lagen. Jetzt sitze ich an dem Tisch und stochere mit meinem Kugelschreiber in einem dieser Löcher herum. Peter müsste eigentlich längst hier sein. Es ist der Geburtstag meiner Mutter, und wir wollen mit ihr essen gehen. Der Tisch ist für acht Uhr reserviert. Am Telefon in der Küche wähle ich die Zeitansage. »Beim nächsten Ton ist es sieben Uhr fünfundzwanzig Minuten und fünfzig Sekunden. Beim nächsten Ton ist es sieben Uhr und sechsundzwanzig Minuten.« Das neue Kätzchen spaziert in die Küche. Orangefarbenes Fell, weiße Pfoten, gelbe Augen. Es guckt zu mir hinauf und will meine Aufmerksamkeit. Ich hebe es auf den Tisch, wo es die Termitenhügel aufleckt. Ich höre ein Krachen in der Wohnung. Ich schiebe den Stuhl zurück und gehe in den Flur.

Mum steht auf der Trittleiter und bringt die Bücher in alphabetische Ordnung. »Ah, gut«, sagt sie. »Du kannst mir mal bei den Gedichten helfen.« Sie nimmt einen Stapel Bücher vom Bord und gibt ihn mir.

»Peter verspätet sich.« Ich setze mich auf den Fußboden und ordne die Bücher. »Gehört Primo Levi in Dichtung?«

»Ich bin mir nicht sicher. Stell ihn erst mal zur Philosophie.« Ich nehme *Gesammelte Gedichte von Dwight Burke* vom Stapel und schlage das Buch auf. Eine Widmung in blauer Tinte steht auf dem Vorsatz: »Für Arthurs Töchter, die süßer sind als Ysander. Möge ihr Leben mit Dichtung gewürzt sein. In Liebe, Dwight.«

»Das gehört mir.«

Mum wirft einen Blick von der Leiter herunter auf das Buch. »Ich glaube, es gehört euch beiden.«

»Das stimmt. Ich schicke es ihr.«

»Ich würde es hierlassen. Wahrscheinlich ist es ein Vermögen wert, immerhin eine handsignierte Erstausgabe von Burke. Jeremy würde nur darauf bestehen, dass sie es verkauft.«

Hinten auf dem Buch ist ein Schwarz-Weiß-Foto von Dwight mit Sommerjackett und gepunkteter Fliege. Sein Gesicht hat den freundlichen Ausdruck, an den ich mich aus meiner Kindheit erinnere, ein netter Nachkomme weißer angelsächsischer Siedler.

»Er war ein freundlicher Mann«, sage ich.

»Was für eine Tragödie, sein Tod«, sagt Mum.

»Er hat immer Lederslipper getragen, mit Zehncentstücken darin. Ich muss an Nancy schreiben.«

»Dein Vater war der Ansicht, Dwight sei homosexuell.«

Nachdem Dwight Burke ertrunken war, ging jahrelang das Gerücht um, er habe sich umgebracht und mit Carter Ashe ein Verhältnis gehabt, dem Mann, dem er an jenem Frühlingstag ein Buch zurückbringen wollte, als mein Vater und ich kamen, um die Kartons meines Vaters abzuholen. Und dass Burke, ein frommer Katholik, von Schuld und Scham zermartert gewesen

sei. Mein Vater war überzeugt, dass an den Gerüchten nichts
dran war. Burkes Kleidung war am Ufer gefunden worden, ordentlich gefaltet und auf einen Stapel gelegt, alles außer den
Boxershorts, die er anhatte, als er aus dem Wasser geborgen
wurde. »Wenn er sich umbringen wollte, warum hat er dann
die Boxershorts anbehalten? Dwight hätte die Welt so verlassen
wollen, wie er in sie hineingekommen war. Er war Dichter. Er
liebte die Symmetrie.«

»Nach Autor oder Thema?«, sagt Mum. Sie hält ein Buch
über Gandhi in der Hand. Sie ist jetzt bei den Biografien.

»Nach Thema. Interessiert doch keinen, wer es geschrieben
hat.« Ich schlage den Gedichtband in meiner Hand auf. Die
Gedichte sind lebendig, merkwürdig, voller summender Insekten und sanfter Gräser. Ich blättere in dem Buch, dann bleibe
ich an einem Gedicht hängen:

Auf der Hügelkuppe zwei Hengste,
die Rücken schwarz vor dem goldenen Himmel,
sie grasen im tanggrünen Klee
und suchen nach Eicheln.
Wir liegen zusammen unter dem blühenden Hagedorn,
dein weißer Kragen ist abgeknöpft.

Einst hörte ich das Rauschen
von Wind unter Wasser, ich atmete das Meer ein
und lebte weiter.

Ich hoffe, mein Vater hat recht und Dwights Ertrinken war ein
Unfall. Ich hoffe, dass Dwight an dem Morgen das Haus seines
Geliebten verlassen hat, um im kühlen Wasser des Flusses zu
schwimmen, dass er eine Weile am Ufer des Hudson lag und
dem vorbeifließenden Wasser zuhörte, dass er den Duft der
Krokusblüten und den säuerlich-herben Geruch der Finger-

hirse einatmete. Dass er sich dann bis auf die Unterhose auszog und in die starke Strömung des Flusses ging, sich treiben ließ und den Wolken und Vögeln zusah, wie sie über den frischblauen Himmel zogen. Als er sich umdrehte und zurückschwimmen wollte, war die Landschaft verändert. Er trieb an unbekannten Ufern vorbei und wurde von einer Strömung gezogen, gegen die er nicht ankam.

Es klingelt zweimal an der Tür.

»Ist jemand zu Hause?«, ruft Peter.

»Wir sind hinten im Flur«, ruft Mum. »Pass auf die Katze auf, sie versucht immer, durch die Wohnungstür zu entkommen.«

Peter hat einen riesigen Strauß Blumen dabei, Lilien und Gartenrosen, eingepackt in braunes Papier.

»Herzlichen Glückwunsch, Wallace«, sagt er und überreicht ihr die Blumen. Er lässt seinen Blick über die Bücherstapel auf dem Fußboden und über meine Mutter auf der Trittleiter wandern. »Ein festlicher Anblick.«

»Ich bin zu alt für Geburtstage. Ich zieh mir schnell eine andere Bluse an, dann können wir gehen.« Sie gibt mir die Blumen. »Stellst du die bitte ins Wasser?«

In unserem Teil der Straße sind die meisten Laternen kaputt, absichtlich zerstört von Drogensüchtigen, die lieber im Halbdunkel leben. Peter und ich gehen mitten auf der Fahrbahn der East 10th Street, Arm in Arm, damit wir ein größeres, weniger leicht zu überwältigendes Ziel darstellen. Die meisten Wohnungen im Erdgeschoss haben Schilder mit der Aufschrift »Vorsicht vor dem Hund« im Fenster, obwohl wir nur selten Menschen mit Hunden auf der Straße sehen.

»Deine Mutter war heute Abend aber in Topform«, sagt Peter. »Sie hat richtig gestrahlt, als wir sie ins Taxi gesetzt haben.«

»Sie mag es, wenn sie verwöhnt wird. Sie tut so, als wäre es ihr lästig, aber wenn man sie in ein teures Restaurant ausführt und die Rechnung bezahlt, dann ist sie wie ein Schulkind, das von Daddy eine neue Puppe bekommt. Außerdem verehrt sie dich. Du gibst ihr das Gefühl, jung zu sein.«

»Und du?«

»Ich bin jung.«

»Verehrst du mich?«

»Die meiste Zeit. Manchmal gehst du mir einfach auf die Nerven.«

Er zieht mich an sich und atmet meinen Geruch ein. »Du riechst gut. Nach Zitrone.«

»Wahrscheinlich von dem Stück Zitrone, das sie mir zu dem Fisch gegeben haben.«

Als wir die Tür aufmachen, hat die Luft in der Wohnung etwas Aufgeladenes, wie ein statisches Knistern. Ein metallisches Element in ihren Molekülen. Das Telefon klingelt unablässig, der Anrufbeantworter springt nicht an. Auf dem Bücherregal daneben ist eine Vase mit Tulpen umgefallen, das Wasser tropft auf den Boden.

»Wahrscheinlich ist die dumme Katze wieder auf den Anrufbeantworter getreten. Eines Tages bringe ich sie um.« Ich werfe meinen Mantel auf den Tisch und stürze ins Schlafzimmer.

In unserem Schlafzimmer gibt es zwei Fenster, eins auf der rechten Seite über dem Bett und das andere, das zur Feuerleiter hinausgeht und mit einem Metallgitter gesichert ist. Es kann nur von innen geöffnet werden, für den Fall, dass wir aus der Wohnung fliehen müssten. Das Fenster über unserem Bett liegt jetzt auf dem Bett. Darüber ist eine große Öffnung, der Rand voller Holzsplitter. Auf der Fensterbank hockt ein Mann. Er grinst mich aus glasigen Augen an, offenbar merkt er gar nicht, dass es vor ihm zwölf Meter in die Tiefe geht. Sein langes verfilztes Haar ist vor lauter Schmutz zu einem Gespinst erstarrt, in dem Spinnen nisten und ihre Eier auf der feuchten Kopfhaut wärmen könnten. Dem Mann ist es anscheinend gelungen, von der Feuerleiter aus, über dem Abgrund schwebend, um die Ecke zur anderen Hausseite zu gelangen, wo er das Fenster samt Rahmen ausgehoben hat. Auf der Feuerleiter, vor dem entriegelten Metallgitter, sehe ich unseren Fernseher und das Videogerät sowie das Kabelknäuel des Anrufbeantworters.

Der Mann folgt meinem Blick und sieht mich mit schräg gelegtem Kopf an, als überlegte er, ob er gehen oder bleiben solle. Er fährt sich mit der rosa Zunge über die Lippen und lächelt. Ich rufe nach Peter, aber es kommt nur ein Flüstern heraus. Mit einem lüsternen Ausdruck will der Mann wieder ins Zimmer klettern. Ich erschaudere. Wenn ich mich ohne Vorwarnung und mit der vollen Wucht meines Körpers auf ihn stürze, fällt er rückwärts in die Nacht, schlägt auf dem Gehweg auf und bleibt dort liegen, die Augen weit geöffnet, während ein anderer Junkie seine Taschen durchwühlt. Bevor ich einen weiteren Gedanken fassen kann, mache ich einen Satz auf ihn zu, dann rutschen die Beine unter mir weg, und ich falle der Länge nach hin. Peter stürmt an mir vorbei, groß, drohend. Er hält ein Küchenmesser in der Hand. Dann spricht er mit kalter, schneidender Stimme.

»Verschwinde sofort, so wie du reingekommen bist«, sagt er. »Den Fernseher kannst du haben, der ist alt und abgewrackt. Aber den Anrufbeantworter lässt du hier. Da ist eine Nummer drauf, die ich brauche.« Er macht einen Schritt nach vorn. Er ist Furcht einflößend, machtvoll, wie ich ihn noch nie gesehen habe. Ein Wolf, vom Vollmond verwandelt. »Sofort«, sagt er. »Bevor ich mir die Hände mit deinem Blut besudle.«

Der Mann springt katzengleich vom Fenster auf die Feuerleiter, nimmt den Fernseher unter einen Arm, das Videogerät unter den anderen.

Als er die Feuerleiter herunterhastet, ist das metallische Scheppern zu hören und das leichte Schleifgeräusch der Kabel, die er hinter sich herzieht. Auf dem Fußboden neben meinem Gesicht ist eine Spur Rot. Ich habe mich am Kinn verletzt. In der anderen Zimmerecke öffnet sich langsam die Tür des Wandschranks.

»Peter«, sage ich warnend. »Hinter dir.« Dann mache ich die Augen zu vor dem, was da kommt, warte auf schwere Schritte über den Fußboden. Stattdessen spüre ich etwas Seidenartiges auf meinem Gesicht. Ich mache die Augen auf. Neben mir leckt die Katze das Blut auf.

Später, nachdem die Polizei da gewesen ist und den Anrufbeantworter nach Fingerabdrücken untersucht hat, nachdem ich Peter verziehen habe, dass er mich zu Boden geworfen und mir eine Narbe am Kinn verursacht hat, die ich für den Rest meines Lebens behalten werde, fragt Peter mich: »Wenn ich nicht dazwischengekommen wäre, hättest du ihn wirklich zum Fenster rausgestoßen?«

»Wahrscheinlich. Ich weiß es nicht. Es war einfach eine Instinkthandlung.«

Peter runzelt die Stirn und sieht mich an, als hätte er gerade etwas unter meiner Haut entdeckt, geplatzte Äderchen oder einen bläulichen Schimmer, etwas, das nicht ans Licht kommen sollte, und ich spüre ein schleichendes Schamgefühl, eine Entblößung.

»Du hättest einen Menschen wegen eines Fernsehers umgebracht?«

»Nicht wegen des Fernsehers. Er wollte wieder ins Zimmer kommen, wo ich war«, sage ich. »Seine Augen waren ganz schwarz.«

»Wir müssen aus dieser Gegend weg, bevor du wegen Mordes im Gefängnis landest.«

»Verdammt, Peter. Ich hatte einen Heidenschiss.«

»Ich meine es nicht ernst«, sagt Peter. »Oder nicht ganz.« Er lacht.

Ich schnappe mir den Anrufbeantworter von der Kommode und gehe ins Wohnzimmer. »Du hast gesagt, da ist eine Nummer, die du brauchst, ja?«

Peter steht hinter mir. »Elle. Jetzt komm. Schließlich habe ich ihn mit dem Messer bedroht.« Er nimmt die Schachtel Zigaretten vom Couchtisch und tastet sein Hemd nach dem Feuerzeug ab. »Du hast dein Leben riskiert, um einen Ertrinkenden zu retten, verdammt. Du bist wohl kaum eine Mörderin.« Er sieht sich nach einem Aschenbecher um, dann klopft er die Asche in den Geranientopf.

Ich wende mich ab und tue so, als suchte ich etwas im Regal.

»Anscheinend hat der Typ den Aschenbecher mitgehen lassen.«

»Er ist in der Spülmaschine«, sage ich.

Peter tritt auf mich zu und dreht mich zu sich um, er ist jetzt ganz ernst.

»Mir wäre es scheißegal, wenn du den Typen geschlachtet und seine Eingeweide an einer Fahnenstange aufgespießt hättest. Das Wichtigste ist, dass dir nichts passiert ist. Du bist meine Frau. Die Liebe meines Lebens. Nichts, was du sagst oder tust, könnte daran etwas ändern. Ich war einfach überrascht. Diese Seite von dir kannte ich noch nicht.«

Ich wünsche mir so sehr, ich könnte ihm glauben. Aber ich glaube ihm nicht. Manches kann man verzeihen. Eine Affäre, die Grausamkeit eines Moments. Aber für den schäbigen, niederen Instinkt, der in den Windungen meines Inneren schlummert wie ein Bandwurm und sich regt, sobald er rotes Fleisch riecht, gibt es kein Verzeihen. Bis zu diesem Abend dachte ich, er wäre nicht mehr da, wäre Zentimeter um Zentimeter aus meinem Mund gezerrt worden, Jahr um Jahr, bis nur noch die leere Stelle da war, die Erinnerung an die Stelle, wo er einmal geschlummert hatte.

Peter tippt mir auf die Nasenspitze. »Jetzt aber Schluss mit dem Grollen, mein Fräulein.« Er geht in die Küche und kommt mit einem Aschenbecher und einem Teller Milch zurück.

»Komm, miez, miez«, sagt er und stellt den Teller auf den Heizkörper.

Sag es ihm, denke ich. Soll er dich sehen, wie du bist. Bezwinge den Bandwurm. Reinige dich. Stattdessen sage ich: »Katzen vertragen keine Laktose.«

Als wir ins Bett gehen, spüre ich, dass Peter eine Distanz hält, die weit größer ist als die verkrumpelten Laken zwischen uns. Es ist die Bruchlinie, ich habe sie zementiert. Ich liebe ihn zu sehr, als dass ich es riskieren könnte, ihn zu verlieren.

1999. 31. Juli, Los Angeles.

Mein Flugzeug lässt die letzten kahlen Bergrücken hinter sich. Unter mir erstrecken sich endlos die Vororte, eine eintönige, über die Erde gebreitete Decke, und in der Ferne ist schwach das Schimmern des Pazifiks sichtbar. Das Flugzeug bebt im Sinkflug und fährt mit lautem Räuspern das Fahrwerk aus. Im nächsten Moment setzen wir auf der Landebahn auf, und die Passagiere applaudieren. Immer erwartet man das Schlimmste.

Vom Flughafen fahre ich direkt ins Krankenhaus. Ich ziehe mein schweres Bordgepäck hinter mir her, bewege mich eilig durch Luft und Raum, in aggressiver, panischer Hast. *Ich darf nicht zu spät kommen. Ich darf nicht zu spät kommen.* Ein Taxi wartet auf mich, Jeremy hat das arrangiert, aber der Fahrer ist träge, unaufmerksam. An jeder Ampel muss er halten, er lässt andere Autos einscheren und beweist ein ums andere Mal, dass Murphys Gesetz zutrifft. Als wir beim Krankenhaus ankommen, habe ich meine Zähne zu Pulver zermahlen, in meiner Trinkgeldbemessung bin ich von fünfzehn Prozent auf zehn runtergegangen, am Ende gebe ich ihm ein paar Dollarnoten und murmele unterdrückt: »Arschloch.«

In der Halle zeigt mir der Pförtner den Weg zu den Aufzügen, und ich renne und trage den Koffer über den blitzblanken Palazzofußboden. Vor den Aufzügen stehen viele Menschen, die Blicke auf die Anzeige darüber geheftet, und versuchen zu erahnen, welcher Aufzug als Erster unten ankommt. Wie durch ein Wunder öffnen sich die Türen des Aufzugs unmittelbar vor mir. Ich steige ein, drücke auf Elf und auf »Türen schließen« und hoffe, dass niemand einsteigt, aber dann geschieht nichts. Gerade als sich die Türen schließen, steigt eine Frau mit Kopftuch und Perücke ein. Krebs. Der Aufzug rührt sich nicht. Die Türen sind zu, es ist wie im Grab.

»Anscheinend funktioniert er nicht.« Ich drücke »Türen auf«. Drücke wieder. In meinem Brustkorb breitet sich ein Gefühl von Klaustrophobie aus, als wäre es mein Körper selbst, der mich gefangen hält. Doch dann setzt sich der Aufzug in Bewegung. Auf der nächsten Etage halten wir, die Türen öffnen sich. Als niemand einsteigt, startet der Aufzug wieder und fährt eine Etage weiter. Wir halten und warten unendlich lange.

»Jemand muss jeden Knopf gedrückt haben«, sage ich.

»Es ist Sabbat«, sagt die Frau.

»Das soll wohl ein Scherz sein.« Ich bin im Sabbataufzug, der auf jeder Etage hält. »Ich habe für diesen Scheiß keine Zeit.«

Die Frau guckt mich an, als wäre ich ansteckend. Weicht einen Schritt zurück.

»Entschuldigen Sie«, sage ich. »Ich wollte nicht –« Ich kriege kaum Luft. »Sie können das nicht wissen. Ich darf nicht zu spät kommen. Meine Schwester liegt im Sterben.«

Die Frau richtet den Blick zur Aufzugdecke und kräuselt in säuerlicher Verachtung die Lippen.

Ich habe mich immer für einen toleranten Menschen gehalten. Jeder so, wie er will. Aber jetzt, in diesem Moment, da es nicht darum geht, dass jemand bestraft wird, weil er das Licht angelassen hat, sondern darum, dass ich rechtzeitig zu meiner schönen Schwester komme, um mich von ihr zu verabschieden – um zu ihr ins Bett zu steigen und sie in die Arme zu nehmen und ihr zu sagen, dass ich damals ihr Bobby-Sherman-Poster zerrissen habe, um sie ein letztes Mal zum Lachen zu bringen –, in diesem Augenblick empfinde ich eine helle Wut auf alle bescheuerten Religionen der Welt. Ich schließe die Augen und bete zu einem Gott, an den ich nicht glaube, dass Anna auf mich wartet. Ich muss ihr sagen, was ich getan habe.

Buch vier

In diesem Sommer

29

Vor sechs Wochen. 19. Juni, Back Woods.

Jeden Morgen, bevor Peter und die Kinder aufstehen, fege ich die Räume aus. Ich kehre Staub und Sand und Ohrenkneifer zu ordentlichen Häufchen zusammen, die ich dann, einen nach dem anderen, auf die Kehrichtschaufel fege und unter die Büsche kippe. Und jeden Morgen denke ich dabei an Anna. Für einen kurzen Augenblick. Es ist weniger eine Erinnerung als die Erkenntnis, dass eine unauslöschliche Spur von ihr, ein lebendiges Vermächtnis in mir weiterlebt. Als ich sieben war, hat Anna mir das Fegen beigebracht. »Nicht so, du Dummchen«, korrigierte sie mich von der Veranda aus, während ich den Besen wie ein Pendel hin und her schwang und Wolken von Staub und Schmutz aufwirbelte. »Du musst kleine Besenstriche machen, ganz dicht am Boden. Und viele kleine Häufchen zusammenkehren. Und immer nach innen, sonst fliegt der Staub im ganzen Zimmer herum.«

Als ich den Besen an diesem Morgen in die Nische zwischen Kühlschrank und Wand stelle, rutscht er seitlich in die Lücke hinter dem Kühlschrank mit all den Spinnweben. Ich seufze, denn ich weiß, dass ich ihn aus dieser Spinnendunkelheit herausholen muss. Meine Mutter reinigt das Sommerquartier jedes Jahr, solange sie allein ist, aber nur das, was sie sehen kann. Als wir gestern zu unserem Sommeraufenthalt eintrafen, entdeckte Maddy sofort ein großes Mäusenest auf dem Dachbalken über den Vorratsregalen.

»Ich tue mal so, als hätte ich es nicht gesehen«, hörte ich meine Mutter zu Maddy sagen, als ich mit unserem Gepäck hereinkam. »Die richtig ekligen Dinge überlasse ich deiner Mutter.«

»Das habe ich gehört!«, sagte ich.

Meine Mutter beachtete mich nicht und sagte zu Maddy: »In den Seerosen lebt eine Familie von Bisamratten. Sehr niedliche Tiere, die drei Jungen schwimmen jeden Morgen hinter der Mutter her. Anfangs waren es vier, aber dann fand ich eins im Schilf, als ich mit dem Kanu draußen war. Es sah aus wie ein pelziger Ast. Die Leichenstarre hatte schon eingesetzt.«

»Wie nett, Mum. Schön, dass du meiner Tochter das erzählst«, rief ich ihr über die Schulter zu.

»Hast du vor, dich für immer hier einzurichten? So viel Zeug bringt ihr doch sonst nicht mit.«

Ich blieb am Ende des Pfads stehen und blickte zum See hinüber und zu dem hellen Junihimmel hinauf. Der ideale Tag zum Schwimmen. »Ich bin so glücklich, hier zu sein, dass ich es kaum aushalte«, sagte ich in die Luft.

Aber heute Morgen ist es grau und bedeckt, zu kalt zum Schwimmen. Ich lasse den Besen hinter dem Kühlschrank, gehe zu unserer Schlafhütte und suche in der Reisetasche nach Laufschuhen und einem Jogging-BH. Peters Sachen liegen auf dem Boden verstreut, wo er sie ausgezogen hat. Ich hänge sein weißes Baumwollhemd auf einen Haken, falte die alte Baumwollhose und lege sie über die Stuhllehne.

Peter wird wach.

»Es ist noch früh«, flüstere ich. »Schlaf weiter.«

Er dreht sich um und lächelt, sein Haar ist auf der Stirn verklebt, das Kissen hat seiner Wange ein Muster aufgedrückt. »Gemütlich«, sagt er. Er sieht so süß aus, wie ein kleiner Junge.

»Bin bald zurück.« Ich küsse ihn auf die Augenlider und atme seinen vertrauten Geruch nach Salz und Zigaretten ein.

»Ich mache das Frühstück«, murmelt er.

Ich laufe die steile Einfahrt hoch, um Wurzeln und Schlaglöcher herum, und komme zu der unbefestigten Straße, die um den See herumführt und am Meer endet. Im Wald ist es still, kaum ein Geräusch. Die meisten Häuser sind noch nicht wieder für die Sommersaison offen. Im Juni ist es oft regnerisch und kühl. Die frische Morgenluft ist wie eine Handvoll kaltes Wasser im Gesicht. Bei jedem Schritt auf dem sandigen Grund spüre ich, wie mein Körper munterer wird, als würde ich nach langem Winterschlaf erwachen, im Klee nach Bienen schnüffeln und mir einen Baum suchen, an dem ich mich reiben kann. So ist es jedes Jahr.

Je näher ich zum Meer komme, desto schneller laufe ich, begierig darauf, den dichten Wald hinter mir zu lassen und endlich zwischen dem niedrigen Gebüsch und den Preiselbeersträuchern das Wasser zu erblicken. Ich komme um die letzte Biegung und sehe zu meiner Überraschung Jonas am Strand sitzen, ein Fernglas um den Hals.

»Was machst du hier?« Ich bin außer Atem, als ich bei ihm ankomme. »Du hast gesagt, ihr kommt erst nächste Woche.« Ich setze mich neben ihn.

»Planänderung in letzter Minute. Hundert Prozent Luftfeuchtigkeit in der Stadt, alles roch nach Achselhöhlenschweiß, und dann hat auch noch die Klimaanlage in unserem Loft versagt.«

»Ach, jetzt komm, gib's zu, du hast mich zu sehr vermisst.« Ich lache.

Jonas lächelt. »Das natürlich auch. Offenbar schaffen wir es in der Stadt nicht, Zeit füreinander zu finden. Wir rennen alle wie Verrückte herum. Und plötzlich ist der Sommer da. Zum Glück. Freuen die Kinder sich, dass sie hier sind?«

»Nicht sehr. Wir sind noch keinen ganzen Tag hier, und sie beklagen sich über die schlechte Wi-Fi-Verbindung. Peter hat angedroht, sie auf eine Militärakademie zu schicken.«

»Ist er auch hier?«

»Für zwei Wochen. Dann das übliche Hin und Her an den Wochenenden. Bist du auf dem Weg zum Strand oder auf dem Rückweg?«

»Auf dem Rückweg. Ich habe nach den nistenden Vögeln geguckt.«

»Und?«

»Sie nisten.«

»Und sind die Zäune aufgestellt?«

Er nickt. »Der halbe Strand ist abgesperrt.«

»Wie ich diese Regenpfeifer hasse.«

»Du hasst jeden, der nicht versteht, dass Back Woods dir gehört«, sagt Jonas.

»Das Ganze ist doch lächerlich. In der Zeitung steht, die Regenpfeiferpopulation sei *zurückgegangen*, seit zu ihrem Schutz Teile des Strands abgesperrt werden.«

»Es kann gut sein, dass der Menschengeruch die Kojoten von den Nestern und den Eiern ferngehalten hat.«

»Was ist mit euch? Wie geht es Gina?«

Jonas zögert für den Bruchteil einer Sekunde, bevor er antwortet, es ist fast unmerklich, aber mir fällt es auf. »Sie ist hocherfreut, dass wir hier sind. Und überlegt, wie sie meiner Mutter aus dem Weg gehen kann. Sie ist mit dem Segelboot rausgefahren, bevor ich wach war. Mit der Rhodes, um die Takelage zu prüfen.«

»Segeln.« Selbst nach all den Jahren bleibt mir das Wort im Halse stecken.

»Segeln«, sagt Jonas.

Das Wort hängt zwischen uns wie ein langsam fallender Felsbrocken. Jedes Mal spüre ich aufs Neue, dass uns etwas trennt, etwas, das heikel und schrecklich und traurig und schändlich ist. Aber Jonas unterbricht den Fall des Felsens, und der Moment vergeht.

»Sie will einen Katamaran kaufen. Ich bin noch unentschlossen.«

»Jack wird vor Freude in die Luft springen, wenn sie das tut.« Meine Stimme klingt hell, aber falsch, und ich weiß, dass er das hört. Aber so ist es zwischen uns, seit Jahren. Wir schleppen die Vergangenheit hinter uns her wie ein Gewicht, an das wir gefesselt sind, aber weil es so weit hinter uns liegt, müssen wir es nie zur Kenntnis nehmen, müssen nie offen zugeben, wer wir einst waren.

Über uns zieht ein Wanderfalke seine Kreise. Wir sehen, wie er in einer Wolke verschwindet und sich dann zur Erde herabstürzt, auf seine Beute.

Jonas steht auf. »Ich muss zurück. Meine Mutter möchte, dass ich ihr im Garten mit den Ringelblumen helfe. In diesem Jahr sind die Mücken eine echte Plage. Kommt doch heute Abend auf einen Drink vorbei. Wir sind zu Hause.«

»Das wäre sehr schön.«

Er küsst mich leicht auf die Wange und macht sich auf den Weg. Ich sehe ihm nach, bis er um die Biegung verschwindet, aus meinem Blickfeld. Es ist leichter so.

Als ich zurückkomme, sitzt Mum in ihrer angestammten Ecke auf dem Sofa. Peter ist in der Küche und macht Kaffee.

»Morgen, mein Schatz«, ruft er. »Wie war der erste Lauf des Sommers?«

»Himmlisch. Endlich habe ich das Gefühl, wieder atmen zu können.«

»Kaffee ist gleich fertig. Bist du bis zum Meer gelaufen?«

»Ja. Es war Ebbe. Hier, das habe ich gefunden.« Ich gehe zu ihm und strecke die offene Hand aus. »Einen so kleinen Pfeilschwanzkrebs habe ich noch nie gesehen. Ist alles dran.«

»Wie war das Wasser?«, fragt meine Mutter.

»Ich bin nicht reingegangen, ich hatte meine Laufsachen an.«

»Du hättest nackt schwimmen können«, sagt Mum. Eine Kritik.

»Hätte ich«, sage ich. Es hat schon angefangen. »Auf dem Weg bin ich Jonas begegnet. Er lädt uns alle zu einem Drink ein.«

»Ausgezeichnet«, sagt Peter.

»Ist es dir aufgefallen? Die Trägspinner sind wieder da«, sagt Mum.

»Auf der Straße zum Strand ist mir nichts aufgefallen.«

»Da kommen sie auch noch hin. Die sind wie die Heuschrecken. Auf dem Weg zu Pamela haben sie die Hälfte der Bäume kahl gefressen. Es ist so deprimierend, dieses klopfende Geräusch, wenn die Bröckchen auf den Weg fallen. Gestern Morgen habe ich mir die Kapuze aufgesetzt und bin schnell an den Bäumen vorbeigerannt.«

»Raupenkot?«, fragt Peter.

»Sieht aus wie heller Kaffeesatz«, erkläre ich.

»Das ist mir mal passiert«, sagt meine Mutter. »Dann stellte sich heraus, dass es ein Geschwür war.«

»Deine Mutter redet wieder mal in Zungen, Elle.« Peter lacht.

»Dein Mann ist unverschämt«, sagt Mum. »Auf jeden Fall, wenn du in der Toilette etwas siehst, das wie Kaffeesatz aussieht, dann weißt du Bescheid.«

»Das ist eklig«, sage ich.

»Trotzdem.«

»Kaffee, Wallace?«, fragt Peter, als er mit der Kanne kommt, und gießt ihr ein.

Ich verehre meinen Mann.

Vor vier Wochen. 4. Juli,
Wellfleet, Massachusetts.

Das mit dem toten Kind hören wir bei der Parade zum 4. Juli. Am Morgen wurde ein fünfjähriges Mädchen bei lebendigem Leibe begraben, als bei Higgins Hollow die Düne einstürzte. Ihre Mutter machte Yoga auf der Sandbank. Als sie sich nach ihrer Tochter umdrehte, war da nur noch der rosa Spieleimer, der zehn Zentimeter über dem Boden zu schweben schien.

»Das Bild kriege ich nie mehr aus dem Kopf. Die kleine Hand, die aus dem Sand ragt.« Ich stehe mit Jonas und seiner Mutter im Schatten eines mächtigen Ahornbaums und gucke der Parade zu. Gina, Maddy und Finn haben sich in die Menge gemischt, wo sie einen besseren Blick zu bekommen hoffen.

»Was habe ich damals immer gesagt? Klettert nicht auf den Dünen herum«, sagt Jonas' Mutter in selbstzufriedenem Ton.

Jonas sieht mich voller Erstaunen an, dann bricht er in Lachen aus.

»Ihr habt überhaupt kein Einfühlungsvermögen«, sagt seine Mutter und dreht uns den Rücken zu. »Eine Schande seid ihr.«

Ich gebe mir Mühe, nicht zu lachen, aber ich kann nicht anders. Ich komme mir vor wie damals, mit vierzehn, als ich bei Jonas im Wohnzimmer stand und mir Vorhaltungen machen lassen musste, weil ich *Unsere kleine Farm* gern sah, eine Fernsehserie mit deutlich rassistischen Inhalten. Oder als sie Anna am Strand einen Vortrag darüber hielt, wozu das Tragen eines Bikinis führen konnte. »Du erlaubst Männern, dich als Objekt zu betrachten.« Darauf zog Anna sich das Oberteil ab, tänzelte vor Jonas' Mutter herum und ging dann barbusig zum Wasser. Einmal wagte Jonas' Mutter es, meine Mutter dafür zu kritisieren, dass sie eine Tüte Holzkohlebriketts zum Lagerfeuer gebracht hatte. »Holzkohle, Wallace? Im Kongo ist fast der ganze Wald gerodet. Da kannst du auch gleich nach Virunga reisen und eigenhändig die Berggorillas erlegen.«

»Das würde ich auch tun, wenn nur die Flüge nicht so teuer wären«, sagte Mum, dann schüttete sie den gesamten Inhalt der Tüte aufs Feuer, worauf die Flammen in die Höhe schlugen. »Du bist eine Schande«, fauchte Jonas' Mutter sie an. Jonas und ich standen mit aufgerissenen Mündern dabei und ergötzten uns an dem Spektakel, das unsere Mütter uns boten, dann rannten wir lachend zum Strand und riefen laut: »Du bist eine Schande.«

Jonas grinst mich an. »Du bist eine Schande«, sagt er tonlos.

»Du bist eine Schande«, gebe ich tonlos zurück.

Ein Paradewagen mit Mädchen in Hummeranzügen zieht vorbei. Die Mädchen winken und lächeln und werfen Popcorn in die Menge. Hinter ihnen marschiert die Blaskapelle der Mittelschule und spielt eine etwas unsauber klingende Version von *Eye of the Tiger*. Gina kommt mit Maddy und Finn auf uns zu, sie schwenken kleine amerikanische Fähnchen. Maddy trägt eine Bonbonkette.

»Was gibt es zu lachen?« Gina hakt sich bei Jonas ein.

»Guck mal!« Finn schwenkt sein Fähnchen vor mir. »Hat Gina uns gekauft.«

»Das war doch nicht nötig«, sage ich zu Gina. »Die reine Geldverschwendung.«

»Der Gewinn ist für die Kriegsveteranen«, sagt Gina in einem Ton, der mir zu verstehen gibt, dass ich sie beleidigt habe.

»Verstehe«, sage ich schnell. »Es war sehr großzügig von dir.«

»Sie haben *drei* Dollar gekostet.«

»Ich meinte, wenn man sieht, wie glücklich du sie gemacht hast.« Maddy und Finn rennen den Hügel hinunter und winken mit ihren Fähnchen vier alten, zerknitterten Männern zu, die in einem Oldtimer sitzen und eine Fahne des Rotary Clubs schwenken.

Jonas legt die Hand auf meinen Arm und zeigt auf den Oldtimer. »Ich bin mir sicher, dass es dieselben alten Knacker sind, denen wir schon damals zugewinkt haben.«

»Oder sie tauschen sie alle zwanzig bis dreißig Jahre aus. Weißt du noch, der alte Kerl mit Uncle-Sam-Zylinder, der mich angeschrien hat, weil ich ein Walter-Mondale-T-Shirt anhatte? Dann hat er uns verfolgt.«

Jonas lacht.

»Sagt doch mal.« Gina mischt sich wieder in das Gespräch. »Was gab's zu lachen?«

Jonas' Mutter dreht sich um, ihr Mund ist eine schmale Linie. »Heute Morgen ist ein Kind am Strand ums Leben gekommen. Dein Mann und Elle fanden wohl, das sei ein Grund für Heiterkeit. Jedenfalls, ich gehe jetzt. Hier ist es wie in einem Backofen. Wenn ihr bitte auf dem Weg Reiskekse und Clamato-Saft im Supermarkt holen könntet. Paprika brauchen wir auch.« Sie zieht von dannen, ohne sich zu verabschieden.

»Oho«, sagt Gina. »Was ist denn mit ihr?«

»Sie ist sauer, weil wir über sie gelacht haben«, sagt Jonas.

»Wegen des Kindes, das ums Leben gekommen ist?«

»Natürlich nicht. Sie hat was in den falschen Hals bekommen.«

»Und – was genau?«, beharrt Gina.

»Sie hat etwas gesagt, das sie früher manchmal gesagt hat, als wir Kinder waren«, erklärt Jonas. »Es ergibt jetzt keinen Sinn.«

»Ich könnte es bestimmt verstehen«, sagt Gina empfindlich. »Ist aber auch egal. Behaltet ihr zwei euren Geheimcode ruhig für euch.«

Jonas atmet scharf ein. »Sie hat gesagt, wir seien eine Schande«, sagt er dann.

»Damit hat sie ja recht«, entfährt es Gina.

Es kommt mir vor, als hätte ich eine Ohrfeige bekommen.

Ich sehe Jonas Hilfe suchend an, aber sein Blick ist auf Gina gerichtet, und seine Augen sind dunkel schwelend.

»Entschuldigung«, sagt Gina schnell und rudert zurück. »Das ist mir so rausgerutscht. Es ist heiß, und ich habe nicht gut geschlafen.«

»Macht doch nichts«, sage ich. Aber so einfach ist es nicht. Schroffheit und Verunsicherung passen nicht zu ihr. Ginas Selbstvertrauen war immer unerschütterlich, keine Spur von einem Superego. Sie ist mit sich selbst völlig im Reinen. Als Gina und Jonas sich kennenlernten, fühlte sie sich von mir bedroht, das weiß ich. Nicht weil sie wusste, wie sehr Jonas mich früher geliebt hatte. Das hat er ihr nie erzählt. Der Grund für ihre Eifersucht damals waren die alten Wurzeln unserer Freundschaft, die gemeinsame Vergangenheit, von der sie immer ausgeschlossen sein würde. Aber das ist hundert Jahre her. Inzwischen haben wir eine gemeinsame Geschichte. Wir sind zusammen älter geworden. Als Paare. Als Freunde. Doch jetzt, in diesem Moment, scheint es, als wäre ihr die Kontrolle entglitten, es scheint, als offenbaren sich ihre wahren Gefühle, Eifersucht und ein tief sitzender Groll, die all die Jahre verborgen lagen. Als ihr auffiel, was sie hat durchblicken lassen, versuchte sie es wieder zu verhüllen. Dafür muss es einen Grund geben. Das hat nicht nur mit Schlafmangel oder der Hitze zu tun. Anscheinend gibt es zwischen ihr und Jonas eine Missstimmung. Spannungen, die Jonas vor mir verbergen wollte.

»Ich sammle die Kinder ein und fahre zurück«, sage ich und entziehe mich der Situation. »Du hast völlig recht, Gina, es ist wie in einem Ofen hier. Vielleicht sehen wir uns später beim Feuerwerk?«

»Das wollen wir auslassen«, sagt Gina. »Wir machen morgen bei der Regatta mit. Sie fängt um sechs Uhr an.«

»Vielleicht komme ich allein«, sagt Jonas.

Als ich mit den Kindern im Auto aus der Stadt fahre, sehe ich Jonas und Gina vor dem Supermarkt stehen. Sie streiten. Gina gestikuliert. Sie weint. Jonas hat eine Flasche Clamato unter dem Arm. Was die Leute an Tomatensaft mit Muschelgeschmack mögen, habe ich nie verstanden. Jonas schüttelt ärgerlich den Kopf, während Gina spricht. Die Autos schleichen voran. Ich weiß, ich sollte den Blick abwenden. Die Ampel springt auf Rot um. Trotz der surrenden Klimaanlage und der geschlossenen Fenster höre ich, wie Gina schreit: »Du Arsch.« Ich vergewissere mich mit einem Blick auf die Rückbank, dass die Kinder das nicht gehört haben; zum Glück sind sie mit ihren Smartphones beschäftigt. Jonas sagt etwas zu Gina, dann dreht er sich um und geht weg. Gina ruft hinter ihm her, bittet ihn, stehen zu bleiben, aber er geht weiter. Gina lässt die Schultern hängen. Ich komme mir vor wie ein Voyeur. Als sie sich mit dem Ärmel ihrer Bluse den Rotz von der Nase wischt, schimmert er auf dem schwarzen Stoff wie die Kriechspur einer Schnecke. Ich meine an ihr eine Niedergeschlagenheit zu erkennen, eine Verletzlichkeit, die ich noch nie gesehen habe und die sie bisher verborgen hat, und das macht mich traurig. Ich wende den Blick ab und hoffe, dass die Ampel umschaltet, bevor Gina unser Auto bemerkt. In dem Moment kurbelt Maddy das Fenster herunter und winkt Gina zu. Sie ruft etwas, und Gina blickt auf, gerade als es grün wird.

»Mom«, sagt Maddy, als wir in dem dichten Verkehr, der sich nach dem Festumzug aus der Stadt wälzt, zur Schnellstraße kommen, »Gina hat gesagt, in den Abwasserkanälen in New York gibt es Alligatoren. Stimmt das?«

»Wirklich?« Ich lache. »Hat sie auch gesagt, dass man die Wörter ›Paul ist tot‹ hören kann, wenn man das *White Album* rückwärts spielt?«

»Wer ist Paul?«, fragt Finn.

»Ich glaube nicht, dass da unten Alligatoren leben, Maddy. Aber wissen kann man es nicht. Als ich vier Jahre alt war, hat der Freund meiner Mutter einen jungen Alligator in unserer Toilette runtergespült.«

»Wie groß war er?«, fragt Maddy. »Wäre er nicht stecken geblieben?«

»So groß wie ein Gecko.«

»Sie könnten auf den Bürgersteig klettern und die Menschen töten«, sagt Finn.

»Ich bin mir ziemlich sicher, dass das nicht passiert, mein Spatz.«

»Ich will lieber nicht mehr zu Fuß zur Schule gehen.«

Der Verkehr kriecht dahin. Fahrradfahrer überholen uns auf dem Randstreifen.

»Wisst ihr«, sage ich. »Als Anna und ich klein waren, hat unser Vater uns zu Weihnachten eine Packung mit Salzkrebsen geschenkt. Ein Aquarium aus Plastik und ein Päckchen mit Eiern waren auch dabei. Auf der Packung stand, wenn man die Eier ins Wasser legt, würden Salzkrebse daraus wachsen. Und dazu gab es ein Päckchen Krebsnahrung und einen winzigen Löffel.«

»Das gibt es immer noch«, sagt Maddy. »Ich möchte auch welche haben. Das klingt cool.«

»Na ja«, sage ich. »Angeblich sollten sie zu kleinen Seepferdchen werden, mit langen Menschenbeinen und Königskronen, die in einem Unterwasserschloss leben.«

»Können wir welche kaufen?«, fragt Finn.

»Nein.«

»Warum nicht? Ich möchte ein Haustier haben.«

»Weil das ein Scheißdreck ist.«

»Mom!«, sagt Maddy. »So was darfst du nicht sagen.«

»Recht hast du.« Ich lache. »Anna und ich haben gewartet, dass die Seepferdchenfamilie heranwächst. Jeden Tag sind wir von der Schule nach Hause gerannt und haben geguckt, ob kleine Könige und Königinnen geschlüpft sind. Und tatsächlich fingen nach einer Woche winzige krabbenartige Dinger an, im Wasser herumzuhüpfen.«

»Und dann?«, fragt Maddy.

»Nichts. Sie wurden nicht größer. Sie blieben einfach so. Schließlich stellten wir fest, dass es Leuchtgarnelen waren.«

»Wale fressen Leuchtgarnelen«, sagt Maddy zu Finn.

»Weiß ich«, sagt Finn.

»Das ist das Ende der Geschichte. Eines Tages kamen wir nach Hause, und sie waren weg. Meine Mutter hatte sie in den Ausguss gekippt. Sie sagte, die meisten Salzkrebse seien tot gewesen, und das Aquarium sei ein Nährboden für Moskitos.«

»Aber das ist traurig«, sagt Maddy.

»Vielleicht. Vielleicht aber auch nicht. Wir haben nicht gesehen, dass sie gewachsen sind, aber vielleicht sind sie ja gewachsen, nachdem unsere Mutter sie weggekippt hatte. Und vielleicht gibt es jetzt in den Abwasserkanälen Königreiche, wo die Salzkrebse als Könige und Königinnen leben und winzige Kronen tragen.«

»Hoffentlich hast du recht«, sagt Maddy. »Das wäre doch toll.«

»Das wünsche ich mir auch, meine Süße. Aber was ich sagen wollte: Vielleicht hat Gina recht mit den Alligatoren. Vielleicht leben sie in den Abwasserkanälen und ernähren sich von Salzkrebsen.« Ich lache.

»Nein!«, sagt Maddy. »Das ist gemein. Das finde ich schrecklich.«

Es ist Jahre her, dass ich an diese Salzkrebse gedacht habe. Daran, wie Anna und ich jeden Tag das Aquarium beobachtet haben. Wie wir gehofft und gewartet haben, und unsere Freude, wenn sich etwas bewegte, und dann die Enttäuschung, als nichts mehr passierte. Das Warten fängt früh an, denke ich.

Auch die Lügen kommen früh. Aber auch Träume und Hoffnungen und Geschichten.

Ich biege von der Schnellstraße in unsere schmale, unbefestigte Straße nach Back Woods ein und hoffe, dass mir kein Auto entgegenkommt, denn ich fahre ungern rückwärts wieder raus, und auf diesem Stück gibt es keine Haltebuchten.

Jedes Jahr wird das Feuerwerk zum 4. Juli im Hafen auf einer alten Holzbarkasse abgebrannt, was eine Herausforderung des Schicksals ist, weil Funken von dem ächzenden und stöhnenden Kahn an Land fliegen und einen Brand entfachen könnten. Am liebsten sehe ich es mir vom Ende des Stegs an, der von der Stadt in die Bucht hineinragt. Man geht an den muschelverkrusteten Fischerbooten vorbei, die wie Pferde vor einem Saloon an Pfosten festgebunden sind, die feuchten Netze in Haufen an Bord, und vorbei an den Jollen, die an ihrer Vertäuung zerren, und dann ist man draußen, wo das Wasser die Pfosten umspült, fern der Menge. Dort riecht es nach Fisch und nassem Holz. Die meisten Menschen versammeln sich in der Stadt am Strand und sehen den bunten Kaskaden zu, wie sie in die Luft geschossen werden und den Himmel erleuchten, Kometenschwänze und Riesenwunderkerzen, die sich wie Tausende von Sternen auf dem Wasser spiegeln, sodass die Bucht einen Augenblick lang zum Himmel wird. Wenn man am Ende des Stegs sitzt und die Beine baumeln lässt, sieht man, wie die Sterne zu den eigenen Füßen unter die Holzbohlen gleiten, in eine geheimnisvolle Welt hinein. Jonas hat mir diese Stelle gezeigt.

Die unbarmherzige, unerträgliche Hitze des Tages ist in einen lauen Sommerabend übergegangen. Ein sanftes Lüftchen regt sich in der Dunkelheit. Die Kinder sind losgelaufen, um das Feuerwerk mit ihren Freunden anzusehen. Peter, Mum und ich trinken Wein aus Pappbechern und warten gespannt, dass die erste Spirale in den Himmel steigt. Gleich wird meine Mutter anfangen, sich zu beschweren.

»Was dagegen, wenn ich mir einen Stuhl nehme?« Jonas tritt aus der Nacht, eine phantomhafte, lautlose Gestalt, die sich nähert, so wie früher, als wir Kinder waren und ich allein zum Strand ging. Selten, falls überhaupt je, habe ich seine Schritte gehört.

»Es hieß, Punkt neun Uhr, aber wie immer lassen sie uns warten«, sagt Mum.

»Gina kommt nicht?«, fragt Peter, als Jonas sich neben ihn setzt.

»Sie lässt herzlich grüßen. Sie wäre gern mitgekommen, aber sie ist etwas mitgenommen von der Hitze.«

Von seiner Notlüge überrascht, sehe ich Jonas an. Das ist untypisch für ihn. Ich weiß, dass er meinen Blick auf sich fühlt, aber er wendet sich nicht zu mir um.

Eine Stunde später, als nur noch der Schwefelgeruch in der Luft schwebt und der Himmel seine Ernsthaftigkeit zurückgewonnen hat, gehen wir los, um die Kinder aufzulesen. Peter und Mum sind vorausgegangen, lachend und plaudernd. Ich lasse ihnen den Vorsprung, um Jonas mit seiner Notlüge zu konfrontieren.

»Es war keine Lüge«, sagt er verärgert. »Es war Ginas Entschuldigung. Man nennt es Höflichkeit.«

»Wenn man lügt, ist es eine Lüge.« Ich will es ihm nicht so leicht machen.

»Sie hat einen Scheißtag hinter sich. Muss ich das Peter und deiner Mutter wirklich erklären?«, sagt er aufgebracht.

»Lass doch das Theater. Ich wollte es einfach genau wissen. Ich habe gesehen, dass ihr euch vor dem Supermarkt gestritten habt.«

»Entschuldigung.«

»Also? Was ist los?«

»Gina ist im Mai aus ihrer Galerie rausgeflogen. Sie hat das niemandem erzählt. Sie empfindet es als Demütigung. Dazu kommt, dass ich im Herbst eine große Ausstellung habe. Sie glaubt, dass ich dir das erzählt habe, und das hat sie aufgeregt.«

»Aber du hast es mir nicht erzählt.«

»Jetzt doch.«

Wir bleiben stehen und blicken über das Wasser. Über die schlafenden Boote. Ich warte, dass er weiterspricht.

»Es war meine Schuld, dass wir gestritten haben«, sagt er. »Ich war verärgert, weil sie dir gegenüber diesen Ton angeschlagen hat, und bin ausgerastet.«

Dass Jonas mich vor Gina in Schutz nimmt, gibt mir ein gutes Gefühl, wie eine extra Portion Sahne, aber ich sage: »Das war ganz schön dumm.«

»Gina mag dich sehr gern, das weißt du. Aber sie weiß, dass wir miteinander über alles sprechen. Wäre mein ältester Freund ein Mann, wäre es für sie vermutlich leichter.«

»Das ist doch lächerlich«, sage ich. »Gina ist der Felsen von Gibraltar.« Aber was er sagt, stimmt, das weiß ich. Ich habe es gesehen, die feinen Risse, die Verletzlichkeit. Wie sie in sich zusammengesackt ist, als Jonas sich von ihr abwandte und keinen Blick zurückwarf und sie sich unbeobachtet glaubte. Aber ein Fünkchen Eidechsenschläue in mir erkennt, dass auch die winzigste Reibung zwischen Gina und mir uns alle verletzlicher macht. Warum genau, weiß ich nicht. Es hat mit der Energie zwischen uns zu tun.

»Du hättest bei ihr bleiben sollen«, sage ich. »Dich mit ihr versöhnen.«

»Wir haben uns wieder vertragen. Es ist alles in Ordnung. Und du und ich, wir gucken immer zusammen das Feuerwerk.«

»Wir hätten es einmal ausfallen lassen können.«

»Es ist eine Tradition.«

»Genau wie der Truthahn an Thanksgiving. Dabei ist Truthahn langweilig und zäh. Keiner mag das Fleisch wirklich.«

»Ich schon«, sagt Jonas. Er hakt sich bei mir ein, wir gehen los, den anderen hinterher.

Vor fünf Tagen. 27. Juli, Back Woods.

Sonntag. Peter und Mum sind mit den Kindern zum Flohmarkt gefahren. Bei diesem wöchentlichen Ritual suchen sie in den abgelegten Dingen anderer Menschen nach Perlen, wie beispielsweise dem laminierten Bild eines Cola trinkenden Mädchens oder einem Buch über Fliegenfischen, von dem Peter glaubt, dass es eines Tages nützlich sein könnte. Danach essen sie Lunch an einem Fischstand, und jedes Mal versucht Peter die Kinder zu überreden, rohe Austern oder Hummerbrötchen zu essen, und jedes Mal entscheiden sie sich für extralange Hotdogs in Butterbrötchen.

Ich gehe zum See, ziehe mir den Badeanzug aus und lege mein Handtuch auf den warmen Sand. Ich spüre die sanfte Brise auf meinem Gesicht. Die Bäume strecken ihre Äste aus, sie winken mir zu, als begrüßten sie eine alte Freundin. Ich muss an die Sonnencreme Bain de Soleil denken, ihre ölige Konsistenz mit dem Geruch nach verbranntem Karamell und ohne jede Sonnenschutzwirkung. Anna und ich wollten braun werden, wir wollten uns nicht vor der Sonne schützen. In dem Moment fängt das Telefon im Haus an zu klingeln. Ich versuche es nicht zu beachten, aber es hört nicht auf. Mum findet Anrufbeantworter überflüssig. »Wenn jemand mich sprechen will, kann er wieder anrufen.«

Jemand in Peters Büro. Peter soll am nächsten Morgen wegen eines Artikels nach Memphis fliegen. Flugzeiten. Hotel-information. Telefonnummern.

Ich sehe mich nach Papier und einem Stift um, finde aber nur eine Take-away-Speisekarte und das Flugblatt für eine Aufführung von *The Silver Cord*. An einem Bord über dem Telefon hängt die Liste meiner Mutter mit »wichtigen Tele-fonnummern«. Sie hängt seit meiner Kindheit dort und ist vielfach überschrieben und geändert worden, Nummern von Klempnern, Elektrikern und dem Forstbetrieb, manche Num-mern sind mit Kugelschreiber durchgestrichen, neue mit Blei-stift eingefügt. Anna hat mit grünem Marker ein Friedens-symbol aufgemalt. Auch auf der Liste, in verblichener blauer Tinte, steht die Nummer von Conrads Mutter in Memphis, die Handschrift ist die von Leo.

»War dein Stiefvater nicht aus Memphis?«, fragt Peter, als er ein paar Übernachtungssachen einpackt. »Socken.«

»Ja.« Ich ziehe die untere Schublade auf und nehme vier Paar Socken heraus.

»Warst du da mal?«

»Einmal. Zu Conrads Beerdigung.«

»Natürlich. Hätte ich mir denken können.«

»Es ist lange her.«

»Wie alt war Conrad, als er starb?«

»So alt wie Jack jetzt. Brauchst du Unterhemden?«

»Himmel, wie kann man so etwas jemals überwinden?« Pe-ter packt die letzten Dinge ein, Kaugummi, einen Kamm, das Buch vom Nachttisch, und zieht den Reißverschluss zu.

Ich setze mich auf das Bett. »Man überwindet es nicht.«

Draußen auf dem Weg höre ich, wie sich Finn und Maddy lautstark unterhalten. »Seid leise am See«, brüllt meine Mutter von der Veranda.

»Dass du mich mit dieser Verrückten allein lässt.« Ich knibbele am roten Nagellack auf meinem großen Zehennagel. Die Haut an meinen Fersen sieht aus wie Rhinozeroshorn. »Ich muss zur Fußpflege.«

»Komm mit. Wir machen uns ein paar schöne Tage.«

»In Memphis?«

»Wo immer wir miteinander schlafen können, ohne dass deine Mutter uns hört.«

»So sehr ich dich liebe, aber Memphis ist so ungefähr der letzte Ort auf der Welt, den ich noch einmal sehen möchte.«

Peter setzt sich neben mich aufs Bett. »Ich meine es ernst. Es kann heilend sein. Ich lade dich zu einem Grillabend mit Spaghetti ein.«

Mein Blick wandert aus der Hütte ins Freie, ich suche nach einer einfachen Ausrede. Der See, golden und spiegelglatt, liegt im Abendlicht. Hier und da strecken Schildkröten ihre Köpfe wie kleine Daumen aus dem Wasser und saugen die letzten Sonnenstrahlen auf. Ich wüsste gern, ob Peter recht hat. Ob es so etwas wie Heilung geben kann.

»Komm«, sagt er wieder. »Sonst bin ich vier Tage lang der Hauptstadt der Mörder ausgeliefert. Wir können ungestümen Sex miteinander haben. Du kannst zur Fußpflege gehen.«

»Ich bin mir nicht sicher, ob Mum bereit ist, die Kinder zu übernehmen«, sage ich. Aber im selben Moment höre ich die Stimme meiner Mutter in meinem Kopf, die »Ermutigungsrede«, die sie für Anna und mich parat hatte, wenn wir Angst vor etwas hatten, vor Dunkelheit, einer schlechten Zensur in Sozialkunde, vor der Vorstellung, dass sie eines Tages tot wäre und verwesen müsste. *Wir sind keine Familie von Feiglingen. Wir stellen uns unseren Ängsten.*

»Ich frage sie«, sagt Peter. »Du weißt, dass sie Ja sagt, wenn ich sie frage.«

»Das stimmt.«

»Und du kannst zu Conrads Grab gehen.«

30

Vor drei Tagen. 29. Juli, Memphis.

Der Friedhof ist hübscher, als ich ihn in Erinnerung habe, ein Park mit stattlichen, blühenden Bäumen, Grasland, aus dem die grauen Steinzähne der Toten emporragen. Steinerne Engel halten sich an Grabsteinen fest. Es dauert eine halbe Stunde, nachdem ich zunächst durch Reihen chinesischer Gräber und an morschen Grabsteinen von Konföderierten vorbeigewandert bin, bis ich Conrads Grab finde. Touristengruppen ziehen über den Friedhof und hören sich eine Audiotour über Kopfhörer an: Die Toten und ihre größten Hits. Die Touristen folgen einander wie Lemminge.

Conrads Grabstein ist klein. Eine in einem hohen Bogen gewachsene Heckenrose beschattet die Stelle und wirft ihre knittrigen Blütenblätter darauf ab, deren Blassrosa zu Braun verwelkt. In der Nähe steht im dichten Gras ein Obelisk aus Granit, dessen niedrige Einfassung sich gut zum Sitzen eignet. Jemand hat dort kürzlich einen Strauß frischer Blumen hingestellt. Ich schiebe die Blumen zur Seite und setze mich auf den kühlen Stein. Anna mochte grasbewachsene Gräber nicht. »Wenn auf einem Grab viel Gras wächst, liegt das an den vielen Würmern in der Erde. Überleg doch mal.« Ich denke lieber an die Picknicks, die Anna und ich als Kinder veranstaltet haben, wenn wir bei unseren Großeltern zu Besuch waren. Wir saßen auf dem kühlen Marmor des Selbstmördergrabs und spielten mit unseren Anziehpuppen. Meine Papierpuppen waren unförmig, mit langen Gliedern und einer runden Mitte, während Annas immer wie aus Zeitschriften ausgeschnitten aussahen, Mädchen mit Haaren wie Susan Dey, Jungen mit braunen Wuschelköpfen. Wir hatten eine umfangreiche Miniaturgarderobe: tief sitzende Jeans und lila Clogs, französische Matrosenhemden, knappe Bikinis, grobmaschige Pullover, Kilts mit winzigen Sicherheitsnadeln. Unsere geheime, zweidimensionale Welt, eine Welt, die, so glaubten wir, uns gehörte, während wir auf dem Grab des armen Mannes saßen, Sandwiches aus weißem Brot mit Schinken aßen und über den alten Friedhof hinweg zum Haus unserer Großeltern auf dem Hügel und zu den Kuhweiden dahinter blickten.

Ich stehe auf, klopfe mir den Rock hinten ab und gehe zu Conrads Grab. Hier ist das Gras dürftig und mit Unkraut durchsetzt. Zumindest das hätte Anna froh gestimmt. Der Grabstein ist schlicht. Keine Inschrift. Nur Conrads Name und seine Daten: 1964–1983. Er war gerade erst neunzehn geworden, als er starb. Ein dummer Junge, der davon träumte, wie der Ringer Hulk Hogan zu sein, der seine Mutter mehr liebte als sie ihn, der in den Augen seines Vaters bestehen wollte. Hätte Conrad erleben können, wie Leo nach dem Unglück zusammenbrach, wie erschüttert er war, hätte er wissen können, wie sehr sein Vater ihn liebte, wäre er sehr glücklich gewesen. Ich versuche mir Conrad vorzustellen, wie er im Türrahmen Klimmzüge macht, wie er mit Anna streitet, wie er in seinem hässlichen Frotteebademantel herumläuft oder auf den Stufen zu seiner Schlafhütte Comics liest. All diese Bilder. Stattdessen sehe ich nur sein Gesicht, blass und von panischer Angst verzerrt, verzweifelt Hilfe rufend, und neben mir auf dem Boot Jonas, der meine Hand festhält. Das plötzliche Begreifen in Conrads Blick, bevor die Wellen ihn in die Tiefe ziehen. Ich denke an die Entscheidungen, die ich getroffen und vor denen ich mich mein ganzes Leben versteckt habe. Jonas' und meine Entscheidung damals an jenem stürmischen Tag. Meine Entscheidung, Conrads Tun vor meiner Mutter geheim zu halten. Hätte ich den Mut gehabt, es meiner Mutter zu erzählen – und damit zugelassen, dass *ihr* Leben zerstört worden wäre, nicht meins –, dann lebte Conrad heute. Es war nicht nur Conrads Traum, der zerstört wurde. Wir waren dumme, dumme Kinder. Conrad hat alles kaputt gemacht. Jonas hat alles kaputt gemacht. Ich habe alles kaputt gemacht.

Ich lege mich auf Conrads Grab, lege meinen Mund aufs Gras, und obwohl ich weiß, dass er mich nicht hören kann, spreche ich zu ihm. Ich sage ihm, dass es mir leidtut. Du hast diese Strafe nicht verdient. Du hast etwas Schlimmes getan, aber was ich getan habe, war schlimmer. Ich erkläre ihm, welchen Preis ich bezahlt habe, in der Hoffnung, dass es etwas zählt, aber ich weiß, die Last eines Geheimnisses ist nichts im Gegensatz zu der Last der Erde, die auf ihm liegt. Ich erzähle ihm von Peter, von den Kindern, und zum ersten Mal seit fünfunddreißig Jahren weine ich um ihn.

Peter sitzt in der Hotelbar, Schultern nach vorn geneigt, und trinkt etwas Bernsteinfarbenes auf Eis. Schon von der Tür aus sehe ich, dass es ein harter Tag für ihn gewesen ist. Ich weiß, dass er auf mich wartet und darauf hofft, sich erleichtern zu können. Aber ich möchte am liebsten in unser Zimmer gehen, unter die Bettdecke kriechen, mich vor ihm verstecken, vor mir selbst. Ich will schon weitergehen, als er sich umdreht und mich sieht.

»Memphis ist echt eine Scheißstadt«, sagt er, als ich mich auf den Barhocker neben ihm setze. »Und ich darf in der Bar nicht rauchen.«

»Was trinkst du da?« Ich nehme das Glas und trinke. »Rum? Wie kommst du denn darauf? Geht es dir gut? Du siehst müde aus.«

»Ich habe den ganzen Tag mit Toten gesprochen. Kein Wunder, dass diese Stadt im wirtschaftlichen Ruin versinkt. Die Menschen sind von all der Gewalt wie betäubt. Es ist schlimm. Ich habe ein Interview mit einem Lehrer geführt, in dessen Schule allein dieses Jahr drei Schüler ermordet worden sind. Junge Menschen. Es ist wie im Krieg, nur sinnloser. Und du?«

»Ich habe auch mit den Toten gesprochen.«

Peter leert sein Glas und gibt dem Barkeeper ein Zeichen. »Du warst auf dem Friedhof?«

»Ja.«

»Wie war das?«

»Es war seltsam, das Grab nach so vielen Jahren zu sehen.« Ich habe es wieder vor Augen, Conrads Grabstein, an dem die Zeit ihre Spuren hinterlassen hat, meine Tränen auf dem dürren Boden. »Es hat eine Weile gedauert, bis ich es fand. In meiner Erinnerung war es oben auf einem Hügel. Aber das Grab liegt in einer Niederung. Von der Beerdigung weiß ich nur noch, dass es sehr schwül war und Anna geklagt hat, ihre Haare würden sich kräuseln, und dass sie das Vaterunser nicht sprechen wollte.«

»Unverkennbar Anna.«

»Conrads Mutter hat kein Wort mit uns gesprochen, mit keinem von uns. Auch mit Mum nicht. Und Rosemary, meine Stiefschwester, hat sich an ihre Mutter geklammert, ein kleines geisterhaftes Ding.«

»Wohnen sie noch da?«

»Keine Ahnung. Wir haben sie danach nie wieder gesehen. Leo hat meine Mutter ja ein paar Monate nach Conrads Tod verlassen.«

»Wie alt war Rosemary damals?«

»Als Conrad starb?«

Peter nickt.

»Vierzehn vielleicht.«

»Wart ihr befreundet?«

»Rosemary und ich? Himmel, nein.«

»Warum nicht?«

»Sie war ... Ich weiß auch nicht. Merkwürdig. Gespenstisch irgendwie. Sie hatte keine Ahnung von normalem Sozialverhalten, wenn du dir das vorstellen kannst. Ich weiß, dass sie gern Kirchenlieder gesungen hat.«

»Du solltest da mal vorbeifahren, gucken, ob sie noch da ist.«

»Sie ist bestimmt vor Jahren weggezogen.«

»Vielleicht, vielleicht auch nicht.«

»Außerdem wäre es ziemlich schwierig. Plötzlich vor der Tür zu stehen, nachdem wir jahrelang nichts von uns haben hören lassen.«

»Es ist nie zu spät«, sagt Peter und rutscht vom Barhocker. »Ich gehe eine rauchen.«

»Du solltest damit aufhören.«

»Eines Tages werde ich das tun«, sagt er. Ich sehe ihm hinterher, wie er durchs Foyer geht, durch die Drehtür nach draußen, auf den staubigen Gehweg.

Vor zwei Tagen. 30. Juli, Memphis.

Rosemary wohnt in einer stillen, ganz gewöhnlichen Gegend auf der Ostseite der Stadt. Reihe um Reihe beinah identischer, einstöckiger Häuser, die Dächer mit wenig Dachschräge. Ich erkenne ihr Haus sofort, als das Taxi hält: Im Eingang steht der Schirmständer in Form eines Alligators, der schon bei ihrer Mutter gestanden hatte, den Schlund immer noch weit aufgerissen, nach all den Jahren. Rosemary öffnet die Tür, einen kleinen Hund im Arm. Aus dem Hundeasyl, wie sie mir gleich sagt. Ihr Haar ist beigefarben und kurz geschnitten. Sie ist Professorin für Musikgeschichte. Jerome, ihr Mann, unterrichtet Quantenphysik. Sie haben keine Kinder.

»Meine Epoche ist der Barock«, sagt sie, als ich ihr ins Wohnzimmer folge. »Ich habe Kräutertee oder koffeinfreien Kaffee. Koffein macht mich immer zappelig.«

»Koffeinfrei ist gut.«

»Setz dich doch. Ich habe einen Karottenkuchen gebacken.« Sie geht in die Küche und lässt mich im Wohnzimmer allein. Auf dem Kaminsims stehen gerahmte Fotos: Rosemary, die nach dem bestandenen Examen in Robe und Kappe trist aussieht, Rosemary und ihr Mann an ihrem Hochzeitstag, Rosemary als junges Mädchen mit Leo in einer Straßenbahn. Kein einziges Foto von Conrad. Ich nehme ein Foto im Silberrahmen in die Hand, das Rosemary mit einem älteren Paar auf einem Kreuzfahrtschiff zeigt. Es dauert einen Moment, bis ich begreife, dass der Mann Leo ist. Er hat den Arm um eine Frau gelegt, die ich als Rosemarys Mutter erkenne.

»Sie haben wieder geheiratet«, sagt Rosemary, als sie ins Zimmer kommt.

»Das wusste ich nicht.«

»Ein paar Jahre nach dem Tod meines Bruders.« Sie nimmt mir das Foto aus der Hand und stellt es wieder auf den Kaminsims. »Sie sind beide tot.«

»Das tut mir leid.«

»So was kommt vor.« Sie gibt mir ein Stück Karottenkuchen. »Ich nehme zum Backen Apfelsirup statt Zucker. Wie geht es Anna?«

»Anna ist auch tot. Seit zwanzig Jahren. Ja, morgen ist ihr Todestag.«

»Ihr zwei habt euch nicht gut verstanden, soweit ich mich erinnere«, sagt Rosemary.

Ich begehre auf. »Sie war meine beste Freundin. Sie fehlt mir jeden Tag.«

»Das Leben kann einsam sein.«

Wir sitzen schweigend beieinander und beschäftigen uns mit dem Kuchen.

»Der Kuchen ist köstlich«, sage ich nach einer Weile.

»Mit dem Apfelsirup wird er schön feucht. Und – was führt dich nach Memphis.«

»Peter, mein Mann. Er ist beruflich hier. Meine Mutter ist im Sommerquartier, sie kümmert sich um die Kinder. Wir haben drei.«

»Und bist du zum ersten Mal wieder hier?«

Ich nicke. »Ich hätte eher kommen sollen. Gestern war ich an Conrads Grab.«

»Ich war da nie. Ich finde Friedhöfe deprimierend. Mutter ist einmal in der Woche hingegangen. Sie hat das alles nie richtig verwunden. Ich glaube, sie hat dir die Schuld gegeben.«

Ich habe das Gefühl, als hätte sie mir ein Glas Eiswasser ins Gesicht geschüttet.

»Es tut mir leid«, sage ich und bin mir der Unangemessenheit meiner Worte bewusst. »Ich konnte ihn nicht retten.«

»Na ja. Wenn du hinter ihm her gesprungen wärst, hätte er dich in seiner Panik wahrscheinlich mit nach unten gezogen. So einer war er.« Sie steckt sich ein großes Stück Kuchen in den Mund und kaut bedächtig. »Du hast gesehen, wie er ertrunken ist.«

»Ja.«

»Es muss schwer sein, das aus dem Kopf zu bekommen.«

»Es ist mir nie gelungen.«

Einen Moment lang ist Rosemary still. Sie befühlt das kleine Kreuz an ihrem Hals. Sie scheint in Gedanken. »Ich habe es mir vorzustellen versucht: Conrad fällt vom Boot in das kalte, unendliche Meer. Er war ein schlechter Schwimmer. Wie war es: zuzusehen, wie er unterging? Ich wünschte, ich wäre da gewesen und hätte es selbst gesehen.«

Das ist eine so seltsame Äußerung. »Das verstehe ich nicht.«
»Nein?« Sie sieht mich intensiv an. »Erinnerst du dich an den Sommer, den er mit mir und Mutter verbracht hat?«

Ich nicke. Eine dumpfe Beklemmung breitet sich in mir aus.
»Das war meine Idee. Für mich war es ziemlich einsam, nachdem Con nach New York gezogen war. Mutter war die meiste Zeit gedrückter Stimmung. Oft saß ich auf der Hollywoodschaukel auf der Veranda und gab mir Mühe, leise wie eine Maus zu sein. Geräusche machten sie nervös, sagte Mutter. Jedenfalls, Conrad, Mutter und ich hatten vor, nach Santa Fe zu fahren, zu meinem Onkel. Ich war sehr aufgeregt. In der ersten Nacht, als Conrad zu Hause war, kam er, nachdem Mutter eingeschlafen war, in mein Zimmer. Ich wachte auf, und er lag auf mir. Ich konnte kaum atmen. Ich wollte um Hilfe rufen, aber er hielt mir den Mund mit der Hand zu. Ich habe in seine Handfläche geweint.« Sie macht eine Pause und pickt eine Fluse von ihrer Hose. »Die ganze Zeit, während er mich vergewaltigte, sagte er deinen Namen.«

Im Zimmer wird alles weiß. Ich habe das Gefühl, in Zeitlupe in einen Stern gesaugt zu werden. Ich höre schwach das Summen der Klimaanlage. Kinderstimmen draußen auf der Straße. Ich stelle mir vor, dass sie sich gegenseitig mit einem Schlauch bespritzen. Ein Auto fährt vorbei, dann noch eins.

»In dem Sommer ist er fast jede Nacht in mein Zimmer gekommen. Ich war dreizehn.« Ihr Gesicht ist ausdruckslos, unbeteiligt. Sie könnte auch über Katzen sprechen. »Mein Bruder war ein Ungeheuer. Jeden Abend habe ich gebetet, er möge sterben. Und dann hat Gott mein Gebet erhört.« Nach einer kleinen Pause sagt sie: »Aber mir kam auch der Gedanke, ob du diejenige warst, die mein Gebet erhört hat, und nicht Gott.«

Rosemary nimmt die Kaffeekanne und schenkt sich die Tasse halb voll, mit einer kleinen Zange fügt sie zwei Stück Würfelzucker hinzu. »Jerome hätte gern Kinder gehabt, aber ich konnte keinen Sinn darin sehen. Möchtest du noch Kaffee?«

Ich bin wie betäubt und kann nichts sagen.

Es klingelt an der Haustür. »Ah«, sagt Rosemary und steht auf. »Das ist wohl die Reinigung.«

Vor Rosemarys Haus scheint, wie zuvor, die Sonne, die Luft trieft vor Hitze und Erschöpfung. Ein Junge fährt wild klingelnd auf seinem Fahrrad vorbei. Aus einem Spalt zwischen den Gehwegplatten wächst Unkraut. Ich komme zu einem Überweg. Es riecht nach Bananenschalen, auf einem leeren, verdorrten Grundstück wehen Plastiktüten umher und sehen aus wie umherliegende Männerunterhemden. Ich muss Jonas anrufen.

31

Gestern. 31. Juli, Back Woods.

»Um wie viel Uhr kommen die Gäste?«

»Ich habe gesagt, gegen sieben.« Der Kopf meiner Mutter steckt tief im Kühlschrank, in dem eine Tube Tomatenmark verloren gegangen ist.

Ich hole eine weiße Leinentischdecke aus der Schublade und breite sie über den Tisch auf der Veranda. »Sind wir acht oder zehn?«

»Neun, Jonas' unleidliche Mutter kommt auch. Ich weiß nicht, warum wir sie einladen mussten. Ich mag keine ungeraden Zahlen.«

Ich nehme die Nudelteller vom Bord, trage sie zum Tisch und stelle sie hin. »Was ist mit Dixon und Andrea?«

Mum gibt mir die Stoffservietten. »Dixon ja, Andrea kommt nicht. Nimm diese. Und die Messingkerzenhalter.«

»Warum nicht?«

»Ihr entsetzlicher Sohn ist aus Boulder zu Besuch gekommen. Sie hat gefragt, ob sie ihn mitbringen könnte, und ich habe Nein gesagt.«

»Du bist wirklich schlimm.«

Sie gibt mir das Brotbrett. »Warum sollte ich ihn einladen? Er kannte Anna gar nicht.«

Ich trage Weingläser zum Tisch, immer zwei auf einmal. Gabeln und Messer. Salz. Pfeffer. Ich konzentriere mich auf die kleinen Aufgaben, als wären sie eine Rettungsleine, die mich in der Gegenwart verankert, in meinem Leben im Hier und Jetzt. Ich kann Rosemarys Worte nicht vergessen, ihre eintönige, unbewegte Stimme, mit der sie mir die Absolution erteilte, Vergebung für mein Verbrechen.

»Was muss noch gemacht werden?«, frage ich.

»Du kannst ein paar Flaschen von dem Claret öffnen, damit der Wein atmen kann. Und den Käse raspeln. Im Fach in der Kühlschranktür liegt ein Stück Parmesan.« Sie stellt die weiße Keramikschüssel mit Limonen und grünen Birnen auf den Tisch.

»Das sieht schön aus«, sage ich.

»Du musst hundemüde sein.«

»Bin ich auch.«

»Ich verstehe nicht, warum du mit nach Memphis wolltest.«

»Peter hatte mich darum gebeten. Er bittet nie um etwas.« Ich gehe in die Vorratskammer. »Ich bin froh, dass ich es getan habe. Weißt du, wo der Korkenzieher ist? Hier ist er nicht.«

»Ich habe ihn neulich erst an seinem Haken gesehen. Vielleicht ist er runtergefallen. Gib mir doch eine Knolle Knoblauch, wo du schon da stehst.«

»Hab ihn gefunden. Ich war bei Rosemary«, sage ich und gebe ihr den Knoblauch. »Bei ihr zu Hause.«

»Rosemary«, sagt sie. »Ich hatte vergessen, dass es sie gibt.«

»Es war Peters Idee.«

»Sie war ein so merkwürdiges Kind. Wie sie immer an ihrem Vater geklebt hat. Und diese tief liegenden Augen. An ihr war etwas, weswegen Anna jedes Mal fluchtartig das Haus verließ, wenn Rosemary zu Besuch kam.«

»Sie konnte Rosemarys Geruch nicht ausstehen.«

»Das war's«, sagt Mum. »Anna hat immer gesagt, sie rieche nach Formaldehyd. Süßlich.« Mit der breiten Seite der Messerklinge zerdrückt sie fünf Knoblauchzehen und gibt sie in eine gusseiserne Pfanne. Klein geschnittene Möhren, Stangensellerie und Zwiebeln bräunen schon in Olivenöl und Butter. Mum öffnet ein Fleischerpaket mit Hackfleisch, halb und halb, und gibt es nach und nach in die Pfanne, dann fügt sie Milch hinzu. Davon wird das Fleisch zart. Auf der Theke steht eine offene Flasche Weißwein zum Ablöschen.

»Gibst du mir den mal?« Sie zeigt auf den Schaumlöffel.

»Wie ist sie jetzt?«

»Immer noch komisch. Sehr direkt. Sie ist Musikwissenschaftlerin. Wohnt in einem Bungalow. Haare kurz und gestuft. Hosen. In diese Richtung.«

»Verheiratet?«

Ich nicke.

»Und ihre Mutter?«

»Ist vor ein paar Jahren gestorben.«

»Die arme Frau. So ein trauriges Leben.«

Ich sehe zu, wie meine Mutter langsam die Soße rührt, immer im Kreis. »Leo ist zu ihr zurückgegangen. Wusstest du das? Sie haben wieder geheiratet.«

»Nein, das wusste ich nicht. Ich hatte angenommen, er sei tot oder im Gefängnis.«

»Auf dem Kaminsims stand ein Hochzeitsfoto. Sie beide auf einer Kreuzfahrt. Ein unauffälliges älteres Paar.«

Mum nimmt eine Gurke und fängt an, sie zu schälen. »Lass uns nicht über Leo sprechen. Was mich angeht, so ist er vor langer Zeit gestorben. Er war böse. Ich möchte nicht an ihn denken, und du solltest das auch nicht tun.«

Sie nimmt den Weißwein und gießt etwas davon in ein Glas.

»Ich dachte, das ist der Kochwein.«

»Ist trotzdem Wein«, sagt sie und trinkt das Glas in einem Zug leer.

»Ich muss mit dir über Leo sprechen, Mum.«

»Eleanor, die Gäste kommen bald, und ich bin beim Kochen. Das muss jetzt warten.«

Seit ich Jonas gestern aus Memphis angerufen habe, mit Schwindelgefühlen auf dem Gehweg vor Rosemarys Haus, habe ich nicht mehr mit ihm gesprochen. Als ich jetzt seine Mutter und Gina in der Tür stehen sehe, krampft sich mein Magen zusammen, ein vertrautes und doch vergessenes Gefühl. Es dauert einen Moment, bis ich es erkenne: Die Aussicht auf sein Kommen erfüllt mich mit Anspannung, Aufregung, Vorfreude. Es ist ein so seltsames Gefühl, eins, das ich seit Jahren nicht zugelassen habe, und jetzt ist es da.

Aber Jonas ist nicht dabei.

»Er hat darauf bestanden zu duschen, obwohl er gerade vom Schwimmen gekommen ist. Die reinste Wasserverschwendung«, sagt seine Mutter, als sie durch die Fliegengittertür tritt.

»Er kommt in ein paar Minuten nach.« Gina gibt meiner Mutter eine Flasche Wein. »Ich habe weißen mitgebracht.«

»Wir trinken Rotwein«, sagt meine Mutter und geht mit der Flasche in die Küche.

»Beachte sie gar nicht.« Peter kommt hinzu und umarmt Gina. »Sie ist schon den ganzen Nachmittag unausstehlich.«

»Denk dran«, sage ich, obwohl ich ihm zustimme, »dass es ein schwieriger Tag für sie ist.«

»Da hast du recht«, sagt Peter. »Ich nehme es zurück.«

»Es tut mir so leid, dass ich Anna nie richtig kennengelernt habe«, sagt Gina. »Sie klingt cool.«

»Das war sie«, sage ich. »So cool wie keine andere.«

Meine Mutter kommt aus der Küche mit einem Tablett, auf dem Käse und Cracker liegen. Jonas' Mutter winkt ab. »Ich habe Gluten und Milchprodukte gestrichen. Wegen der Arthritis.«

»Das hättest du mir vorher sagen sollen«, sagt Mum verärgert. »Es gibt Pasta. Dann musst du eben Oliven essen.«

»Wie war Memphis?«, fragt Gina.

Peter seufzt. »Schwül. Ermüdend.«

»Ich war da noch nie«, sagt Gina.

»Elle hat es gefallen.«

»Das stimmt. Es ist eine Stadt voller Geister«, sage ich.

»Möchtest du Wein oder einen echten Drink?«, fragt Peter Gina.

Über Ginas Schulter hinweg sehe ich Jonas den Sandweg herunterkommen. Sein Haar ist nass und wirr. Er ist barfuß und hat zerrissene Levi's und ein blaues Baumwollhemd an. Seine Wangen sind gerötet. Er sieht genauso aus wie früher, als wir jung waren. Mit federnden Schritten und klarem Blick. Als er mich sieht, lächelt er – nicht sein übliches Lächeln, mit dem man eine alte Freundin begrüßt und an das ich mich gewöhnt habe, sondern ein intimeres, offeneres Lächeln, so als sagte es: Endlich, nach all den Jahren, können wir uns ohne den Schatten der Schande zwischen uns ansehen.

Peter steht vom Tisch auf und streckt sich. »Das war köstlich, Wallace. Was gibt's zum Nachtisch?« Er zündet sich eine Zigarette an und geht ins Zimmer, zu dem Bord, wo Mums alte LPs neben dem vermutlich einzigen noch existierenden Victrola-Plattenspieler liegen.

»Birnen und Sorbet. Wer möchte Kaffee?«

Ein kratziger Song von Fleetwood Mac beginnt. »Hast du diese Platten gekauft, Wallace?«, ruft Peter von drinnen.

»Sie haben Anna gehört«, sagt sie. »Liest du nicht das Shelley-Gedicht vor?«

Jedes Jahr liest Peter an Annas Todestag ihr Lieblingsgedicht, Shelleys *An eine Lerche*, das sie sich für ihre Beerdigung als Gebet gewünscht hatte. Es ist ein heiliges Ritual.

Aber diesmal sagt Peter: »Ich bin zu müde und zu betrunken. Kann es bitte jemand anders lesen?« Er lässt sich aufs Sofa fallen.

Gina zieht einen Stuhl heran, und die beiden fangen ein sinnloses Gespräch über Restaurants in Bushwick an.

Am liebsten würde ich ihnen ins Gesicht schlagen.

Dixon nimmt das zerlesene Buch, schlägt es auf und gibt es dann an Jonas weiter. »Meine Augen sind nicht mehr das, was sie mal waren«, sagt er.

Jonas findet die Seite.

»Für Anna, die Schöne«, sagt er. »Gruß sei dir, holder Geist.« Und er liest.

»Ich bin nicht überzeugt vom Wert der Psychologie.« Meine Mutter predigt zu den noch anwesenden Gästen.

»Weil du Angst hast, sie würden dich in eine Irrenanstalt sperren«, sagt Peter, der auf dem Sofa liegt.

»Soweit ich sehen kann, besteht ihr einziger Nutzen darin, Kindern zu erlauben, dass sie ihren Eltern die Schuld für das geben, was in ihrem Leben schiefgelaufen ist.«

»Das Einzige, wofür ich dir die Schuld gebe, ist, dass du mich in einen Segelkurs geschickt hast«, sage ich, und die anderen lachen. Sie haben es vergessen. Alle, außer Jonas.

»Passt auf. Gleich sagt sie, sie habe als Kind nicht genug Liebe von mir bekommen«, sagt Mum. Sie steht vom Tisch auf und geht in die Küche, um mit dem Abwasch anzufangen. »Und damit hat sie natürlich völlig recht.«

»Es geht nicht immer nur um dich, Mum.«

Jonas sieht mich mit brennenden Augen an.

Ich stehe auf und gehe durch die Hintertür in die dunkle Nacht hinaus. Dann lehne ich mich an die kalte Mauer und warte, und es kommt mir vor wie eine Ewigkeit.

Buch fünf

Heute. 18.30 bis 6.30

32

Heute. 1. August, Back Woods.

18.30

Ich ziehe mir den feuchten Badeanzug aus und lasse ihn auf den Boden fallen, dann lege ich mich aufs Bett. Vom Haus schallt Peters tiefes Lachen herüber, und ich höre, wie meine Mutter die Kinder auffordert, ihr Spiel zu unterbrechen und sich für das Grillfest bereit zu machen. An der Decke unserer Schlafhütte krabbeln lauter von der Hitze und dem drohenden Gewitter angelockte Rossameisen. Feiner Pappstaub liegt auf Peters Nachttischlampe. Ich blicke durch das Oberlicht in den Abendhimmel, das späte Sonnenlicht fällt durch die Bäume und spilligen Äste herein. Nimbuswolken treiben vorbei und künden von Regen.

Als Anna und ich klein waren, hat unser Vater vor unserer Schlafhütte einen zarten Birkenschössling gepflanzt, der Stamm so dünn wie eine Weidengerte. Ein Baum, in den Wald gepflanzt. Er sagte, der Baum würde mit uns wachsen und groß werden. Bevor die Birke bis zum Dach reichte, war das Oberlicht ein klares blaues Rechteck. Ich mochte gern auf dem Bett liegen und in den Himmel blicken, wo ich den Möwen zusehen konnte, die mit der Windscherung flogen. Nach Conrads Tod habe ich zu diesem Himmel gebetet – nicht um Vergebung, sondern um Führung, um Weisung, wie es trotz der Vergangenheit weitergehen konnte, um den Weg nach vorn. Damals waren die obersten Zweige der Birke schon im Oberlicht zu sehen gewesen, dünne, spitze Sprieße, die sich in die Luft reckten. Zoll um Zoll, Jahr um Jahr wuchs die wilde Mähne der Birke, bis sie das Glas ganz bedeckte und den Himmel versteckte. Ich hatte um Antworten gebetet, um Klarheit wie die von Glas, aber das Vergehen der Zeit brachte nichts als ein wildes Astgewirr, wie zum Zeichen, dass ich nicht heil werden würde.

»Es ist ein Fenster«, hatte Jonas gesagt, damals vor langer Zeit, an dem Tag beim Bach. Und ich hatte »Ja« gesagt.

Gestern habe ich ihm über den Tisch hinweg in die Augen gesehen, in seine grünen Augen, dunkel jenseits des Kerzenscheins. Er hat den Blick erwidert. Wir haben beide nicht weggeguckt. Dann entstand auf seinen Lippen ein Lächeln der Erleichterung und des Bedauerns und des Bewusstseins von den absurden und traurigen Unvermeidbarkeiten. Wir haben von Anfang an zusammengehört. Ehen, Kinder, nichts hat diese wesentliche Wahrheit verändert. Könnte ich das, was ich getan habe, rückgängig machen, würde ich es tun. Jede einzelne schlechte Entscheidung, wann immer sich der Weg gabelte. Jede Entscheidung, die mich von ihm weggeführt hat. Jede Entscheidung, die mich von Peter weggeführt hat. Nicht nur, dass ich gestern mit Jonas gefickt habe, oder das, was wir heute getan haben und was ich nicht aus dem Kopf kriege und morgen wieder tun möchte, sondern Conrad: der Tag damals, der sonnige Tag, das kabbelige Meer, als der Wind umschlug. Die Wahrheit, die ich vor Peter verborgen habe. Die Lüge, mit der ich in unsere Ehe gegangen bin. Ich denke an Rosemary, ihr ordentliches, langweiliges Wohnzimmer, an ihren feuchten Kuchen, an den Zorn in ihrem Blick. Wie sie sich dafür bedankt hat, dass ich ihr das Leben gerettet habe. Ich habe Jonas nie dafür gedankt, dass er meins gerettet hat. Stattdessen habe ich ihm die Schuld gegeben. Und mir selbst. Ich habe Peter von mir ferngehalten und ihn für meine Sünde bestraft. Ich habe mein Leben, mein ganzes Leben, auf einer Bruchstelle gebaut. Hätte ich Peter von Conrad erzählt und von dem Tag auf dem Boot, ich weiß, er hätte mir verziehen. Deswegen habe ich es ihm nicht erzählt: Ich wollte keine Vergebung.

Dann die Entscheidung, die Jonas jetzt von mir verlangt. Meinen wunderbaren Mann zu verlassen. Den Kindern Schmerz zuzufügen. Peter ist nicht einer, der Rache sucht. Was immer geschieht, er würde mir die Kinder nicht wegnehmen, würde keine Kluft zwischen uns entstehen lassen. Dafür liebt er uns alle zu sehr. Er hat Rückgrat. Es ist seine Erdhaftung, die mich aufrecht hält, wenn ich zu wanken beginne. Ich bin in Jonas verliebt. Seit vielen Jahren. Ich kann ohne ihn nicht leben, kann ihn jetzt, nachdem ich so lange gewartet habe, nicht aufgeben. Aber ich bin auch in Peter verliebt. Ich muss mich zwischen zwei Dingen entscheiden. Das eine kann ich nicht haben. Das andere habe ich nicht verdient.

Ich stehe vom Bett auf. Ich brauche eine heiße Dusche und eine Handvoll Advil. Mein Körper ist wund. Mein Kopf tut vom Denken weh, immer im Kreise herum. Wenn man einen Mann loslässt, heißt das, dass man alles, was man hat, verliert, oder gewinnt man all das, was man nie hatte? Ich wickle mich in ein Handtuch. Ich sollte mit zu der Grillparty bei Dixon gehen. Ich sollte bei Peter und meinen Kindern sein.

Vor dem Badezimmer drehe ich die Dusche an, damit das Wasser warm wird, dann suche ich nach den Advil. Ich krame im unordentlichen Badezimmerschrank meiner Mutter herum. Ganz hinten ertaste ich etwas und hole es hervor. Ich weiß gleich, was es ist. Eine von Annas Tamponpackungen. Sie war die Einzige, die diese Sorte benutzte. Die Plastikverpackung ist vergilbt, aber der rosa Schieber ist so rosa wie zuvor. Ich erinnere mich an Conrad, wie er durch das Badezimmerfenster spähte und mich sah, die Beine gespreizt, und wie mir dann der Tampon über den Boden rollte. Ich denke an den Tag, an dem

405

ich Jonas kennenlernte. Ich denke an Anna, die mich immer anschrie, ich solle ihre Sachen nicht anfassen. Daran, dass sie es *mir* erzählte, als sie zum ersten Mal mit einem Jungen geschlafen hatte. Ich denke daran, wie traurig sie in den letzten Monaten war, welche Angst sie hatte. Ich denke daran, wie Peter mich im Arm gehalten hat, jeden Tag, wenn mir die Tränen liefen. Ich stelle mich unter die Dusche, lasse das heiße Wasser über mich laufen und hoffe, es übertönt meine aus tiefster Tiefe kommenden Schluchzer, mein verzweiflungsvolles Weinen, und ich bitte, das Wasser möge mich reinwaschen, möge die Vergangenheit von mir abwaschen. Ich weiß, dass ich nur eine Wahl habe.

18.45

Wir gehen die steile Auffahrt hinauf und bleiben oben beim Dreieck stehen. Wir warten auf Mum.

»Wartet nicht auf mich«, ruft sie auf halbem Wege zu uns hinauf.

Aber wir warten. Ich bin barfuß und trage ein Leinenkleid, in der Strohtasche habe ich meine Flipflops und eine Taschenlampe für den Rückweg. Ich bemühe mich, meinen inneren Aufruhr im Zaum zu halten. Maddy ist vorausgelaufen, sie mag gern die Erste sein, Finn rennt hinter ihr her. Meine Mutter kommt langsam nach. Ihre Knie sind nicht mehr das, was sie mal waren. Sie trägt ihre alten Jeans, etwas zu kurz, etwas zu weit, und ein schwarzes Hemd aus indischer Baumwolle, das, wie sie gern sagt, ihren Allerwertesten bedeckt. Der See ist ihr Hintergrund: die glasblaue Horizontlinie hinter dem Scherenschnitt der Bäume. Ich tue so, als hörte ich Jack zu, der Peter überzeugen möchte, einen Pass für den White Crest Beach zu kaufen, weil man da besser surfen könne und Anwohner nur dreißig Dollar im Jahr dafür bezahlten.

»Na, wir wollen mal sehen«, sagt Peter.

Ich schlage mir auf die Fußgelenke. Die Kriebelmücken zerbeißen mich. Eine Bremse landet auf meinem Arm. Ihre getupften Flügel werden still. Bremsen sind nicht so schnell wie andere Fliegen, sie sind größer, und man kann sie leichter totschlagen, aber ihr Stich ist viel, viel schlimmer. Ich erschlage sie. Ich töte sie. Ich beobachte, wie sie auf die Straße fällt und noch einmal zuckt, bevor sie stirbt.

»Hat jemand das Insektenspray dabei?«

Peter holt es aus einem Leinenbeutel.

»Bin schon da«, lässt meine Mutter uns wissen. »Die Kriebelmücken sind zurück. Ich bin froh, dass du mitkommst, Eleanor«, sagt sie dann. »Schade nur, dass du dir das Haar nicht hochgesteckt hast. Aus dem Gesicht sieht es viel schöner aus.«

Wir sind schon beim Haus der Gunthers, als Peter stehen bleibt. Die gefährlichen Schäferhunde der Gunthers sind lange tot. Die Gunthers auch. Trotzdem spüre ich immer eine Anspannung und erwarte das scharfe Gebell, den triefenden Speichel, das Knurren, die gefletschten Zähne, jedes Mal, wenn ich mich dem weißen Holzzaun nähere, der inzwischen halb vermodert im Dickicht liegt.

»Ach, so was Blödes«, sagt Mum. »Die rote Zwiebel.«

»Jack kann zurücklaufen«, sagt Peter. »Dauert keine fünf Minuten.«

»Warum bin ich immer derjenige, der laufen muss?«, mault Jack. »Warum kann Maddy nicht gehen oder Finn?«

Ich sehe, wie sich Peters Kiefer anspannen. »Weil du immer noch dein inakzeptables Verhalten von heute Morgen gegenüber deiner untadeligen Mutter wiedergutzumachen hast.«

»Ich habe mich entschuldigt.«

»Ist schon gut. Ich gehe.« Bevor mir Peter widersprechen kann, kehre ich um. Ich weiß, dass jede Familie auf ihre eigene Weise unglücklich ist. Aber jetzt, für die nächsten Stunden, brauche ich eine glückliche Familie. Bis ich das Land sicher erreicht habe, brauche ich diese Wahrheit wie einen Rettungsring. Ich darf sie nicht loslassen.

»Kannst du mir einen Pullover mitbringen?«, ruft Peter hinter mir her. »Es wird bestimmt kühl.«

Eine mir unbekannte weiße Katze sitzt auf der Veranda vor der Fliegengittertür. Ich finde weiße Katzen abstoßend, sie haben etwas Rattenartiges. Als die Katze mich kommen sieht, verschwindet sie im Gebüsch. Der untere Teil eines Backenhörnchens liegt auf der Veranda, der buschige Schwanz hängt zwischen den Bohlen herab. Ich sollte es wegmachen, aber ich bin so angewidert, dass ich beschließe, es der Katze zu überlassen. Ich gehe zu unserer Schlafkabine und hole einen Pullover für Peter.

Die oberste Schublade steht offen. Peter, denke ich verärgert. Ich achte immer darauf, sie fest zuzuschieben, damit Motten und Spinnen nicht hineinkommen. Ich schließe die Schublade. Mein Schmuckkästchen steht auf der Kommode. Seltsam, denn ich weiß, dass ich es da nicht hingestellt habe. Ich mache es auf, um zu prüfen, ob etwas fehlt. Alles ist da, aber etwas Neues ist hinzugekommen. Auf dem Durcheinander meiner Ohrringe und Halsketten liegt ein gefaltetes Blatt Papier. Es ist in der Form einer Schnappschildkröte zurechtgeschnitten. Darin steckt mein grüner Glasring. Jonas hat ihn all die Jahre gehabt. Seit wir uns in dem griechischen Café über den Weg gelaufen sind. Seit dem Frühlingsabend auf dem Anleger am Hudson. Seit dem Strandpicknick, bei dem ich Gina kennengelernt habe, in Annas letztem Sommer am See. Ich wüsste gern, wo er ihn die ganze Zeit hatte. Irgendwo versteckt. Ein kleines Geheimnis. Ein wertloser Blechring, die Beschichtung längst abgeblättert. Und doch, als ich ihn mir anstecke, empfinde ich ein mächtiges Gefühl der Erfüllung, als wäre ich endlich heil, wiederhergestellt. Wie die Venus von Milo, deren fehlender Arm plötzlich wiedergefunden wurde, nachdem er Jahrhunderte unter der Erde vergraben war und dann, endlich, wieder angefügt werden konnte. Ich schließe die Augen und lasse es zu, das zumindest. Ich erinnere mich an den Moment, als Jonas mir diesen Ring schenkte. Seine feuchte, zittrige Hand. Zwei Kinder, deren Liebe für immer war. Ich stecke mir den Ring in die Tasche und nehme Peters Pullover.

19.15

Ich hole die anderen ein, als sie bei der Abzweigung zu Dixons Haus angekommen sind. Seine Einfahrt ist ein Teil des Old King's Highway. Fährt man an Dixons Haus vorbei, endet die Straße in einer großen Wiese. Aber am gegenüberliegenden Ende der Wiese, im Schatten der Bäume versteckt, geht die alte Straße weiter. Als Kinder sind wir immer diesen Schleichweg in die Stadt gegangen. Wir konnten die vier Meilen von Beckys Haus zum Penny-Candy-Laden gehen, ohne die geteerte Straße zu benutzen. Manchmal, nach heftigen Regengüssen, fanden wir Keramikscherben oder Pfeilspitzen, die aus dem Erdreich gewaschen worden waren. Einmal entdeckte ich eine kleine Medizinflasche, deren lila Glas mit der Zeit blind geworden war. Ich stellte mir vor, wie einer der Pilgerväter das Fläschchen aus seinem Wagen ins Gebüsch geworfen hatte, nach einem raschen Blick zurück, um sich zu vergewissern, dass ihn niemand beobachtet hatte. Das Fläschchen hatte zwei Jahrhunderte in der Erde gelegen und war von seiner Hand direkt in meine gelangt.

Die alte Straße endet bei dem seit Langem verlassenen Friedhof der Pilgerväter. Wir fanden das faszinierend, die Reihen der kleinen Grabsteine, in die geflügelte Engelsköpfe geschnitzt waren, von Wind und Wetter gezeichnet. Die Namen waren kaum noch lesbar, Zeugnisse von Leben und Entsagung. Die meisten Toten waren Kinder mit Namen wie *Temperance, Thankful, Obediah, Mehetable.* Drei Wochen alt, vierzehn Monate und vierundzwanzig Tage, zwei Jahre und neun Monate, fünf Tage. Alle Gräber waren nach Osten ausgerichtet. Am Tag des Jüngsten Gerichts würden die Kinder auferstehen und in die Morgendämmerung blicken, in der Hoffnung, dass sie zu den Gerechten gehörten und einen Platz zur Rechten Gottes bekamen.

Der Geruch von Mesquitsträuchern und Hamburgern schlägt uns entgegen. »Lecker«, sage ich und hole die Kinder ein. »Ich habe einen Riesenhunger.«

»Kein Wunder, nach dem Schwimmen«, sagt Mum.

»Ich will drei Hamburger«, sagt Finn. »Kann ich drei Hamburger essen, Mom?«

»Mom kann das nicht entscheiden«, sagt Jack. »Du musst Dixon fragen.«

»Und bei Hotdogs?«, fragt Finn.

»Ich freue mich auf einen ordentlichen Gin Tonic«, sagt Peter. »Und ich bringe Dixon um, wenn er nur diese Almadén-Plörre hat.«

»Er macht Lampen daraus«, sagt meine Mutter.

Peter sieht sie verdutzt an.

»Man füllt die Flaschen mit Sand«, sagt sie.

»Sand.«

»Offenbar hast du die Siebzigerjahre verpasst.«

»Elle, ich glaube, deine Mutter hat Demenz im Anfangsstadium.«

Sie schlägt mit ihrem Hut nach ihm. »Bei unserem Konsum mussten wir was aus den Flaschen machen.«

»Wenn du dich nicht wohlfühlst, Wallace, bringe ich dich gern nach Hause.«

»Dein Mann ist unerträglich«, lacht sie. »Vielleicht solltet ihr mal über Scheidung nachdenken.«

Finn und Maddy machen unglückliche Gesichter.

»Mum.«

»Also wirklich, das war ein *Witz*. Ein Witz«, sagt sie zu den Kindern. »Ich verehre euren Vater, und das weiß er auch.«

»Eure Großmutter ist immer schon ein Scherzkeks gewesen«, sagt Peter.

Ich nehme Finns Hand, gehe neben ihm in die Hocke und sage: »Deine Großmutter hat eine Dummheit gesagt. Du weißt doch, dass sie oft dummes Zeug redet. Daddy und ich haben uns lieb. Und das wird immer so sein.«

Im Vorgarten tummeln sich vielleicht fünfzehn Menschen, die üblichen Gesichter, plaudern miteinander, essen dünne Cracker mit Käse und trinken aus Plastikbechern. Ein runder Picknicktisch dient als provisorische Bar, Duftkerzen brennen.

»Also gut«, sagt Peter. »Stürzen wir uns ins Gemenge.«

Die Erste, die ich sehe, ist Dixons Frau Andrea, und noch jetzt, all die Jahre später, denke ich jedes Mal, wenn ich sie sehe, an das Monopoly-Spiel und daran, wie Dixon nackt durch die Wohnung gelaufen ist. Dixon und Andrea haben sich nach drei Jahren Trennung wieder zusammengetan. Sie waren sich bei einer Antiquariatsmesse über den Weg gelaufen, wo sie für eine signierte Erstausgabe von Jonathan Livingston Seagull gegeneinander geboten hatten. Dixon erzählt, er habe sie im ersten Moment nicht erkannt, so verändert sei sie gewesen. Andreas rote Mähne ist jetzt ein gezähmter grauer Bubikopf. Ihre afrikanischen Ohrringe hat sie gegen elegante Perlenstecker ausgetauscht, und statt des Peter-Max-Dove-Buttons trägt sie eine rosa Schleife. Ihr Sohn ist im Investmentbanking tätig. Er lebt in Colorado und investiert in grüne Energie, sagt sie, als wäre das ökologisch akzeptabel. Sie glaubt immer noch an den Weltfrieden. Jetzt ist sie in ein Gespräch mit Martha Currier vertieft, einer etwas abgetakelten ehemaligen Jazzsängerin aus New Orleans, die ein modernistisches Haus mit Blick auf den Strand hat und nie ohne ihren Turban zu sehen ist. Martha raucht eine Virginia Slim, die in einem langen, elfenbeinenen Zigarettenhalter steckt. Andrea wedelt den Rauch weg, den Martha ausstößt, doch statt sich abzuwenden, bläst Martha den Rauch umso direkter in Andreas Gesicht. Ich mag Martha.

Meine Mutter duckt sich hinter mir, als wir uns den Gästen nähern. »Du musst mich decken«, sagt sie, »bis wir an Andrea vorbei sind. Bevor sie mich nach meiner Gesundheit fragt, auf diese ›interessierte‹ Weise, und eine ehrliche Antwort erwartet. Niemand will auf einer Cocktailparty ein ernstes Gespräch führen. Wenn ich sie nur sehe, bricht mir der Schweiß aus, und ich will fliehen.«

Ich lache. »Ich bin ganz deiner Meinung, was selten genug ist. Small Talk, dann weitergehen.«

»Wie er sie länger als zehn Minuten aushält, ist mir ein Rätsel. Sie ist so öde wie eine Packung Salz.«

»Du hast recht, es ist seltsam«, sage ich und führe sie in sicherer Entfernung vorbei.

»Er behauptet, er sei immer noch eine Granate im Bett. Wahrscheinlich bedeutet das, dass sie gut in Fellatio ist.«

»Mum, das ist widerlich.«

»Das finde ich auch. Sehr verstörend. Sie hat einen so kleinen Mund.«

»Ich meinte, du bist widerlich.« Ich lache.

»Sei nicht so prüde.«

»Ich will mich nicht über Dixons Sexualleben unterhalten. Er muss doch an die achtzig sein.«

Dixon winkt uns über die Wiese hinweg zu. Mum winkt zurück.

»Er ist immer noch ein sehr attraktiver Mann. Er könnte jede Frau haben.«

»Jede Frau über fünfundsechzig.«

»Sei dir da nicht so sicher. Er hatte immer viel Sex-Appeal.«

»Und ich muss mir in Zukunft immer Andrea mit seinem Penis im Mund vorstellen.«

»Wenigstens redet sie dann nicht. Bist du so lieb und holst mir einen Wodka? Eis, kein Soda.« Sie setzt sich auf einen Gartenstuhl. »Und wenn du ein paar Erdnüsse findest. Ah, Gott sei Dank«, sagt sie, als sie Pamela kommen sieht. Pamela trägt einen langen fliederfarbenen Kaftan und eine Kette mit dicken Bernsteinperlen. »Pamela, setz dich.« Mum klopft auf den freien Stuhl neben sich. »Rette mich vor diesen Leuten.«

Pamela lacht auf ihre liebenswürdige, freundliche Weise. Sie findet meine Mutter wunderbar, aus Gründen, die sich mir nicht erschließen. Aber Pamela ist natürlich jemand, die in jedem Menschen das Beste sieht. Auch in Conrad.

In dem Sommer, nachdem Conrad zu uns gezogen war, fuhr Pamela mit Anna und mir zum Krabbenessen in die Stadt. »Also gut, ihr zwei«, sagte sie, als wir uns in eine Nische gesetzt hatten. »Ich will alle Neuigkeiten hören. Benimmt Leo sich anständig? Er kann gelegentlich ein bisschen über die Stränge schlagen. Aber er ist ein ganz reizender Mann. Eure Mutter ist so wie immer, einfach sie selbst.«

»Ich glaube, sie verstehen sich gut«, sagte ich.

»Und Conrad? Ist doch bestimmt nicht leicht, plötzlich einen Bruder zu haben.«

»Stiefbruder«, sagte ich.

»Willst du die Wahrheit hören oder eine Lüge?«, fragte Anna.

»Das überlasse ich euch. Krabbenschwänze oder ganze Krabben?«

Wir beschlossen, ihr die Wahrheit zu erzählen.

Wir erzählten ihr, wie schrecklich er war. Dass er ständig um uns herumschlich. Dass er Milch direkt aus der Packung trank, sodass wir sie nicht mehr für unser Frühstück nehmen konnten. Dass er sich weigerte, seine sprießenden, ekelhaft flauschigen Barthaare abzurasieren.

»Er braucht jeden Morgen das ganze warme Wasser auf«, sagte Anna. »Und holt sich unter der Dusche einen runter. Er ist widerlich. Ich meine«, sagte sie und steckte sich den Finger in den Hals, als wollte sie sich übergeben, »wenn man sich vorstellt, was dabei in seinem Kopf vorgeht.«

Ich war überzeugt, dass Pamela entsetzt sein würde. Aber sie zeigte sich sehr verständnisvoll und sagte zu Anna, das höre sich wahrhaftig grauslich an. Gab Anna womöglich Conrad die Schuld daran, fragte sie, dass sie ins Internat geschickt worden war und Conrad ihr Zimmer bekommen hatte? »Denn das«, sagte Pamela, »wollte er bestimmt nicht, und wenn er noch so abstoßend ist. Er will einfach von seiner Mutter geliebt werden. Vergesst möglichst nicht, dass er auch leidet. Seid freundlich zu ihm. Ihr beide.« Sie biss in eine Krabbe und spritzte den Saft über den Tisch. »Du hast so schöne Augen, Anna. Das wollte ich dir immer schon mal sagen. Dieses Hellgrau. Umwerfend. Wenn du die Kellnerin siehst – ich brauche eine scharfe Soße.«

Dixon steht hinter zwei Weber-Grills, wie immer trägt er weiße Segelhosen und ein blaues Leinenhemd, ist barfuß und gebräunt. Er hält in der einen Hand eine Grillzange, in der anderen einen Martini, und auf seinem Hemd ist nicht ein einziger Fettspritzer zu sehen. Sein graues Haar, noch nass vom Schwimmen, ist glatt zurückgekämmt. Drei viel benutzte Surfbretter lehnen an der Hauswand, sein Taucheranzug liegt zum Trocknen über einem hölzernen Bock. Er ist der einzige Mann, den ich kenne, der ohne jedes Zögern bei Flut schwimmen geht. Mum hat recht: Er ist attraktiv, immer noch. Wie die Typen im Action-Film *Schussfahrt*. Er winkt Jack zu sich, schüttelt ihm mannhaft die Hand und gibt ihm einen Pfannenheber.

Peter steht an der Bar. Ich sehe, wie er fünf Zentimeter Gin in ein Glas gießt und einen kleinen Schuss Tonic dazugibt. Dann fügt er drei traurige Eisklumpen hinzu. Sie schwimmen im Glas wie Hundescheiße im Meer. Die Briten trinken gern, aber sie machen lauwarme, lasche Cocktails. Ich stelle mich hinter ihn und schlinge ihm die Arme um die Mitte.

»Wer da?«, fragt er.

»Haha.«

Er dreht sich um und küsst mich auf die Nasenspitze.

»Meine Mutter möchte Wodka. Mit einem Eissplitter.«

»Roger. Und du?«

»Ich will mal sehen, wo Andrea den guten Wein versteckt hat.«

»Gut, ich warne dich mit drei Pfiffen, wenn sie kommt.«

Ich gehe in die Küche. Die Küche der Dixons habe ich immer gemocht – die mohnroten Holzdielen, die viel gescheuerte Holztheke, den herben Geruch von Heftpflaster, Kreuzkümmel und Gingerale. Jedes Mal, wenn ich in dieser Küche bin, möchte ich mich auf einen der Hocker an die Theke setzen und eine Schüssel Cornflakes mit Milch und viel Zucker essen. Ich öffne den Schrank über der Spüle und nehme mir ein Weinglas heraus. Auf dem obersten Bord steht eine altmodische Eismaschine, die bestimmt seit 1995 nicht mehr benutzt worden ist, und daneben eine staubige Joghurtmaschine. Bei dem Anblick muss ich an geronnene Milch und Scheinheiligkeit denken und an das Sexualleben der Eltern anderer.

Im Kühlschrank steht eine frisch geöffnete Flasche Sancerre. Ich gieße mir das Glas voll und gehe in Dixons Arbeitszimmer. Vom Fenster aus sehe ich, wie Peter meiner Mutter eine Dose Erdnüsse gibt und Pamela zur Begrüßung küsst. Er hat die

Wodkaflasche von der Bar mitgehen lassen und stellt sie meiner Mutter hin. Ohne zu zögern, nimmt sie die Flasche, setzt sie an und trinkt. Dann gibt sie sie Peter zurück. Peter lacht und setzt sich auf die Armlehne ihres Gartenstuhls. Zündet sich eine Zigarette an. Flüstert ihr etwas ins Ohr, worauf sie nach ihm schlägt. Aber sie lacht dabei. Bei niemandem sonst ist meine Mutter so entspannt wie bei ihm. Mit seiner Mischung aus Freundlichkeit, bissigem Witz und einer Ihr-könnt-michmal-Haltung macht er sie glücklich. Damals, nachdem Leo sie verlassen hatte und das Baby gestorben war und nachdem sie mein Tagebuch gefunden hatte, war Peter, das kann man sagen, ihre Rettung. Peter ist es zu verdanken, dass sie ihre Benommenheit abgeschüttelt hat und wieder Licht in die alte Wohnung kam. Er hat uns allen das Gefühl gegeben, dass wir es wagen konnten, wieder glücklich zu sein.

Maddy und Finn kommen angerannt und umflattern ihn wie Entenjunge. Er erschlägt eine Mücke, die auf seinem linken Arm gelandet ist, dann macht er die Hand auf und zeigt den Kindern, dass er sie erwischt hat. In dieser kleinen Geste liegt so viel, und ein riesiges Gefühl der Erleichterung durchströmt mich. Auch der Dankbarkeit.

Ich gehe durchs Wohnzimmer und nach oben ins Bad. Ein paar der älteren Gäste sind ins Haus gekommen. Sie sitzen um das Kaminfeuer herum und unterhalten sich intensiv über Vogelstimmen.

»Für mich sind es Schwarzkopfmeisen, sie klingen so süß«, sagt jemand. »Wie kleine hüpfende Maiskörner.«

»Von unserem Grundstück sind ganz viele Schwarzkopfmeisen verschwunden«, höre ich Andreas Stimme. »Ich bin überzeugt, es ist die Katze von nebenan. Die Nachbarn weigern sich, ihr eine Glocke umzuhängen. Ich habe es dem National Park Service gemeldet, aber die haben mir gesagt, sie könnten da nichts machen.«

»Ich mag besonders die Eichelhäher mit ihrem Kreischen.« Das ist der tiefe, raue Südstaatenakzent von Martha Currier. »Ich weiß natürlich, dass ich damit in der Minderheit bin.«

Dixons Haus hat zwei Treppenhäuser. Die breite Treppe, die ich jetzt hinaufsteige, führt in den »Erwachsenenbereich«. Hier sind die Zimmer schön und elegant eingerichtet. Die Tapeten in den Gästezimmern haben altertümliche Muster: Rosenblüten, Maiglöckchen auf taubeneiblauem Grund. Das Hauptschlafzimmer war immer schon mein Lieblingszimmer. Als Kind habe ich geträumt, dass ich später ein Zimmer mit genau einer solchen Einrichtung haben würde: eine handgemachte Tapete, auf der die schweren Köpfe prächtiger weißer Pfingstrosen aus jadegrünen Blättern ragen, ein romantisches Himmelbett, bodenlange Vorhänge, ein alter Holzfußboden mit breiten Dielen, ein Kamin mit Holzscheiten und Anmachholz an der Seite, im Bad eine Badewanne mit Klauenfüßen.

Die »Kindertreppe« ist steil und ohne Geländer, und man muss sich an den Wänden festhalten. Sie führt von der Küche auf den Schlafboden, der hohe Fenster hat. An den Wänden stehen Stockbetten. Als wir Kinder waren, haben wir hier übernachtet, haben Jungs reingeschmuggelt, Flaschendrehen gespielt und Nelkenzigaretten geraucht. Vom Erwachsenentrakt konnte man nur durch das Gästebadezimmer mit den beiden Türen in den Schlafraum gelangen. Die Tür auf unserer Seite ließ sich abschließen.

Das Gästebad ist besetzt, und ich will in Dixons Bad gehen, das vom Schlafzimmer abgeht. Als ich die Tür öffne, stockt mir das Herz. Andrea hat renoviert. Die altmodische Tapete ist weg, die Wände sind in einem Auberginenton gestrichen. Das Himmelbett ist auch weg, an seiner Stelle steht ein modernes Bett mit einem in hellem Leinen gepolsterten Kopfteil. Der Holzboden ist mit Sisal in einem geschmackvollen Fischgrätenmuster ausgelegt. Zwei identische moderne Kommoden

417

und Simon-Pearce-Tischlampen stehen neben dem Bett. Ich könnte Andrea erwürgen. Ich muss nur pinkeln, aber ich hätte Lust, einen Geruch zu hinterlassen, als eine Art Meinungsäußerung.

Stattdessen gehe ich den Flur entlang zum Bad mit den zwei Türen. Gerade, als ich die Tür abschließe, kommt Gina von der anderen Seite herein.

»Hallo«, sagt sie, als wäre nichts dabei, sich in einem Badezimmer zu begegnen. Sie zieht sich die Jeans runter und setzt sich auf die Toilette.

Ich stehe stumm da. Ein einziger Gedanke findet Platz in meinem Kopf: Er ist da. Mein Herz klopft wie wild, mein Atem stockt.

Gina reißt von dem Toilettenpapier ab und wischt sich trocken. »Wann seid ihr denn gekommen?«

»Vor einer halben Stunde etwa«, bringe ich heraus. »Zu Fuß.«

»Wir wollten eigentlich nicht kommen, aber seine Mutter wollte zum Abendessen einen Tofu-Curry kochen.« Sie drückt die Spülung und zieht sich die Jeans hoch. Sie ist rasiert. Bei dem Gedanken an mein eigenes altmodisches Schamhaar überkommt mich ein Gefühl der Verlegenheit. Hat Jonas das was ausgemacht? Hat es ihn abgestoßen? Er ist etwas anderes gewohnt. Etwas Glattes, wie bei einem Kind.

»Du bist dran«, sagt Gina.

Ich kann sie nicht ansehen, ich kann aber auch nicht wegsehen.

Sie macht den Medizinschrank auf, holt eine Tube Neosporin heraus und drückt etwas Salbe auf den Finger, dann nimmt sie ein Pflaster aus der Dose. »Ich habe mich vorhin am Fuß verletzt«, sagt sie. »Ist bloß ein Kratzer, aber es tut verdammt weh, und jetzt hat sich eine Blutblase gebildet. Jonas vermutet, dass ich auf einen Krebs getreten bin.«

Ich sehe ihr zu, wie sie mit kleinen kreisförmigen Bewegungen die Salbe auf die Stelle reibt. Sie zieht die Papiere vom Pflaster ab, klebt es über die offensichtlich unerhebliche Wunde und streicht es liebevoll auf der Haut glatt. Ich bin fasziniert von der Sorgfalt, mit der sie sich behandelt, von der Konzentration in jeder Geste. Sie scheint eine von den Frauen zu sein, die sich wirklich volle zwei Minuten lang die Zähne putzen. Ich warte, dass sie geht, aber sie nimmt sich ein Lipgloss aus der Hosentasche und beugt sich vor den Spiegel. Ich bin gezwungen, mich aufs Klo zu setzen und mit heruntergelassener Unterhose einen Meter von Gina entfernt zu pinkeln, und dabei spüre ich das winzige Gewicht von Jonas' Ring in meiner Kleidertasche.

»Ich habe Jonas gezwungen zu fahren«, sagt Gina, spitzt die Lippen und überprüft das Gloss. »Als er nach Hause kam, war bei uns alles voller Mücken. Weiß der Himmel, wohin er immer verschwindet.«

Mein Urin versiegt für den winzigsten Moment und fließt dann weiter. Gina dreht sich um und betrachtet mich, als ginge ihr etwas durch den Kopf. Ich zwinge mich zur Ruhe, wie ein Reh, das die Nähe des Jägers spürt.

Aber sie lächelt. »Du wirst es mir nicht glauben, und ich sollte es wahrscheinlich nicht erwähnen, aber früher habe ich gedacht, es sei deinetwegen.« Sie trocknet sich die Hände an einem Gästehandtuch. »Jetzt kommt mir das richtig lächerlich vor. Einmal bin ich ihm sogar nachgefahren. Dann stellte sich heraus, dass er schon den ganzen Sommer nach einem bestimmten Falkennest gesucht hatte.« Sie lacht.

»Er liebt diese Wälder«, sage ich und greife nach dem Klopapier. Als wir durch den Schlafraum zur Treppe gehen, fragt Gina: »Hast du das neue Schlafzimmer gesehen? Andrea hat es supertoll renoviert. Sie hat Dixon endlich überreden können, sich von der scheußlichen Tapete zu trennen. Als Nächstes kommt die Küche dran.«

»In der Küche bin ich aufgewachsen.«

»Klar. Aber hast du sie dir mal richtig angesehen?«

Sie wird nie wissen, wie nah dran sie war, Jonas zu verlieren.

»Das hier muss für Teenager der tollste Schlafraum überhaupt gewesen sein.« Sie deutet auf die Stockbetten. »Wahrscheinlich hat sich Jonas hier mit Mädchen vergnügt.«

»Er war viel jünger als wir.«

Ich gehe hinter ihr die steile Treppe hinunter.

»Aber du musst doch wissen, ob er Freundinnen hatte«, sagt Gina über ihre Schulter.

Mein Haar riecht immer noch nach dem See.

Meine Mutter sitzt auf demselben Stuhl wie zuvor, Peter hockt auf der Lehne. Duftkerzen werfen Lichtkreise in die Dämmerung.

»Ich hole mir einen Burger«, sagt Gina. »Willst du auch einen?«

Mit einem flauen Gefühl im Magen suche ich den Garten nach Jonas ab. Ich entdecke ihn im Schatten hinter dem Grill. Er sieht mich an. Er wartet auf mich. Ich stecke die Hand in die Rocktasche, umfasse den grünen Glasring und atme tief durch. »Ein bisschen später, denke ich.«

Gina geht zu Jonas, schlingt ihm die Arme um die Mitte und steckt ihre Hände in seine Gesäßtaschen. Besitzergeste. Vermutlich spürt sie meinen Blick, denn sie dreht sich um, wie ein Puma, der eine Spur aufnimmt, und blickt in die Dämmerung. Jonas flüstert ihr etwas ins Ohr, und sie lächelt und wendet sich ihm wieder zu.

»He, Weib«, sagt Peter. »Wo warst du?«

»Im Haus mit Gina. Zum Pinkeln.«

»Hier, Erdnüsse.« Meine Mutter gibt mir die Dose.

»Ich war oben im Kinderbad, und Gina hat die Tür, ohne

zu klopfen, von der anderen Seite aufgemacht. Sie hat sich vor mir aufs Klo gesetzt und gepinkelt.«

»Sie ist so ordinär«, sagt meine Mutter.

»Deine Mutter ist heute Abend auf dem Kriegspfad.«

»Ich bin auf keinem Pfad, auch keinem Kriegspfad«, sagt Mum. »Ich habe Andrea einfach gesagt, dass ihre Gartengestaltung keinem von uns gefällt. Dass sie nicht zu Back Woods passt.«

»Das war aber nicht sehr diplomatisch, Mum.«

»Wenn sie meine Meinung nicht hören wollte, hätte sie mich nicht zu fragen brauchen.«

»Deine Mutter hat gesagt, es sei so ›bieder‹«, sagt Peter lachend.

»Wenn sie uns Vorträge über einheimische Pflanzen hält, sollte sie keine Blumenrabatten anlegen.«

Die jüngeren Kinder spielen auf der Wiese Ringewerfen. Jonas und Gina kommen auf uns zu, in den Händen Pappteller und Getränke.

»Maddy sollte sich mit Insektenspray einsprühen. Die Mücken fallen immer über sie her«, sage ich.

Jonas zieht einen Stuhl neben mich, legt seine Hand auf meinen Arm und sagt: »Was dagegen, wenn wir uns zu euch setzen?« Er sagt es in die Runde, aber nur zu mir.

Ich stehe auf. »Ich habe meinen Wein oben stehen lassen.«

Diesmal schließe ich das Bad von beiden Seiten zu und schalte das Licht nicht an. Ich lehne mich an die Fensterbank und höre das Säuseln der Bäume, das sanfte Murmeln der Stimmen, das leise Klirren der Gläser. Seit ich alt genug bin, um über mich und meine Beweggründe nachzudenken, gibt meine Mutter mir stets denselben Rat: »Wirf eine Münze, Eleanor. Wenn dich die Antwort enttäuscht, tu das Gegenteil.« Wir kennen die richtige Antwort schon, auch wenn wir sie nicht kennen. Oder denken, wir kennten sie nicht. Aber wenn

421

es nun eine gezinkte Münze ist? Eine, bei der beide Seiten gleich sind? Wenn beide Antworten richtig sind, sind beide auch falsch.

Mein Weinglas steht auf der Fensterbank, wo ich es hingestellt habe. Auf der Veranda reden Peter und Jonas miteinander. Peter sagt etwas, worauf Gina lacht und den Kopf in den Nacken wirft. Die Männer lächeln. Es ist surreal, unbegreiflich. Vor wenigen Stunden hatte ich das Gefühl, die Welt schwebe in einem Tagtraum dahin, in den Himmel hinauf. Ich starre in die Dämmerung und denke an das verfallene Haus, an die Stille im Wald, an Jonas' offenen Blick. Ich rutsche an der Wand hinunter, ziehe die Beine zur Brust hoch und bleibe, so zusammengefaltet, auf dem Boden sitzen. Ich habe meine Wahl getroffen: Ich werde auf diese Liebe, die voller Leben und auch Kummer ist, verzichten und einer anderen Liebe den Vorzug geben, einer geduldigen, beständigen. Aber der Schmerz ist riesig. Im Garten höre ich, wie meine Mutter von Dixon, der am Grill steht, einen Burger verlangt. »Blutig«, ruft sie, »ich will ihn muhen hören. Und bitte keine Vorträge über Salmonellen. Lieber sterbe ich an Durchfall und Austrocknung, als dass ich graues, pappiges Fleisch esse.« Ich höre Peters Lachen, das aus voller Kehle kommt. »Wirklich, Wallace, eines Tages werde ich dich einweisen lassen.«

Als ich nach unten komme, steht Jonas in der Küche und hält die Hand unter fließend kaltes Wasser.

»Da bist du ja.« Er hält die Hand hoch. Sie ist versengt, ein roter Streifen verläuft quer über die Handfläche. »Ich wollte deiner Mutter einen Burger holen und habe den Pfannenheber auf dem Grill angefasst.« Er lehnt sich an die hölzerne Kücheninsel. Am liebsten würde ich ihn mir einverleiben, so entspannt und in sich ruhend in seinem Selbstvertrauen, wie er ist. Ich möchte ihn ganz in mich aufnehmen.

»Komm her«, sagt er leise.

»Du musst Butter drauftun.« Ich gehe an den Kühlschrank, hole eine Packung Butter heraus und mache sie auf. Jonas streckt die Hand aus, und ich reibe Butter über die versengte Haut. Seine Hand schließt sich über meiner. Ich entziehe mich seinem Griff und lege die Butter zurück in den Kühlschrank.

»Elle?«

»Was?«, sage ich. Ich habe ihm den Rücken zugewandt. Was er auch sagt, es wird schwer auszuhalten sein.

»Ich glaube, Dixon hat nicht gern Butter mit versengter Haut auf seinem Toast.«

»Stimmt.« Ich nehme die Butter wieder heraus, breche ein Stück ab und werfe es in den Abfall. Ich nehme ein sauberes Trockentuch und werfe es Jonas zu. Ich versuche, ruhig zu bleiben. »Wickel dir das um die Hand.«

»Ich habe dir etwas hingelegt«, sagt Jonas. »In eurer Schlafhütte. Guck mal nach heute Abend.«

»Ich habe es schon gefunden«, sage ich. »Ich musste noch einmal zurückgehen und eine Zwiebel holen.« Ich hole den Ring aus der Rocktasche. »Dass du ihn immer noch hattest!«

Er nimmt ihn mir aus der Hand und hält ihn gegen das Licht. Der Stein aus grünem Glas funkelt wie Kryptonit. »Ich hatte damals zum Jahreswechsel den Vorsatz gefasst, dich endgültig zu vergessen. Und plötzlich warst du da, in dem Café, und hast den armen Typen am Telefon fertiggemacht.«

Er steckt mir den Ring an den Finger, über meinen Ehering.

Alles in mir drängt mich zu sagen, dass ich zu ihm gehöre. Immer gehört habe, immer gehören werde. Stattdessen ziehe ich den Ring wieder ab und lege ihn auf die Theke. »Es geht nicht.«

»Er gehört dir.«

Mit großer Anstrengung beherrsche ich meine Stimme. »Ich gehe wieder raus, zu Peter und den Kindern. Und ich schicke Gina zu dir, damit sie dir die Hand richtig verbindet.«

Jonas ist blass geworden, wirkt verunsichert, als hätte ihn ein Gespenst leicht am Ärmel gestreift. »Steck ihn dir wieder an.« Seine Stimme klingt hart.

Ich nehme seine Hand und küsse die versengte Stelle. Ich bleibe fest.

»Siehst du«, sage ich, wie ich es bei Finn tun würde. »Wird bald wieder gut.«

Ich will gehen, aber er hält meine Hand auf der Theke fest und sieht mich an wie ein Ertrinkender.

»Lass mich«, sage ich, meine Stimme nur mehr ein Flüstern. »Bitte.«

Hinter uns ist ein Geräusch. Peter steht im Eingang zur Küche.

»He«, sage ich. »Jonas hat sich die Hand versengt.«

33

Als wir uns auf den Rückweg machen, sehe ich mich nicht noch einmal um. Ein hohler Druck lastet auf meiner Brust, wie ein bis zum Platzen mit toter Luft gefüllter Ballon. Mit nichts. Vor uns nur Dunkelheit. Um mich herum das schrille Zirpen der Zikaden in der Nachtluft, zusammen mit dem Rascheln der Blätter. Peter geht voraus, seine Taschenlampe wirft einen Lichtkegel auf ein kleines Stück Straße, auf den Streifen hoher Gräser in der Mitte und die seitlichen sandigen Ränder, und die Bäume werden schwach erleuchtet. Das Licht zieht Motten an, die aus dem Wald herbeiflattern, staubbraunes Flackern, voller Gier nach Helligkeit. Den selbstmörderischen Zug der Motten habe ich nie verstanden. Die Kinder gehen hinter Peter und klagen, dass ihnen die Beine wehtun; sie sind müde und halten sich nahe am Licht. Vielleicht haben Motten einfach Angst vorm Dunkeln. Das könnte die Erklärung sein.

»Werwölfe gibt es nicht«, sagt Peter beruhigend zu Finn.

»Und Vampire?«, fragt Finn.

»Gibt es auch nicht, Spatz«, sage ich.

»Aber wäre es nicht gut, wenn es Ungeheuer gäbe«, sagt Peter. »Überleg doch mal: Wenn es Werwölfe und Vampire gäbe, dann gäbe es auch die Zauberei. Das Leben nach dem Tod. Das wäre doch gut, oder?«

»Kann sein«, sagt Finn. »Und Gespenster?«

»Das meine ich ja.«

»Und Serienmörder?«, fragt Maddy. »Wenn jetzt wirklich

jemand im Wald versteckt ist. Und uns wehtun will. Wenn er jetzt eine Axt hat.«

»Oder sie«, sagt Peter.

»Hattet ihr beiden denn Spaß?«, frage ich und trete Peter im Geiste vors Schienbein. Maddy wird die ganze Nacht wach liegen vor Angst. »Ich fand, es war eine schöne Gartenparty.«

»Wir haben Fangen mit Versteinern gespielt«, sagt Finn. »Können wir noch Eis essen, wenn wir nach Hause kommen?«

Jack geht neben mir und trägt meine Strohtasche. Nach einer Weile hakt er sich bei mir unter, und wir gehen, so miteinander verbunden, auf der dunklen sandigen Straße, während jeder seinen eigenen Gedanken nachhängt. Im Wald bellt ein Kojote, aus der Ferne kommt ein Bellen zurück. Ich höre den Ruf und die Antwort, höre den leeren Hunger. Sie versammeln sich, um gemeinsam Beute zu erlegen, Feldmäuse und kleine Hunde.

Unten an der Auffahrt liegt einer unserer Abfalleimer umgekippt auf der Seite, zwei Waschbären sitzen rittlings darauf. Sie erstarren, als der Strahl von Peters Taschenlampe sie trifft, kleine pelzige Statuen mit roten Augen im Lichtschein. Maiskolben, Salatblätter, Kaffeesatz und Fetzen von Küchenpapier liegen herum.

Meine Mutter rennt, einen Stock schwingend, auf sie zu.

»Macht, dass ihr wegkommt! Weg! Weg!«

Wir sehen zu, wie die Tiere eilig zwischen den Bäumen verschwinden.

»Widerliche Viecher«, sagt sie und gibt der Tonne einen scharfen Tritt. »Welcher Trottel hat vergessen, die Gummispinne zu befestigen?« Ohne eine Antwort abzuwarten, rennt sie den Pfad entlang zum Haus.

»Stell dir vor, was wäre, wenn sie gerade das Wrack der Rhone entdeckt hätte«, sagt Peter.

»Geht ihr schon ins Haus«, sage ich. »Ich kümmere mich

um das hier. Esst nicht das ganze Pistazieneis, lasst mir auch noch welches. Jack, machst du bitte das Außenlicht an?«

Ich warte, bis ich allein bin. In den Bäumen über mir höre ich Getuschel und vorsichtige Bewegungen, ich spüre intensive Blicke auf mir. *Wenn jetzt wirklich jemand im Wald versteckt ist. Und uns wehtun will.* So viele Jahre lang habe ich die schreckliche Nacht damals aus meinem Bewusstsein verbannt. Aber jetzt, in dieser Springflut von Liebe und Panik und Trauer, läuft mir ein kalter Schauer über den Rücken. Welche Lebenserwartung haben Waschbären? Haben diese Waschbären damals schon gelebt und es mitbekommen, als Conrad mich vergewaltigte? Waren sie die Waschbärenjungen, die durch das Oberlicht in mein mondbeschienenes Bett geguckt haben? Haben meine Tränen ihnen Angst gemacht? Meine unterdrückten Schreie? Oder fanden sie das langweilig und warteten nur einen ruhigen Moment ab, um zurück zum See zu gehen und weiter nach Karpfenfischen zu tauchen? Hat Conrads Mutter in ihren Träumen Rosemarys angstvoll klopfendes Herz gehört? *Wenn er jetzt eine Axt hat?* Ich stelle mir Maddy vor, allein, schreckensstarr, um Gnade flehend, unbemerkt von Peter und mir, die wir nebenan in unserer Hütte schlafen. Das erscheint mir unmöglich. Ich möchte ihr versprechen, dass ihr nie etwas zustoßen wird, dass niemand ihr je wehtun wird. Aber das kann ich nicht.

Ich setze mich auf den Boden zwischen die welken Salatblätter und feuchte Zigarettenstummel und Teebeutel. Eine leere Kekspackung, von scharfen Klauen in Stücke zerrissen. Gestern Abend ist Jonas im Dunkeln zu mir gekommen und hat sich in mich hineingestoßen, und mein Kopf wurde hart an die Mauer gedrückt, unirdisch, atemberaubend, ein herrlicher Schmerz, mein Kleid zur Taille hochgerafft, und ich hatte das Gefühl, dass sich in mir mein ganzes Leben zusammenfügte.

Im See quakt ein Frosch. Am Grund des Sees, im Schlamm, lauert eine Schnappschildkröte. Durch das Fenster sehe ich, wie Peter in der Vorratskammer Schokoladeneis in Schälchen füllt. Er gibt den Kindern ihre Schälchen, dann nimmt er die Packung Pistazieneis und leert nach kurzem Zögern alles in sein eigenes Schälchen.

22 Uhr

Ich habe die Maiskolben und Hülsen zu einem Haufen zusammengekehrt. Die Tür geht auf, Peter kommt mit einem schwarzen Müllbeutel heraus. Er sucht mich in der Dunkelheit.

»Hier«, sage ich und trete in den Lichtschein. »Eine mittlere Katastrophe.«

Peter hält den Beutel auf, und ich werfe den Abfall hinein.

»Ich habe dich gesehen«, sagt Peter, seine Stimme klingt verhalten, seltsam. »Mit Jonas.«

»Du hast mich gesehen?«

»Ich weiß Bescheid.«

Eine Hitzewelle steigt in mir auf, Adrenalin rauscht durch mich hindurch. Ich verdränge das aufkommende Panikgefühl und konzentriere mich darauf, die feuchten Zigarettenstummel aufzulesen. »Schrecklich, diese Waschbären.« Ich bewege mich seitwärts aus dem Lichtkegel und hebe einen zerdrückten Eierkarton auf, und dabei halte ich den Atem an und warte auf das, was als Nächstes kommt.

»Du hast ihn geküsst.«

Für eine Millisekunde beruhigt sich mein Herz. Es gab keine Küsse. Gestern Abend habe ich Jonas nicht geküsst. Er kam ins Dunkel und hat mich von hinten genommen. Ich atme erleichtert auf, ohne dass ich atme. »Ich weiß nicht, was du meinst, Pete.«

»Lüg nicht.« Sein Gesicht ist hart wie die Steine im Fluss und voll des selbstgerechten Zorns.

»Ich lüge nicht. Was meinst du, du hast mich gesehen? Wo?«

428

Ein entsetzlicher Gedanke erfasst mich: Ist Peter uns zu dem verfallenen Haus gefolgt? Hat er uns aus dem Dickicht beobachtet? Uns beim Sex gesehen, ungehemmt und offen?

Peter schüttelt angewidert den Kopf. »Vorhin. In der Küche. Bei Dixon.«

Ein Wetterwechsel vollzieht sich in meinem Körper, das klare Wasser von Gott-sei-Dank durchflutet mich. »Du meinst, als ich seine versengte Hand geküsst habe? Also wirklich.«

»Es war nicht nur der Kuss. Ich habe seinen Blick gesehen«, sagt Peter. »Er hat dich voller Begierde angesehen.«

»Na ja«, sage ich mit gespieltem Sarkasmus. »Wie auch nicht? Ich bin unwiderstehlich.«

»Und ich habe gesehen, wie du ihn angesehen hast«, sagt Peter.

»Ich habe seine Hand mit Butter bestrichen. Ich habe ihm ein Geschirrtuch gegeben.«

Peter nimmt mir den Eierkarton aus der Hand. »Weißt du was, Elle? Ich bin hier fertig. Ich gehe ins Bett.« Er hebt den Müllsack in den Abfalleimer, setzt den Deckel drauf und sichert ihn mit der Gummispinne.

»Meine Güte, Pete. Das war Jonas, unser ältester Freund.«

»*Dein* ältester Freund.«

»Ich habe es heil geküsst, wie bei einem Kind. Du warst doch da.«

»Richtig«, sagt Peter und geht.

»Warte«, sage ich und folge ihm. »Du meinst, du bist ernsthaft böse, weil ich Jonas die versengte Hand geküsst habe?«

Peter sieht mich unverwandt an. Seine Augen sind wie kaltes Silber mit einem Streifen Quecksilber.

»Verdammt. Denk, was du willst«, sage ich und verberge meine Aufregung hinter aufrichtigem Zorn. »Jonas ist mein ältester Freund. Er liebt mich, klar. Aber nicht so. Das wäre ja Inzest.«

Peter scheint zu zögern, hoffnungsfroh und zweifelnd zugleich. Wir können weder vor noch zurück; Peter, verzweifelt und unsicher, will seinen Verdacht beschwichtigen, und ich, die Angst im Nacken, bleibe stur, weiche nicht, will, dass Peter mir glaubt. Ich habe auf Jonas verzichtet. Ich habe mich für Peter entschieden. Ich bin innerlich für ihn gestorben. Ich schicke ein Stoßgebet zu dem Gott, von dem ich überzeugt bin, dass es ihn nicht gibt. Wenn dies vorbei ist, wird es, das schwöre ich mir, keine Lügen mehr geben.

»Also gut«, sagt er, und seine Miene entspannt sich leicht. »Aber wenn du lügst ...«

Meine Stimme ist fest und beständig. »Gut. Denn zwischen mir und Jonas ist nichts, auch mit niemandem sonst, falls du es wissen möchtest. Du bist der Einzige, den ich liebe. Das kann ich dir versichern.«

»Gut«, sagt er. Er kommt zu mir und küsst mich hart. »Dass du mir keine anderen Männer mehr küsst. Du bist mein.«

»Das bin ich«, sage ich.

»Jetzt komm ins Bett, damit ich bei meinem Weib liegen kann.«

»Die Kinder sind noch auf, und Mum ist auch irgendwo.«

»Still.« Er nimmt meine Hand und führt mich den Pfad entlang zu unserer Hüttentür. Er schiebt mich vor sich die Stufen hoch. »Dreh dich um«, befiehlt er mit tiefer Stimme.

Ich drehe ihm meine Vorderseite zu und halte mich am Türrahmen fest. Er fährt mit der Hand unter mein Kleid, zieht mir den Slip runter und beugt sich vor; er leckt mich mit seiner breiten Zunge.

»Du schmeckst nach Meer«, flüstert er.

Ich schließe die Augen und denke ans Meer, an den Strand heute, an das Zelt und Jonas. Als Peter mich zum Orgasmus bringt, denke ich an den anderen Mann, den ich liebe. Die Tränen, die mir übers Gesicht fließen, sind nicht für das, was ich verloren habe, sie gelten der Wahrheit, die Jonas für mich ist und die ich nicht abstreifen kann.

22.30

Wir liegen auf dem Bett, Peter in postkoitaler Erschöpfung, die Laken um unsere Füße verkrumpelt, unsere Gliedmaßen ineinander verschlungen. Ich drehe mein Kissen um und lege meine Wange an den kühlen Stoff, ich sehe das sanfte Heben und Senken seiner Brust, lausche dem leisen Schnarchen, rieche seinen Zigarettenatem. Ich bin rastlos, unruhig. Ich brauche Peter bei mir. Aber ich weiß, dass nichts ihn aus diesem Schlaf wecken wird. Nach einem Orgasmus schlafen Männer sofort ein. Frauen werden munter. Seltsam, dieser gegensätzliche Rhythmus. Vielleicht brauchen Männer eine Erholung nach der Anstrengung, die Frau zu schwängern. Den Frauen ist es überlassen, aufzustehen und die Höhle auszufegen, die Kinder im Schilf zu betten, ihre Köpfe nach Läusen abzusuchen und ihnen Geschichten zu erzählen, die die Kinder eines Tages ihren eigenen Kindern erzählen: von Feuern und Steinrädern, von einer Höhle und Stalaktiten in leuchtenden Farben, erstarrt in der Zeit; von einem Jungen, der einen großen Vogel durch den Himmel jagt; davon, wie man das Meer sicher überquert. Ich ziehe mich wieder an und trete aus der Hütte. Es ist spät, aber ich muss meinen Kindern Gutenachtküsse geben.

Bei ihnen brennt noch Licht.

»Wo warst du?«, fragt Maddy. »Ihr wolltet doch noch Eis essen.«

»Daddy fühlte sich plötzlich nicht wohl. Ich habe ihm ein Aspirin gegeben, und er hat sich hingelegt.«

»Klar«, sagt Jack, ohne den Blick von seinem Laptop zu heben.

Maddy hat Finn vorgelesen. Sie liegen zusammen im Bett,

431

und Maddy hält ein schweres, zerlesenes Buch vor sich, dessen Einband voller Schimmelflecken und Altersspuren ist.

»Was lest ihr?«

»Ich habe es auf dem Brett im Bad gefunden«, sagt Maddy und hält es hoch, damit ich den Titel lesen kann.

»Das ist schon seit vor meiner Geburt im Badezimmer. Ich glaube, es ist nie gelesen worden.« Ich setze mich auf die Bettkante. »Macht mal Platz.«

Maddy rückt zur Wand, Finn rückt auch und lehnt seinen Kopf an meinen Arm.

»Es kommt eine Kuh vor, die Johnny heißt«, sagt er.

»Ich weiß«, sage ich. »Deswegen hat keiner es gelesen.«

»Hier sind Spinnen.« Er zeigt hoch zur Decke. Daneben, am Rand des Balkens, ist ein kleines Mauseloch. Ich muss Peter bitten, es zuzustopfen. Eine langbeinige Spinne sitzt in ihrem Netz und befasst sich mit einer Fliege. Fünf braune Eier hängen unter ihr, sicher eingewoben in das feine Netz.

»Kannst du sie totmachen?«, fragt Finn.

»Spinnen sind gute Tiere«, sage ich. »Wir mögen Spinnen. Sie fangen Moskitos.«

»Ich mag keine Spinnen«, sagt er.

»Sei nicht so empfindlich«, sagt Jack.

»Das ist nicht nett, Jack.« Normalerweise würde ich mich mit ihm anlegen, aber nicht jetzt. Jetzt möchte ich mit meinen wunderbaren Kindern zusammen sein, warm und glücklich, und mir vorstellen, dass es immer so sein wird. »Als du so alt warst wie Finn, hattest du große Angst vor Spinnen.«

»Meinetwegen.«

»Nicht deinetwegen. Entschuldige dich bitte bei deinem Bruder und komm her, damit wir alle zusammen sein können. Ich möchte mit euch allen kuscheln. Nein sagen gilt nicht.«

Jack seufzt, stellt seinen Laptop hin, kommt und zwängt sich in die schmale Lücke.

Ich lege ihm den Arm um die Schultern und ziehe ihn an mich. »So ist es gut.« Wir liegen zu viert im Bett, dicht nebeneinander wie Ölsardinen.

»Und jetzt?«, sagt Jack.

»Ihr zerquetscht mich«, sagt Maddy. »Ich kriege keine Luft mehr.«

»Habe ich euch mal von dem Hamster erzählt, den meine Schwester Anna zwischen dem Bett und der Wand zerdrückt hat?«

»Mit Absicht?«, fragt Finn.

»Das weiß ich nicht«, sage ich. »Möglich ist es schon. Anna war oft schwer zu durchschauen. Aber ich glaube nicht, dass sie ihn umbringen wollte.«

»Na ja, entweder es war Absicht oder es war keine«, sagt Jack.

»Gut. Zeit, das Licht auszumachen.« Ich nehme Maddy das Buch aus den Händen. »*Johnny Crow* ist morgen auch noch da.« Ich hebe Finn aus Maddys Bett hoch und lege ihn in seins, dann küsse ich sein niedliches Gesicht ab, bis er mich wegstößt.

Maddy streckt die Arme aus. »Jetzt ich«, sagt sie.

Ich drücke sie fest an mich. »Du hast dir die Zähne nicht geputzt. Du riechst nach Maisbrei.«

»Habe ich wohl«, sagt sie, aber wir beide wissen, dass es nicht stimmt. »Habe ich wohl«, wiederholt sie.

»Mais schmeckt köstlich«, flüstere ich ihr ins Ohr, und sie lächelt. »Stimmt, ich habe sie mir nicht geputzt. Dafür putze ich sie mir morgen früh ganz gründlich.«

»Du bist als Nächster dran«, sage ich zu Jack.

»Meinetwegen«, sagt er, aber er lächelt.

Mum sitzt im Dunkeln auf dem Sofa.

»Du bist noch auf«, sage ich.

»Ich muss ständig von den Erdnüssen aufstoßen, die ich bei Dixon gegessen habe.«

»Ich hole mir ein Glas Wein. Möchtest du auch etwas?«

»Ich gehe gleich ins Bett. Eine Flasche Rosé ist offen.«

Ich gieße mir ein Glas ein und setze mich neben sie. »Ich bin völlig erschöpft.«

»Ich weiß nicht, wie du das alles schaffst. All die Menschen, um die du dich kümmerst.«

»Meinst du meinen Mann und meine Kinder?« Ich lache.

»Du verwöhnst sie viel zu sehr. Als ihr klein wart, Anna und du, habe ich mich kaum um euch gekümmert, und sieh, was aus euch geworden ist.«

In gewisser Weise sind ihre Blindheit und ihr Mangel an Selbstzweifeln ein Geschenk.

»Sie können nicht einmal ihr Geschirr in den Geschirrspüler stellen. Die Tage, als ihr in Memphis wart, waren ganz schön anstrengend. Aber ich muss sagen, Finn hat mir meine Füße sehr gut massiert.«

»Du hast Finn gebeten, dir die Füße zu massieren?«

»Mir scheint, seine Hände sind ein bisschen klein für sein Alter.«

Ich schüttle verzweifelt den Kopf. Meine Mutter ist die, die sie ist. Aber eine Sache hat sie schon viel zu lange falsch im Kopf, und das muss ich jetzt berichtigen.

»Du erinnerst dich, dass ich dir heute Nachmittag etwas erzählen wollte? Etwas über Leo?«

Meine Mutter gähnt. »Du hast es mir erzählt. Er ist zu seiner früheren Frau zurückgekehrt, lieber Gott. Ich hätte ihr schreiben sollen, ihr sagen sollen, was er dir angetan hat.«

»Mum.« Mein Herz fängt so heftig an zu schlagen, dass ich es unter meinem Brustbein sehen kann. »Es war nicht Leo.«

»Was war nicht Leo?«

»Es war nicht Leo«, sage ich noch einmal, und meine Stimme ist nur noch ein Flüstern. »Es ist passiert, aber es war nicht Leo.«

Sie sieht mich verständnislos an. Ich beobachte sie, wie sie die Stücke von dem, was ich gesagt habe, zusammensetzt, und ich erkenne genau den Moment, als es ihr klar wird: ein Zucken, eine kaum merkliche Veränderung, die plötzliche Pupillenerweiterung.

»Conrad?«, sagt sie dann.

»Ja.«

»Alles?«

»Ja.«

»Nicht Leo.«

»Nein. Es war Conrad. Conrad hat mich vergewaltigt.«

Meine Mutter bleibt lange stumm. Ich spüre in der Dunkelheit, wie sie in sich zusammensackt. Sie seufzt wie unter einer schweren Last.

»Es tut mir leid, ich hätte etwas sagen sollen, als du Leo die Schuld gegeben hast.«

»Leo hat mich verlassen. Unser Kind war gestorben.«

Ich sehe an ihrem Gesicht, dass sie sich auf das Schlimmste vorbereitet, als sie die nächste Frage stellt.

»Und als Conrad ertrunken ist?«

»Der Baum ist auf ihn gefallen. Er ist über Bord gegangen.«

Ihre Erleichterung teilt sich mir fühlbar mit, und ich wünschte, ich könnte es dabei belassen.

»Aber wir wussten beide, dass er kein guter Schwimmer war. Wir haben ihm keinen Rettungsring zugeworfen.«

»Wir ...« Einen Moment ist sie verwirrt. »Natürlich, Jonas war auch dabei. Das hätte ich beinah vergessen.«

435

»Er weiß alles«, sage ich. »Er ist der Einzige.«

Sie nickte. »Ihr zwei wart immer unzertrennlich. Er war damals in dich verschossen. Ich glaube, du hast ihm das Herz gebrochen, als du Peter geheiratet hast.«

»Das stimmt.«

Ich sehe ein Bild von Jonas. Nicht den Mann, den ich heute geliebt und verschlungen, nach dem ich mich gesehnt und verzehrt habe, sondern einen kleinen Jungen mit grünen Augen und schwarzen Haaren, der im Wald neben mir auf einem weichen Moosbett liegt. Ich kenne ihn noch nicht. Aber wir liegen zusammen an der Quelle, zwei fremde Wesen mit einem Herzen.

»Ich habe ihn auch geliebt.«

Meine Mutter ist nicht für ihre Zärtlichkeit bekannt, aber jetzt legt sie ihren Arm um mich und zieht meinen Kopf in ihre Nackenbeuge, und sie streicht mir übers Haar, so wie sie es früher getan hat, als ich ein Kind war. Ich spüre, wie tausend Jahre von Bitterkeit und schlechten Gefühlen und Schlacke aus meinen Adern fließen, aus meinen Muskeln und Sehnen und den dunkelsten Stellen, und sich in ihren Schoß ergießen.

»Es tut mir leid, Mum. Ich wollte ein guter Mensch sein.«

»Nein«, sagt sie. »Ich bin schuld, ich habe Conrad ins Haus gelassen.« Sie stemmt sich mit einem Ächzen vom Sofa hoch. »Meine Knochen sind nicht mehr das, was sie einmal waren. Ich nehme mir eine Rennie und gehe in die Falle.«

Als sie am Tisch vorbeikommt, sammelt sie die Eisschälchen der Kinder ein und trägt sie zum Spülbecken. »Das hat Zeit bis morgen früh.«

An der Fliegengittertür bleibt sie stehen, und ein seltsamer Ausdruck tritt in ihr Gesicht, als hätte sie einen Geschmack im Mund und müsste entscheiden, ob er gut ist oder nicht. Dann spricht sie, und ihre Stimme ist entschieden, so wie immer, wenn sie mir einen ernsthaften Rat gibt.

»Manchmal bereut man es, schwimmen gegangen zu sein, Eleanor. Bloß weiß man das erst hinterher. Bleib nicht zu lange auf. Und denk dran, das Oberlicht zuzumachen. Es heißt, wir kriegen heute Nacht fünf Zentimeter Regen.«

Ich warte, bis ihre Tür ins Schloss fällt, bevor ich mich auch auf den Weg mache. Der Mond hat einen Ring. Der Regen, auf den wir so lange gewartet haben, wird endlich kommen. Ich spüre ihn in der schweren Luft, in der Ungeduld des Himmels. Vor der Hütte, die früher Annas und meine war und in der jetzt meine Kinder schlafen, bleibe ich stehen. Alle Lichter sind aus, auch das von Jacks Laptop. Ich lausche der Stille und stelle mir vor, ihren sanften, sicheren Atem zu hören. Keine Ungeheuer, keine bösen Menschen. Könnte ich sie vor Unheil, Verlust und gebrochenen Herzen bewahren, ich würde es tun.

Das Mondlicht breitet sich von der Mitte des Sees in einem Keil zu mir hin aus. Ich gehe durch das Dickicht zum Ufer. Das Wasser ist niedrig. Im nassen Sand am Ufer haben Waschbären ihre scharfen Fußspuren hinterlassen. Ich ziehe mich aus, hänge mein Kleid an einen Ast und wate nackt ins Wasser. Es ist schwarz wie Obsidian. Frösche quaken, Nachtfalter wispern. Ich spüre die Moleküle, die Jonas im Wasser um mich herum zurückgelassen hat. Ich schöpfe Seewasser mit den Händen und trinke Jonas.

In der Ferne zucken Blitze durch den Himmel. Ich bleibe vor unserer Hütte stehen und zähle die Sekunden, ich höre das leise Grollen des Donners, sehe, wie das Licht eines Blitzes vergeht und die Dunkelheit sich wieder ausbreitet. Mein Körper fühlt sich an wie ein Seufzen, erleichternd und bereuend. Aber welches Schwimmengehen bereue ich? Als ich die Stufen zu unserer Hütte hinaufgehe, kenne ich die Antwort. Für das eine wie für das andere. Für beides.

Peter liegt immer noch in tiefem, befriedigtem Schlaf. Ich schließe leise das Oberlicht. Ich lege mich neben ihn ins Bett, schmiege mich in Löffelhaltung an ihn, spüre die vertraute Wärme seines Körpers, den Trost seines ruhigen Atems, und warte, dass der Sturm übers Meer an Land kommt.

4 Uhr morgens

Als der Wind gegen vier Uhr morgens anschwillt, werde ich vom Klappern der Tür in ihren Angeln geweckt. Draußen biegen sich die Kiefern um neunzig Grad, der Wind brüllt zornig und rüttelt an den Ästen. Ich stehe auf und gehe zur Tür. Ein Strandhandtuch ist von der Wäscheleine aufs Dach der Schlafhütte meiner Mutter geweht worden. Fallenden Blättern gleich taumeln Vögel durch den wilden Himmel, machtlos im Wind, der sich unablässig im Kreise dreht. Zaunkönige, Finken, Lerchen werden von der Luft getragen, fliegen aber nicht. Ich blicke hinaus in das unwirkliche Licht der frühen Morgendämmerung.

Unmittelbar vor dem Fliegengitter flattert ein Kolibri gegen den Wind an, die schillernden Flügel ein Flirren, das vom bloßen Auge nicht wahrgenommen werden kann, und trillert unentwegt; er ist ein farbiges Juwel im grauen Himmel. Er fliegt rückwärts, wird nicht vom Wind geschoben, sondern bestimmt selbst die Richtung und sucht verzweifelt Schutz im Dickicht weiß blühender Zimterlen vor unserer Hütte. Seine Flügel, mit winzigen Gelenken an seinem Körper befestigt, bewegen sich in Achten, dem Symbol für Ewigkeit.

Ich rufe zu Peter hinein: »Wach auf.«

Er regt sich, wacht aber nicht auf.

»Peter«, sage ich, lauter diesmal. »Wach auf. Das musst du sehen.« Aber der Schlaf hält ihn fest umfangen.

Ich gehe zum Bett und schüttle ihn.

»Was ist?« Seine Stimme ist schlaftrunken. »Himmel, wie spät ist es?«

»Ich weiß nicht. Noch früh. Wach auf. Das musst du sehen. Es ist der Wahnsinn, die Vögel in einem Mahlstrom.«

»Es ist mitten in der Nacht.«

»Ich glaube, wir sind genau im Auge des Orkans.«

»Dann wäre es nicht so windig, sondern nur tote Luft. Es ist einfach ein Sturm. Alles nicht so schlimm. Jetzt lass mich schlafen«, murrt er ganz süß.

Ein paar Jahre, nachdem Maddy und Finn geboren waren, und lange, nachdem unsere Leben unterschiedliche Richtungen eingeschlagen hatten, gingen Jonas und ich eines Tages durch den Wald. Wir kamen an einer Eiche vorüber, um deren Stamm sich eine Geißblattpflanze rankte. Kolibris, Hunderte, so schien es, umschwärmten die Blüten und tranken den Nektar mit ihren nadelspitzen, gebogenen Schnäbeln.

»Kolibris sind die einzigen Vögel, die rückwärts fliegen können«, sagte Jonas. »Eine Tatsache, die nie aufhört, mich zu erstaunen. Sie können rückwärts genauso schnell fliegen wie vorwärts. Vierundfünfzig Meilen pro Stunde.«

»Könnte ich rückwärts fliegen, würde ich es tun«, sagte ich. In den Schutz der Bäume, zu einer Zeit zurück, als mein Herz für ihn schlug wie das eines Kolibris, mit fünfhundert Schlägen in der Minute.

Und er sagte, wie er es jedes Mal tat: »Ich weiß.«

6.30

Als ich wieder wach werde, ist der schwere Regen vorbei. Auf dem Fußboden neben unserem Bett ist eine Pfütze entstanden, und der Stapel der Bücher, die ich noch lesen wollte, ist nass. Peter träumt, das erkenne ich am Zucken seiner Augenlider und seinem unregelmäßigen Atem. Ich streiche ihm das Haar aus der Stirn, küsse ihn auf die Wange und die Stirn.

Er regt sich, bewegt sich, seine Augen öffnen sich einen Spalt.

»He«, sage ich. »Du bist ja da«, und bedecke sein Gesicht mit zarten Küssen.

»Morgen, Schatz«, sagt er und schiebt mich weg. »Gehst du schwimmen?«

»Komm doch mit. Nach dem Regen ist das Wasser im See bestimmt warm.« Ich halte den Atem an, warte. Komm bitte. Mach, dass das ein Ende hat.

Er dreht sich zur Seite, den Rücken mir zu. »Ich habe Jack versprochen, ihn um neun in die Stadt zu fahren. Weck mich, falls ich verschlafe.«

Ich lege meine Hand auf sein Schulterblatt und spreize die Finger. Ich mag seine Sommersprossen zwischen meinen Fingern, wie Sternbilder. Mit den Fingerspitzen zeichne ich ein Herz über seinen breiten Rücken.

»Ich dich auch«, sagt er verschwommen aus dem Dickicht der Laken.

Die Morgenluft ist feucht. Ich binde mir den alten fliederfarbenen Morgenmantel meiner Mutter fest um die Taille und blicke von der Tür nach draußen. Der See liegt still da, wie eine Glasfläche, als hätte es nie einen Sturm gegeben, die Seerosen sind, gemäß ihrem inneren Rhythmus, verschlossen. Überall herrscht Stille, die Welt ist von einem zartrosa Hauch überzogen. Auf den Stufen vor unserer Hütte sehe ich eine kleine schillernde Feder. Ich hebe sie auf. Drehe sie an dem spitzen, hornigen Stiel. Auf der anderen Seite des Sees steht eine Gestalt. Wartend. Hoffend. Ich erkenne schwach sein blaues Hemd.

Die Stufe biegt sich seufzend unter meinem Schritt, und mit einem leisen Ächzen, das ich Tausende von Malen gehört habe, springt sie zurück. Diesen Ort mit seinem Tuscheln und Wispern trage ich in meinen Knochen. Das sanfte Rascheln der Kiefernnadeln unter meinen bloßen Füßen, die Schwimmbewegungen der Karpfenfische, den würzigen Geruch von nassem Sand und Seewasser. Dieses Haus, aus Papier gebaut, aus geschredderter und gepresster Pappe, ist zu etwas Festem geworden, das der Zeit, den langen, einsamen Wintern standhält. Es droht zu verfallen und bleibt doch stehen, steht noch, Jahr um Jahr, wann immer wir zu ihm zurückkehren. Dieses Haus, dieser Ort, all meine Geheimnisse sind hier. Ich bin in seinem Gebälk.

Ich schließe die Augen und atme das Allumfassende ein. Jonas. Peter. Mich. Was hätte sein können. Was sein könnte. Ich ziehe meinen Ehering ab und lege ihn mir auf die Handfläche; ich betrachte ihn, spüre sein Gewicht, sehe seine ewige Form, sein Gold. Ich drücke ihn fest an meine Lebenslinie, zum letzten Mal, bevor ich ihn auf die oberste Stufe lege und den Pfad hinunter zum See gehe.

Danksagung

In meiner Jugend, als ich meine ersten Schreibversuche machte, gab mir mein Großvater Malcolm Cowley einen Rat, den ich seitdem bei mir trage. Das Einzige, was du wissen musst, sagte er, ist Folgendes: Eine gute Geschichte hat einen Anfang, eine Mitte und ein Ende, und das Ende muss am Anfang schon durchschimmern.

Ich habe mein ganzes Leben gebraucht, um da anzukommen, aber seinen Rat habe ich aufs Kleinste befolgt.

So vielen Menschen bin ich dankbar, dass sie mich gedrängt, ermuntert, unterstützt und auf dieser Reise begleitet haben, allen voran meiner außergewöhnlichen Mutter, Blair Resika, die mir beigebracht hat, den Tisch richtig zu decken, und die uns in kompromissloser Schönheit aufgezogen hat. Lizzie und Sonia, meine geliebten Schwestern, ihr seid mein Fels und meine Seele.

Mein Vater Robert Cowley, Lektor und Historiker, erklärte mir, als ich elf Jahre alt war, die besten Texte legten den kürzesten Weg zwischen zwei Punkten zurück. Dafür danke ich ihm, aber noch mehr danke ich ihm für meine beiden jüngeren Schwestern, Olivia und Savannah.

Ich danke meinem Großvater Jack Phillips, dass er uns die Landschaft geschenkt hat, und meinem wunderbaren Stiefvater Paul Resika, weil er sie unsterblich gemacht hat. Meiner Patentante Florence Phillips danke ich für eine magische Dose Zuckermais, die den Lebensweg eines kleinen Mädchens beeinflusst hat.

Endloser Dank geht an Sarah McGrath, meine brillante und

anregende Lektorin, deren scharfem Blick nichts entgeht. Auch dem Riverhead-Team danke ich sowie Venetia Butterfield und Mary Mount, den Walküren von Viking.

Ich danke Anna Stein, meiner großartigen, mich vorantreibenden Agentin, die meine Träume wahrgemacht hat und jederzeit an meiner Seite steht. Ich habe maßloses Glück, dass Will Watkins von ICM, Susan Armstrong von C&W, Claire Nozieres bei Curtis Brown und Jason Hendler bei HJTH in meinem Team sind.

Mark Sarvas, Mentor und lebenslanger Freund. Du hast mich auf der ganzen Strecke begleitet. Worte werden niemals reichen, dennoch werde ich es versuchen. Dank an Adam Cushman, der an das Buch geglaubt hat, bevor ich begriffen hatte, dass es ein Buch werden würde. Jack Grapes, der mir beigebracht hat, dass Prosa im Grunde Dichtung ist. Ich danke allen Autoren der Novel Writers Group, die mit mir in Workshops an *Der Papierpalast* gearbeitet haben, darunter Andrea Custer, Samuel Stackhouse, Ondrea Harr, Victoria Pynchon, Catherine Ellsworth sowie Joel Villaseñor, ein außergewöhnlicher Wortschmied. Ich danke meinen Freunden bei PEN America. Meinen Vorstandskollegen beim Fine Arts Work Center.

Stepha für alles, was sie getan hat. Faran für die Bäume. Estelle für Weisheit und Herzenswärme. Jimmy für das Licht. Tanya, dass es weiterleuchtete. Nick für die Freude vom ersten Tag an. Christina und Olivia, die dafür sorgten, dass meine Welt im Lot blieb. Lily und Nell, die es möglich machen, dass die Welt auch mal aus dem Lot geraten kann. August für den feinen Trommelrhythmus, dem wir alle folgen. Lasher, Calder und Sebastian, klein und zum Fressen süß. Und Georgia, oh Georgia, meine Waldfee, die mich zum Träumen anregt.

Ich bin in einer Welt der starken Frauen mit starken Stimmen und festen Herzen aufgewachsen. Ich danke jeder einzelnen für ihre Freundschaft. Es ist ein großer Segen. Danke Margot, Angela, Laura, Nonny, Tory, Busby – Freundinnen fürs Leben. Charlotte, erste Leserin, die Ja sagte, Dank an Nina, die Tag für Tag schreibend neben mir saß; an Kate für ihren grenzenlosen Optimismus; an Nicky und Louise für ihre Unterstützung; an Laura B., Evgenia, Katie und Elizabeth, Freundinnen mit scharfem Verstand und frühe Leserinnen; an Libby, die mich angespornt und dafür gesorgt hat, dass ich das Ganze endlich zu Ende bringe; an Zoe und Lucy für schwesterliche Unterstützung; an die großartigen Frauen in meiner Familie: Antonia, Susannah, Hayden, Saskia, Cosima, Rachel, Frankie, Lula, Lotte, Grace, Louisa, Millie. Jede von euch hat den Weg mitgeprägt.

Dank an meine Söhne Lukas und Felix – ich liebe euch über die Maßen. Aber das wisst ihr.

Und zuletzt und vor allem danke ich dir, Bruno, für die gemeinsam gegangenen Wege, für diese unglaubliche Reise durchs Leben.

Wir verpflichten uns zu Nachhaltigkeit

- Klimaneutrales Produkt
- Papiere aus nachhaltiger Waldwirtschaft und anderen kontrollierten Quellen
- ullstein.de/nachhaltigkeit

Die Originalausgabe erschien 2021
unter dem Titel *The Paper Palace*
bei Riverhead Books, einem Imprint von
Penguin Random House LLC, New York

FSC
www.fsc.org

MIX
Papier aus verantwor-
tungsvollen Quellen
FSC® C014496

ISBN: 978-3-550-20137-0

© 2021 by Miranda Cowley Heller
© der deutschsprachigen Ausgabe
2022 by Ullstein Buchverlage GmbH, Berlin
Alle Rechte vorbehalten
Gesetzt aus der Adobe Garamond
Satz: Pinkuin Satz und Datentechnik, Berlin
Druck und Bindearbeiten: GGP Media GmbH, Pößneck